HAT DAS ZUKUNFT
ODER KANN DAS WEG?

Petra Pinzler arbeitet als Hauptstadtkorrespondentin der Wochenzeitung *Die Zeit*. Sie schreibt zudem Bücher über Wirtschaft, Umwelt und Klimaschutz und die Frage, was die Gesellschaft gut und Menschen zufrieden macht. Nach einem Studium der Wirtschafts- und Politikwissenschaften besuchte sie die Kölner Journalistenschule. 1994 begann sie bei der *Zeit*, für die sie von 1998 bis 2001 als Korrespondentin aus Washington berichtete, bis 2007 aus Brüssel und seither aus Berlin.

PETRA
PINZLER

Hat das Zukunft oder kann das weg?

Der Fortschrittskompass

Campus Verlag
Frankfurt/New York

ISBN 978-3-593-51913-5 Print
ISBN 978-3-593-45819-9 E-Book (PDF)
ISBN 978-3-593-45818-2 E-Book (EPUB)

Umschlaggestaltung: Gundula Hißmann / hißmann, heilmann, Hamburg
Redaktion: Thorsten Schulte
Satz: DeinSatz Marburg UG | tn
Gesetzt aus: Minion Pro, Montserrat und Sabon LT Pro
Druck und Bindung: Beltz Grafische Betriebe GmbH, Bad Langensalza
Beltz Grafische Betriebe ist ein Unternehmen mit finanziellem Klimabeitrag
(ID 15985-2104-1001).
Printed in Germany

www.campus.de

Meinen Eltern Ute und Horst Pinzler

Inhalt

Anfang
Über uns

Wieder einer dieser Tage. Morgens das Radio gleich wieder ausgestellt. Nichts als Krisen, Kriege und Katastrophen. Kurz das Fenster geöffnet. Draußen ist es viel zu warm für die Jahreszeit, das Wetter spielt schon seit Tagen verrückt. Mal zu viel Regen, dann zu viel Sonne. Auf dem Weg zur Arbeit mit dem Handy gesurft, kurz vom neuesten Krach in der Regierung gelesen. Unerfreulich, wie fast immer. Hochgeschaut. Und da steht er plötzlich, der Spruch, jemand hat ihn an eine Wand gesprüht: Alles wird gut!

Alles wird gut? Den Satz kennt jeder. Und hin und wieder flackert sie ja auch auf, diese Hoffnung: Irgendwann werden gute Nachrichten aus dem Radio kommen oder den Social-Media-Feed füllen. Es werden Menschen regieren, die große Probleme lösen. Das Klima wird geschützt, das Artensterben gestoppt und der Frieden ist zurück. Der Fortschritt wird die Welt zu einem besseren Ort gemacht haben. Und warum auch nicht? Schließlich hat die Menschheit das Feuer bezähmt, die Demokratie erfunden und die Waschmaschine. Um nur drei Errungenschaften zu erwähnen.

Sie finden die Aufzählung verwunderlich und die Hoffnung naiv? Damit sind wir dann mittendrin im Thema dieses Buches. Ich möchte Sie mit auf die Suche nehmen, und zwar nach der Antwort auf die eine wichtige Frage in unser aller Leben: Was macht die Zukunft zu einem guten Ort? Die Frage ist nicht neu, doch kommt gerade etwas sehr Neues dazu. Anders als in der jüngeren Vergangenheit blicken wir heute immer häufiger mit Sorge auf die kommenden Jahre. Immer leichter fällt es uns, Dystopien auszumalen. Wir misstrauen dem Techno-Optimismus, und das oft genug zu Recht. Wir erinnern uns an all die gesellschaftlichen Utopien, die sich in Albträume verwandelt haben und sind deswegen skeptisch, wenn jemand von einer besseren Gesellschaft schwärmt. Dass der Fortschritt es schon irgendwie richten wird, glauben wir jedenfalls immer seltener. Und diejenigen, die ernsthaft behaupten, es werde schon alles gut, die schauen wir befremdet an. Deutschland, so könnte man auch sagen, hat ein Problem mit der Zukunft.

Dabei geht es den meisten Menschen heute besser denn je. Könnten wir unsere Vorfahren aus der Vergangenheit ins heutige Deutschland beamen, sie würden uns für verrückt halten. Jedenfalls, wenn wir sorgenvoll von unserem Leben erzählen. So viel Freiheit wie heute hatten wir hier nie. Frauen können mehr als jemals zuvor leben, wie sie wollen. Jugendliche werden ernster genommen. Menschen haben Rechte. Es gibt genug zu essen, die Wohnungen sind warm und langweilig ist es selten, denn jeden Tag kommt etwas Neues in die Welt. Und was vor einem Jahrhundert noch als verrückte Fantasie galt, ist heute völlig normal: Wissen auf Knopfdruck, Reisen um die Welt, maßgeschneiderte Medizin. Und Jahr für Jahr wächst die Lebenserwartung weiter.

Zugleich aber spüren wir die Widersprüchlichkeit der Gegenwart. Da ist der Krieg mit großer Grausamkeit in unsere Nachbarschaften zurückgekehrt, und mit ihm die Angst. Flüchtlinge aus aller Welt drängen verzweifelt ins Land. Die wilden Tiere sterben aus, die Wälder sind krank, die Ozeane kippen. Das, was gestern noch Sicherheit versprach, könnte vielleicht morgen schon nicht mehr da sein. Es schwindet die Hoffnung, dass die Vereinten Nationen eine Weltordnung etablieren, in der die Menschheit ihre Probleme kooperativ löst. Stattdessen erlebt die Geopolitik eine Renaissance und sie zwingt uns, erneut viel zu viel Geld für Rüstung auszugeben. Auf die amerikanische Schutzmacht ist nicht mehr unbedingt Verlass, Russland ist vom Nachbarn zur Bedrohung geworden und China hat sich zum ökonomischen Rivalen gewandelt. Immer häufiger wird die Wirtschaft als strategische Waffe eingesetzt. Und ob die neuen Technologien zum Fluch oder Segen werden, ist längst nicht ausgemacht. Sicher ist nur, dass Google, Amazon, Tiktok, ChatGPT und viele andere Tech-Unternehmen, nicht in Deutschland ansässig sind, sondern dort, wo andere entscheiden.

Als ob das nicht schon reicht, ist auch noch unser Staat eher schlecht als recht im 21. Jahrhundert angekommen. Ausgerechnet dort, wo wir ihn täglich erleben, wird er immer unzuverlässiger. Die Digitalisierung der Verwaltung gibt es zwar seit Jahren schon – in Estland und Österreich. Die Schulen sind mitnichten die Leuchttürme eines Landes, das Bildung so dringend nötig braucht, obwohl bei jeder Wahl das Gegenteil versprochen wird. Auf dem Land schließen Arztpraxen und Kindergärten. Und ja, früher war nicht nur mehr Lametta. Früher war es tatsächlich kein Witz, wenn jemand sagte: Pünktlich wie die Bahn.

Wann genau ist die Vergangenheit zum Sehnsuchtsort geworden? Wann die Zukunft zu etwas Bedrohlichem? Seit wann sorgen wir uns um unsere künftige Sicherheit, seit wann ist Freiheit nichts Selbstverständliches mehr? Seit die »Polykrise« ins Bewusstsein drängt, sagt der britische Historiker Adam Tooze und er beschreibt die Lage der Welt als etwas Einzigartiges, als eine bis dato unbekannte Zusammenballung von potenziellen Gefahren.[1] Denn Krisen gab es zwar immer schon, so viel Krise gleichzeitig aber war noch nie. Heute könnten wir den gesamten Planeten vernichten, jedenfalls den Teil, den wir zum Überleben brauchen. Weil die Waffen tödlicher denn je sind und lokale Kriege die Gefahr in sich tragen, zu Weltenbränden zu werden. Und weil die Umweltkrise all diese Konflikte massiv verschärft.

Dabei ist die Wirkungskette einfach zu verstehen, aber schwer zu bekämpfen, es geht um komplexe Systeme. Nur ein Beispiel: Hitze macht unseren Nachbarkontinent Afrika zunehmend unbewohnbar, das führt zu lokalen Konflikten um Land und Wasser, also flüchten immer mehr Menschen, auch nach Europa. Ihre Zahl heizt hier die innenpolitische Lage auf, das treibt den Populisten die Leute zu, und damit sinken wiederum die Chancen für eine ehrgeizige Klimapolitik – mit deren Hilfe die Ursachen bekämpft werden könnten. Und schon hat er sich geschlossen, der Krisen-Teufelskreislauf.

Noch können wir die Wohnungstür schließen, die Nachrichten abschalten und Katzenfilmchen gucken. Doch immer häufiger schleicht sich die Wirklichkeit dann aus dem Unterbewusstsein ins Denken, und schon sind die Fragen da: Wie wird es weitergehen? War da nicht gerade erst die Dürre in Spanien, die Überschwemmung an der Ahr, der Starkregen im Saarland, die Sturmflut an der Ostsee? Erleben wir nicht mehr nur ein Jahrhunderthochwasser, sondern das Jahrhundert der Hochwasser? Kommt das Unheil immer näher? Und vielleicht kommt es gar nicht einfach so daher. Wir beschleunigen es doch durch die Art, wie wir essen, wohnen und durch die Welt jetten. Geht es jetzt ans Bezahlen, beginnt jetzt das Ende der Ausnahmejahrzehnte – jene Zeit der Behaglichkeit, in der immer mehr Wachstum und immer mehr Wohlstand zur trügerischen Selbstverständlichkeit wurden? Erleben wir das Ende eines goldenen Zeitalters und den Beginn einer neuen, unheilvollen Epoche?

Zwei Drittel der Deutschen blicken besorgt auf das Land: »Das Vertrauen in eine bessere Zukunft ist fundamental erschüttert: Die Mehrheit der Deutschen befindet sich in einem ›No Future‹-Modus.« Die Menschen »erkennen die großen Zukunftsprobleme, haben aber keine Idee, wie sich diese Jahrhundert-Herausforderungen bewältigen lassen.«[2] Zu diesem Ergebnis kommt eine Umfrage des Rheingold Instituts aus dem Jahr 2021. Man könnte annehmen, dass Corona bei den Antworten eine große Rolle gespielt hat. Doch auch Ende 2023 geben bei einer Erhebung der Stiftung für Zukunftsfragen sechs von zehn Befragten an, dass sie angstvoll auf das kommende Jahr blicken – je älter und je ärmer, desto mehr.[3] Bei einer Umfrage der Schufa blicken im Frühjahr 2024 sogar drei Viertel der Deutschen ängstlich in die Zukunft.[4] Und besonders bedrückend sind die Aussagen von Jugendlichen, also denjenigen, die sich voller Hoffnung auf ihr Leben freuen sollten. Nach einer Studie, die die Barmer Ersatzkasse beim Meinungsforschungsinstitut Sinus in Auftrag gegeben hatte, haben zwei Drittel von ihnen Angst vor dem Klimawandel.[5]

Kollektive Weltuntergangsgefühle verändern eine Gesellschaft. Der Soziologe Andreas Reckwitz, der sich Gedanken über die Folgen gemacht hat, war noch in jüngerer Vergangenheit der Meinung: »Ohne die Vorstellung, dass die Zukunft besser sein wird als die Gegenwart, so wie auch die Gegenwart bereits besser ist als die Vergangenheit, kann die moderne Gesellschaft bisher nicht existieren. Sie lebt von positiven Zukunftserwartungen.« Neuerdings aber ist er deutlich zurückhaltender, fordert, den Glauben an »eine vermeintlich automatische Entwicklung zum Besseren aufzugeben«, und wünscht sich, dass die Gesellschaft die Fähigkeit entwickelt, »mit Verlusten umzugehen«.[6]

Von solch düsteren Gedanken war die Ampelkoalition weit entfernt, als sie hoffnungsfroh die Merkel-Regierung ablöste. Scholz und sein neues Team wollten im Gegenteil das Zentrum und der Motor eines progressiven, hoffnungsfrohen Landes werden, dessen Bevölkerung fest an ein besseres Morgen glaubt. Sie wollten optimistische Antworten auf die großen Fragen geben: Was kann sich das Land ökonomisch noch leisten, was muss es modernisieren? Vor welchen Krisen fürchten wir uns zu Recht, auf welche Sicherheit können wir uns auch morgen noch verlassen? Wie wappnen wir uns gegen die Klimakrise? Was müssen wir ändern und worauf können wir uns freuen? Vor allem aber hatte sie suggeriert: Bei uns seid ihr in guten Händen.

Geblieben sind Ratlosigkeit, Streit und die Unfähigkeit, ehrlich mit uns zu sprechen. Schlimmer noch, die Erwartung, dass die Politik die Zukunft im Griff hat, ist einem bösen Gefühl gewichen, und das gleich in allen gesellschaftlichen Schichten: Wut![7] Die Akademikerinnen sind wütend, die Arbeiter, Junge und Alte, Frauen und Männer. Wir schimpfen auf die anderen und die auf uns. Und alle zusammen auf die Politik: Diese Regierung macht ihren Job so erbärmlich schlecht! Wenn auch auf sonst nichts, darauf können wir uns einigen. Im Frühjahr 2024 sind bereits 80 Prozent und damit eine große Mehrheit unzufrieden mit der Politik der Ampel, trotz Mindestlohnerhöhung, Energiepreisbremse und Deutschland-Ticket.

Nun lässt sich tatsächlich leicht argumentieren, dass die aktuelle Politik nicht auf der Höhe der Zeit ist. Dass die Ampel so viel falsch macht. Dass eine fortschrittliche Regierung die großen Probleme endlich viel beherzter angehen müsste. Oder wenigstens die parlamentarische Opposition einen Strauß überzeugender Alternativen bieten sollte. Immer häufiger verschwinden die sachliche Kritik, das Argument und die ernsthafte Debatte über die richtigen Lösungen jedoch unter einer Welle von Emotionen. Wir müssen heute wieder ernsthaft um die Demokratie fürchten, darum, dass Wählende sich voller Frust abwenden. Immer mehr Menschen weigern sich, wie Erwachsene zivilisiert über Themen zu streiten, sie empfinden das Ringen um Kompromisse als Versagen des politischen Systems. Sie rotten sich auf Telegram zusammen, beleidigen auf X (Twitter) andere und bedrohen ausgerechnet diejenigen, die in den Kommunen mühsam versuchen, etwas zum Besseren zu verändern. Und auf dieser Welle aus Hass surfen dann Populisten und verbreiten die Botschaft, dass wir vorwärts in die Vergangenheit müssen.

Dieses Buch sucht nach dem Gegenteil. Es soll als Kompass auf dem Weg in eine gute Zukunft dienen, der ganz privaten und der des Landes. Deswegen sucht es nach den Faktoren, die eine Gesellschaft braucht, um die alten Ideen vom Fortschritt nicht nur zu entstauben und zu aktualisieren, sondern daraus auch künftig und trotz alledem die nötige Kraft für Veränderungen zu schöpfen. Es erzählt, welche klassischen Fortschrittskonzepte es gab, welche heute noch passen, und wie die Konzepte der Parteien modernisiert werden müssten. Es diskutiert, ob es im Kapitalismus noch eine Zukunft geben kann, und wenn ja, in welcher Art von Kapitalismus. Welche Politik es dafür braucht. Und warum viele der nötigen Reformen ohne mehr Gerechtigkeit nicht umsetzbar sein werden.

Dabei drängt die Zeit, mehr denn je. Denn eines ist klar: Die Polykrisen werden – so oder so – für Wandel sorgen. Wer heute über Fortschritt redet oder sogar für ihn wirbt, muss das immer mitdenken. Fortschritt hat zwar seit jeher viele Gestalten, er kann mehr Freiheit bedeuten, mehr Gerechtigkeit oder Wohlstand, neue Ideen, Dinge, Lebensweisen oder alles zusammen. Menschen haben ganz unterschiedliche Prioritäten, und genau das bringt eine plurale, lebendige Gesellschaft voran. Alle ihre Wünsche eint heute jedoch eines: Damit sie verwirklicht werden können, braucht es einen gesunden Planeten. Das klingt trivial, ist es aber leider nicht mehr. Wir werden nur dann weiter würdig auf dieser Erde leben, lieben und innovativ sein können, wenn Politik und Wirtschaft die physikalischen Gesetze und die Begrenztheit der Natur respektieren. Und genau das tun sie derzeit nicht. Bleibt das auch künftig so, werden die Kräfte der Regierungen und die Finanzen des Staates immer stärker durch die Folgen immer schlimmerer Naturkrisen gebunden sein. Fortschritt passt also nur dann noch ins 21. Jahrhundert, wenn er die Klimakrise und die Begrenztheit der Natur berücksichtigt. Gesellschaften, die sich dieser Erkenntnis verweigern, werden bald schon immer mehr Getriebene der Veränderungen sein. Weil mit jedem Jahr der Ignoranz die Spielräume für eine aktive Gestaltung der Zukunft schrumpfen. Und die Reparaturarbeiten immer teurer werden.

Die entscheidende Frage ist also nicht, ob sich Deutschland verändert, sondern wie und wann. Und ob wir, ob unsere Regierungen, den Spielraum nutzen, den es jetzt noch gibt. Dieses Buch wird daher immer wieder um diese eine Frage kreisen: Wie geht eine fortschrittliche Politik, die die planetaren Grenzen achtet?

Ein Hinweis noch vorweg, quasi als Gebrauchsanweisung: Weil alle Theorie grau ist und Ideen von Fortschritt und Entwicklung leicht ins Theoretische abschweifen, wird dieses Buch immer wieder auch den Praxistest machen, also hineintauchen in die aktuelle deutsche Politik. Sie dient als Lehrstück, sie illustriert, was in der aktuellen Wirtschafts- und Umweltpolitik zukunftsfähig ist – und was wegmuss. Warum ist die Ampel als Tiger gestartet und schnell als Bettvorleger gelandet? Warum tun sich die Regierungsparteien so unsagbar schwer damit, unser so reiches Land zu modernisieren oder überhaupt nur überzeugende Bilder eines modernen und sicheren Landes zu entwickeln? Warum fällt ihnen das Gespräch mit uns so schwer? Wie ist die Lage bei den Christdemokraten, die möglicherweise die kommende Regierung führen werden? Warum wirken die Grundwerte aller Parteien so altmodisch, wie müssten sie modernisiert werden? Und wo gibt es Ideen für eine andere, zukunftsfähigere Politik? Oder kurz: Wie kommt der Fortschritt ins Land?

Die Suche nach den Antworten hat zu Innovationsexperten und Ministerinnen geführt, zu Regierungsberatern, Wirtschaftsweisen und Menschen, die sich jeden Tag für unsere Demokratie, unsere Gesellschaft und unser Wohlergehen engagieren. Komplexitätsforscher erklären, wieso die moderne Datenanalyse manche Science-Fiction schon heute alt aussehen lässt. Die Hausphilosophen der Silicon-Valley-Tycoons kommen mit ihren sehr speziellen Ideen für die Weiterentwicklung der Menschheit zu Wort. Ökonominnen und Sozialwissenschaftler diskutieren, was man vom Kapitalismus noch brauchen kann und wofür den Staat, wie Gerechtigkeit und Fortschritt zusammenhängen. Es stellt diejenigen vor, die gegen das »Wird alles eh nix mehr«-Weltuntergangsgefühl kämpfen. Und dann nehme ich Sie auch noch mit zu einem faszinierenden Experiment. Bei dem geht es darum, zu lernen, was vielen von uns fehlt: Zukunftskompetenz.

Ohne zu sehr zu spoilern: Es geht noch was in diesem Land.

Wie? Die Antworten sind so interessant wie die Zukunft selbst.

1
Über die Politik
Wie die Ampel mehr Fortschritt versprach und warum das schiefging

Das Selfie erscheint heute irreal: Annalena Baerbock, Christian Lindner, Robert Habeck und Volker Wissing lächeln in eine Handykamera. Alle vier sehen ein wenig müde aus, das weiße Licht schmeichelt nicht gerade, bei Lindner spiegelt es sich auf der Stirn, bei Habeck auf der Nase. Doch gerade das Unperfekte macht das Besondere aus, signalisiert es doch: Hier beginnt etwas, das im Stil modern, im Ton fröhlich und im Inhalt neu sein wird. Hier schließen sich zwar sehr unterschiedliche Parteien zusammen, aber ihre neue Koalition wird von Pragmatismus getragen werden, von dem gemeinsamen Willen, das Land zum Besseren zu verändern, und das schnell: Bei der Digitalisierung, der ökologischen Transformation, den Bürgerrechten. Alle vier stellen das Foto zeitgleich auf Instagram. Alle schreiben den gleichen Text: »Auf der Suche nach einer neuen Regierung loten wir Gemeinsamkeiten und Brücken über Trennendes aus. Und finden sogar welche. Spannende Zeiten.«

Der Blick zurück in die Flitterwochen der Ampel ist nicht nur von historischem Interesse. Zukunftsfähige Politik des 21. Jahrhundert muss sich sehr grundsätzlich von der des vergangenen Jahrhunderts unterscheiden, nicht nur weil die Krisen häufiger und heftiger werden. Auch können die Fortschrittskonzepte der Vergangenheit nicht mehr einfach so in die Zukunft fortgeschrieben werden. Erfolgreiche Regierungspolitik braucht also einen neuen Kompass. Und die Ampel hat genau den versprochen. Sie suggerierte gleich am Anfang ihrer Partnerschaft, dass sie uns verstanden hat und entsprechend handeln will. Dass bei ihr manches anders, aber vieles besser werden wird als unter Bundeskanzlerin Angela Merkel. Diese Koalition will das Land modernisieren. Sie will nicht vor allem reagieren, sondern regieren. Was ganz offensichtlich eher schlecht als recht funktioniert hat. Warum? Tauchen wir kurz ein in die jüngere Geschichte und suchen nach den Schlüsselmomenten, die das Scheitern der Ampel dokumentieren. Nach den tiefer liegenden Gründen für all den Streit. Und nach den Kräften, die die Koalition von der ersten Minute an gleich wieder auseinandertreibt. Dann wird nicht nur klar, warum die aktuelle Regierungspolitik so dysfunktional ist. Sondern auch, was für Lehren die nächsten Regierungen daraus ziehen sollten. Und auch wir.

Also zurück in die so hoffnungsvollen Monate des Anfangs. Fast surreal wirkt im Rückblick, wie fröhlich die Vier an jenem 29. September 2021 sind. So viel gute Laune war lange nicht und auch nicht so viel Hoffnung. Selbst wenn hier keine heiße politische Liebesaffäre beginnt, sondern eine arrangierte und auf kühler Nutzenkalkulation basierende Vernunftehe, weckt der Start doch erstaunlich viele positive Gefühle. Das neue Regierungsteam wirkt nicht nur unverbraucht, jünger und pragmatischer als die Vorgänger. Mit ihm scheint auch ein neuer Stil in die Politik einzuziehen. »Eng, intensiv, mitunter leidenschaftlich und vor allem vertrauensvoll« seien die Koalitionsgespräche verlaufen, beschreibt der Sozialdemokrat Olaf Scholz die neue Arbeitsweise. Der Grüne Robert Habeck verspricht eine »lernende Politik«, um »Gegensätze zu überwinden«. Und FDP-Chef Christian Lindner sagt, man wolle sich »nicht gegenseitig begrenzen, sondern gegenseitig erweitern«[1]. So gut ist die Stimmung in jenen Tagen, dass sogar der notorisch unzufriedene *Spiegel* kommentiert: »Dieses Bild, es kann der Anfang von etwas sein.«[2]

Das Gefühl des Neustarts entsteht auch dadurch, dass in der Koalition Menschen mit sehr unterschiedlichen Erfahrungen und Stilen zusammengekommen sind: Der Grüne Robert Habeck, dessen Krawatten noch ziemlich schief sitzen. Der Liberale Marco Buschmann, der mit seiner Musik einen SoundCloud-Account betreibt. Der Publikumsliebling Karl Lauterbach. Das grüne Ausnahmetalent Ricarda Lang, die trotz oder wegen ihrer Jugend mit ungewöhnlicher Coolness in jede Talkshow geht, und bald schon zur Hoffnung der Grünen wird. Der liberale Pfälzer Volker Wissing, der als Landesminister schon Ampelerfahrung hat und davon schwärmt. Eine SPD-Fraktion, die so altersgemischt und divers ist wie nie. Ein Blick reicht, um zu wissen: Das ist eindeutig das Ende der einfarbigen Jacketts. Stilistisch wird es in Berlin ab sofort deutlich moderner als in der Merkel-Ära, und vielleicht geht noch mehr. Vielleicht entsteht hier eine neue progressive Mitte.

Die Spitzen der Ampel befeuern diese Erzählung gern – und eine kurze Weile auch erfolgreich. »Ein neuer Aufbruch ist möglich. Fangen wir an. Deutschland wartet auf diesen neuen Aufbruch«, wirbt FDP-Chef Christian Lindner auf dem digitalen Parteitag seiner Partei für das neue Bündnis.[3] Annalena Baerbock klingt nicht viel anders, sie spricht von einem neuen gesellschaftspolitischen Motor: »Es gibt bei dieser Farbkonstellation auch eine Chance, eine neue Dynamik, einen gesellschaftspolitischen Aufbruch zu schaffen, um unser Land auf die Höhe der Zeit zu bringen.«[4] Oder, um es mit Robert Habecks Worten zu sagen, weil die am meisten vor Begeisterung sprühen: »Einen Regierungswechsel, wie er jetzt ansteht, hat es in den 72 Jahren Bundesrepublik nur selten gegeben – aus meiner Sicht nur 69, 82 und 98. Diese Wechsel waren immer weit mehr als das, was die Politik selbst vorangebracht hat. Sie waren immer auch Spiegel der Veränderungen in der Gesellschaft. Sie markierten immer eine Zäsur für neuen Wandel.«[5]

Nötig wäre er, der Wandel. Die Zukunft dieses Landes braucht eine andere Art der politischen Zusammenarbeit. Man kann das, was wir gerade erleben, mit dem Wort »Epochenwechsel« beschreiben. Man kann es die »Geschichtlichkeit des Augenblicks« nennen oder »Polykrisenzeiten«. All das klingt groß, aber genau darum geht es: Um gewaltige Veränderungen und daraus abgeleitet die Frage, wie die Politik auf die neue Wirklichkeit reagiert oder reagieren sollte. Viele der modernen Krisen sind latente Probleme, die unsere Sicherheit noch nicht unmittelbar, aber doch immer stärker beeinträchtigen. Geopolitische Machtverschiebungen dauern, kriegerische Konflikte schwelen oft schon

Jahre, die Klimakrise kommt nicht über Nacht, und viele Insekten sterben heute zwar viel zu schnell aus – aber dennoch zu langsam für die Schlagzeilen von Zeitungen. Eine Regierung wird solche Probleme nicht lösen, indem sie immer nur reagiert, wenn es brennt. Statt nur das nächste Feuer zu löschen, muss sie sehr grundsätzlich über andere Formen des Brandschutzes nachdenken. Will sie für Sicherheit sorgen, muss sie präventiver wirken als ihre Vorgängerinnen – wohl wissend, dass sie dafür vielleicht gar nicht oder erst in der Zukunft gelobt werden wird. Und dass die Opposition im Zweifel nur über die hohen Kosten schimpft und den Nutzen ignoriert. Sie muss daher viel mehr als ihre Vorgängerinnen erklären können, was auf uns zukommen wird, warum Prävention jetzt (!) sein muss. Und auch, dass manche Probleme womöglich gar nicht und andere nur gemeinsam, unter tätiger Mithilfe von Demokratinnen und Demokraten, von Bürgerinnen und Bürgern gelöst werden können.

Eines ist jedenfalls sicher, und das bereits zum Amtsantritt der Ampel: Die vergleichsweise ruhigen Zeiten, in denen Angela Merkel die Sorgen der Welt still und leise auf ihre Schultern geladen und dann irgendwie erledigt oder verschoben hat, jedenfalls aber die Menschen damit wenig behelligte, sind vorbei. Künftige Regierungen werden den Wandel immer schlechter ignorieren oder einfach so wegmanagen können. Der Koalitionsvertrag verspricht, daraus eine Chance zu machen, er propagiert die positive Variante des Wandels, jedenfalls im Titel.

»MEHR FORTSCHRITT WAGEN«. In Großbuchstaben prangen diese Worte während der ersten gemeinsamen Pressekonferenz der Ampel über der Bühne. Und darunter: »BÜNDNIS FÜR FREIHEIT, GERECHTIGKEIT UND NACHHALTIGKEIT«. Die Verhandler der Parteien haben mit dem Motto ein kleines Kunststück vollbracht. Sie haben einen alten Slogan von Willi Brandt modernisiert. Der sozialdemokratische Bundeskanzler hatte Ende der 60er-Jahre mit einer sozialliberalen Koalition vielen Menschen Hoffnung auf einen Neuanfang gemacht, unter der Losung »Mehr Demokratie wagen«.[6] Dieses Zitat wird nun variiert und damit neu interpretiert.

Zwar sind die Grünen nicht sehr glücklich mit diesem Motto, sie finden »Fortschritt« zu technokratisch. Den Liberalen klingt er zu sozialdemokratisch. Aber beide Parteien machen mit, auch in Ermanglung besserer Ideen. Als der Koalitionsvertrag schließlich steht, muss es außerdem schnell gehen mit der Überschrift und auch mit der dazu passenden Erzählung. »Es war von Anfang an sehr klar, was alles verändert werden wird. Es gab also Tabus wie die Rente bei der SPD, das Tempolimit für die FDP und den Atomausstieg bei den Grünen. Dann hatte jede Partei noch ein paar Herzensprojekte, die sie durchsetzen wollte. Die tauchten im Koalitionsvertrag hinter vielen Spiegelstrichen auf. Es fehlte jedoch von Anfang an die große Idee, wie das Land durch eine gemeinsame Politik aus einem Guss würde modernisiert werden können«, sagt jemand, der dabei war und viel darüber nachdenkt, was gleich zu Beginn falsch gelaufen ist. Immerhin steht im Titel des neuen Vertrages für jede Partei zusätzlich ein Wort, das deren Markenkern auf den Punkt bringt und trotzdem die anderen beiden nicht sofort auf die Palme treibt. Die Liberalen bekommen die »Freiheit«, die Sozialdemokraten die »Gerechtigkeit« und die Grünen die »Nachhaltigkeit«. Und dann gibt es mit dem »Fortschritt« eben das Schlüsselwort, das alles klammert. Jedenfalls theoretisch. Eine kleines »progressives Lagerfeuer«[7] wurde da angezündet und flackerte zu Beginn ja auch ganz schön.

Viel ist darüber geschrieben worden, wer sich am Ende bei den Verhandlungen mehr durchgesetzt hat. »Der Koalitionsvertrag der Ampel war jedenfalls hinreichend vage formuliert – um neue Politik zu ermöglichen«, urteilt der ehemalige SPD-Chef Norbert Walter-Borjans im Rückblick und er sieht darin im Grunde eine Chance – immer noch. Als Beispiel für die Möglichkeiten, die das Papier bietet, fällt ihm spontan ein: »Nicht mal Steuererhöhungen wurden – anders als oft behauptet – ausgeschlossen.« Borjans bedauert, dass sich daran heute kaum noch jemand erinnere. Tatsächlich bietet der Vertrag an sich viel Spielraum für neue Politik, jedenfalls deutlich mehr als das, was SPD, Grüne und FDP während der Koalitionsverhandlungen so an Lieblingsthemen in den Topf werfen. Möglich gewesen wäre ein gemeinsames Projekt, das mehr ist als die Summe der einzelnen Ideen. Sie hätten gemeinsame Stärken suchen und finden können, statt nur die jeweiligen Schwächen der anderen auszukosten. Aus Sozialdemokratie, Liberalismus und Ökologie hätte etwa Neues geformt werden können: progressive Politik.

Hätte, wäre, könnte: So viel Konjunktiv. Von Anfang an ist auch klar: Wie dieses gemeinsame Reformprojekt entstehen wird, weiß niemand so genau. Schließlich hatten, vielleicht mit Ausnahme von Olaf Scholz und seinem Vertrauten Wolfgang Schmidt, alle anderen Ampelaner eher mit Jamaika, also einer Kombination von CDU, CSU, FDP und Grünen, als mit einer rot-gelb-grünen Regierung gerechnet. Aber nun waren sie schon mal an der Macht, und sie mochten es. »Die Situation erinnert etwas an die britische Prinzessin Lady Di und Prince Charles. Nicht die Partner waren die Objekte der Begierde, sondern sie waren vor allem verliebt in die Situation. Lady Di in das Prinzessinnen-Sein, und die Ampel-Partner in den Zustand, die Regierung zu stellen«, erinnert sich der Politikwissenschaftler Knut Bergmann an jene Wochen. Warum aber nicht einfach mal machen? Gute Ideen entstehen oft erst durch gemeinsames Handeln, und das wiederum sorgt dann für den nötigen Kitt. Schnell einigen sich die Spitzen der Koalition deswegen darauf, ihre konkrete Politik nicht in Interviews, sondern in vertraulicher Kooperation zu entwerfen und Streit intern auszutragen.

In der ersten Regierungserklärung am 15. Dezember fasst Bundeskanzler Scholz das Gründungsdokument so zusammen: Seine Regierung werde eine des »technischen Fortschritts«, des »sozialen Fortschritts« sowie des »gesellschaftlichen und kulturellen Fortschritts«. Überall biete sich »die Kraft und die Möglichkeit des Fortschritts«. Und damit es auch alle verstehen: »Im 21. Jahrhundert brauchen wir nicht weniger Fortschritt, sondern mehr Fortschritt. Aber wir brauchen besseren Fortschritt, wir brauchen klugen Fortschritt. Fortschritt für eine bessere Welt, für ein besseres Land, für eine bessere Gesellschaft, für mehr Freiheit für jede einzelne Bürgerin und jeden einzelnen Bürger – das ist der Fortschritt, den wir wollen.«[8] Das F-Wort taucht in der Rede dreißigmal auf. Das sind selbst für eine wörtliche Rede so viele Wiederholungen, dass es nervt. Dabei ist die Grundidee von Scholz'

Rede gar nicht schlecht. Er will das Leitmotiv seines künftigen Handels noch einmal klar machen. Er spricht von »uns«, davon, dass »wir« ein Wagnis eingehen müssen, auch weil das Weiter-so gefährlicher wäre. Er signalisiert, dass er auf neue Technik setze, aber auch auf Partizipation. So, als wolle er signalisieren: Mit uns wird so manches anders, aber hey, keine Sorge, es wird fair werden und die Zukunft kann mit uns sogar Spaß machen.

Das hat zunächst auch deswegen Anziehungskraft, weil die Spitzen der drei Parteien zwar auf ihre jeweils ganz eigene Weise von dem gemeinsamen Projekt sprechen, aber alle sehr hoffnungsfroh klingen. Da redet Olaf Scholz vom Respekt und davon, dass »die Menschen« bei all der Veränderung nicht alleingelassen werden. Niemand werde auf den Kosten der nötigen Transformation hin in eine klimaneutrale Zukunft sitzen bleiben. Christian Lindner spricht von einem Land, das digitalisiert und in dem die Bürokratie endlich abgebaut wird. Und die Grünen erzählen von einer Zukunft, in der zwar die Klimakrise brutale Folgen haben wird, zugleich aber die Infrastruktur klimaneutral, das Land widerstandsfähiger und die Natur besser geschützt sein wird.

Mehr Gemeinwohl und mehr Marktwirtschaft. Sozialer Ausgleich und Wettbewerbsfähigkeit. Umweltschutz und Innovation. So viel Sowohl-als-auch war selten. Und obendrauf kommt, quasi als Sahnehäubchen, das Postulat von Olaf Scholz. Er werde ein Kanzler sein, der ohne »Verzichtsideologie« regiere.[9]

In den ersten Wochen funktioniert es zwischen SPD, FDP und Grünen handwerklich erstaunlich gut. Es lohnt, noch einmal daran zu erinnern – weil es zeigt, dass durchaus mal etwas ging. Das Kabinett arbeitet anders zusammen als die Merkel-Regierung. Kanzler, Ministerinnen und Minister treffen sich vor der wöchentlichen Kabinettssitzung in einer informellen und höchst vertraulichen Runde. Und die bleibt auch, anders als fast alle anderen Runden in Berlin, für Medien erstmal weitgehend unzugänglich. Das wiederum suggeriert, dass erst hinter den Kulissen inhaltlich hart und grundsätzlich miteinander gerungen wird und nur die Ideen öffentlich präsentiert werden, die alle mittragen. Leider, dies nur kurz vorweg, wird sich auch dieser Eindruck später als falsch erweisen. Was sehr schade ist. Denn dieses Format könnte, wenn es denn wirklich für offene und auch mal sehr grundsätzliche Gespräche genutzt würde, durchaus als Modell für künftige Regierungen taugen.

Am stärksten verblüfft zu Beginn die Haltung des FDP-Chefs. Christian Lindner, der sich diese Regierung nicht gewünscht hatte, ist anfangs geradezu beseelt, wenn er sich öffentlich äußert. Nicht Robert Habeck, sondern er hat das Finanzministerium erobert und deswegen kann Lindner nun sogar den Grünen gönnen. Großmütig sagt er: Er wolle ein »Ermöglichungsminister« werden. Und bei einem seiner ersten Auftritte in der Bundespressekonferenz spricht er, gefragt nach der Energiewende, plötzlich von der Notwendigkeit der »Freiheitsenergien«. Windräder und Solarpanel definiert er kurzerhand zu Garanten für die Unabhängigkeit und Freiheit des Landes um, der Ausbau der Erneuerbaren bekommt so ein liberales Gewand. Es scheint, als ob Lindner an einem neuen Narrativ bastelt, an einer eigenen, liberalen Begründung für den Kampf gegen die Klimakrise. Kurz füttert er sogar die Hoffnung, die Ampel werde eine gemeinsame Idee von »Fortschritt« entwickeln.

Was dann passiert, ist bekannt. Diese Regierung bekommt nicht einmal hundert Tage Schonzeit. Erst muss sie die letzten Monate der Coronazeit managen. Am 24. Februar 2022 überfällt dann Russland die Ukraine. Ab jetzt ist hartes Krisenmanagement gefragt. Die Sicherheitspolitik muss von Grund auf modernisiert werden. Nach Deutschland kommen mehr als eine Million Flüchtlinge. Das deutsche Wirtschaftsmodell wird stark erschüttert. Jahrzehntelang hatte Russland billiges Gas geliefert, nun kappt Putin die Nord-Stream-1-Pipeline. Die Energiepolitik gleicht nach wenigen Wochen einem Scherbenhaufen.

Schon das alles nur stichwortartig aufzuzählen, macht atemlos. Tatsächlich ist das aber der Zustand, in dem sich so mancher Ampelaner in den besonders betroffenen Ministerien in den ersten Monaten 2022 befindet. Momente des Zurücklehnens gibt es nur selten. Krise, Reaktion und wieder eine neue Krise bestimmten den Alltag, jedenfalls im Kanzleramt, im Wirtschafts-, Finanz- und Außenministerium. Ein Gesetz folgt auf das nächste, eine Notmaßnahme der anderen. Was im Land durchaus für Zustimmung sorgt: Im Notfall reagieren kann diese Regierung, so der Eindruck der ersten Monate, und vor allem kann es der (noch) höchst populäre Wirtschaftsminister Robert Habeck.

Es gibt im Rückblick zwei Interpretationen der ersten Krisenmonate. Die erste lautet, die Ampel hatte Pech, sie konnte gar kein gemeinsames Projekt entwickeln. Es fehlte ihr schlicht die Zeit. Während der Koalitionsgespräche ging es jeder Partei vor allem darum, möglichst viele eigene Forderungen in den Vertrag zu bekommen. Danach wechselte sich dann eine Krise mit der nächsten ab, also war auch keine Zeit mehr, grundsätzlicher darüber nachzudenken, durch welchen Fortschritt das Land modernisiert werden soll. Die andere Interpretation lautet, dass der Krach ohne die Krisen noch viel früher aufgebrochen wäre. Weil sie sowieso nie auf die Idee gekommen wäre, die wirklichen Differenzen auszudiskutieren. Weil ihr Stil eben das Durchhangeln von Projekt zu Projekt sei. Welche stimmt, dazu später mehr. Jedenfalls ist schon nach den ersten paar Wochen vom Gönnen-können und gegenseitigem Stärken wenig zu spüren.

Das hat wohl auch mit den Umfragen zu tun. Sowohl SPD als auch FDP beäugen von Beginn an argwöhnisch die Zustimmungsraten, die der grüne Wirtschaftsminister in der Öffentlichkeit bekommt. Dagegen sinken die Werte der Liberalen rasant. Ein gutes halbes Jahr nach Kriegsausbruch sind dann Landtagswahlen in Niedersachsen, und die FDP scheitert an der Fünfprozenthürde. Bei den Liberalen bricht jäh ein altes Trauma wieder auf: Die Panik, wieder aus dem Bundestag zu fliegen. Von diesem Moment an ist es vorbei mit der Harmonie. Man müsse verhindern, dass linke Projekte in dieser Koalition umgesetzt werden, sagte FDP-Generalsekretär Bijan Djir-Sarai am Wahlabend. Seine Partei habe »große Probleme mit dieser Koalition«[10]. An jenem Abend kann man die künftige Familienaufstellung schon ahnen, oder jedenfalls den Blick, den die Liberalen darauf haben: Grüne und SPD stehen als zwei linke Parteien eng beieinander und sie sind die leider notwendigen, aber ungeliebten Dritten im Bunde. Das stimmt zwar so nicht: Als explizit linker Politiker hat sich Scholz nie verstanden und signalisiert das auch in den folgenden Monaten nicht. Doch die heiteren Tage der Ampel sind vorbei.

Das Selfie aus den Anfangstagen, so lernt die Öffentlichkeit schnell, zeigt leider nur die ersten Wochen der Koalitionäre. Es hat damals eben doch keine dauerhaft neue, erfrischende Art des Regierens begonnen. Keine Mitte jenseits von rechts und links. Sondern etwas, das schon bald den Frust über die Politik massiv verstärkt: Streit, Disziplinlosigkeit und Durchstecherei. Ein ständiges Gestolpere. Eine Art des Regierens, die beim Publikum ein tiefes Misstrauen gegenüber der Politik speist. Diese Regierung, so verfestigt sich bald schon der Eindruck, hat die Zukunft alles andere als im Griff. Sie schafft es nicht, eine gemeinsame Politik für das 21. Jahrhundert zu entwerfen.

Ende Februar 2024 stellen Christian Lindner und Robert Habeck noch ein Selfie auf Instagram. Warum sie es tun, ist offensichtlich, da soll die Ungezwungenheit des Anfangs wieder aufleben, ein bisschen wenigstens. Und es soll zeigen, dass trotz alledem doch was geht. Aufgenommen haben sie es im Kanzleramt vor der Kabinettssitzung. Habeck trägt die Krawatte mittlerweile sehr selbstverständlich, Christian Linder einen schwarzen Rolli und beide einen Dreitagebart. Das Foto zeigt die gleiche lässige Haltung wie das aus der Anfangszeit, und es soll wohl signalisieren: Auch wenn wir uns manchmal zoffen, sind wir trotzdem Kumpel. »Wir erweitern den Kapitalzugang für Start-up-Firmen«[11] steht neben dem Bild. Die beiden loben sich dafür, dass sie Steuergeld für die Start-up-Szene lockergemacht haben. Doch das Publikum ist nicht mehr amüsiert. Es sieht jetzt nur noch ein schlecht ausgeleuchtetes Foto zweier Politiker.

Geschichte lässt sich nicht wiederholen. Deswegen kann darüber, ob sie sich auch anders hätte entwickeln können, immer nur spekuliert werden. Und dennoch ist ein Versagen der Ampelaner offensichtlich: Sie haben zwar »Fortschritt« über ihren Koalitionsvertrag geschrieben. Sie haben aber nie wirklich darüber nachgedacht, wie sie den Begriff gemeinsam mit einem modernen Inhalt füllen könnten, und zwar mit einem, der für alle drei passt. Und der sich deutlich von dem der Vergangenheit unterscheidet. Was also war er bisher, dieser Fortschritt?

2

Wie die Zukunft in die Welt kam

Eine kurze Geschichte des Fortschritts

W as für ein Moment. Immer wieder schlägt er den einen Stein auf den anderen. Ob aus Langeweile? Aus Neugierde? Niemand kann diese Fragen heute eindeutig beantworten. Niemand weiß, ob da überhaupt ein »er« oder vielleicht eine »sie« die Steine in den Händen hatte. Sicher aber ist: Irgendwann entsteht ein Funke, der fällt auf Reisig oder Zunderschwamm, und plötzlich glimmt es. Der Mensch merkt, dass Feuer nicht nur als zu verehrender Blitz aus dem Himmel fällt. Man kann es selbst erzeugen. Damit ist die Macht entdeckt, die die Zukunft der Menschheit radikal verändern wird. Und eine der wichtigsten Innovationen der Geschichte.

Noch müssen die Menschen lernen, dass es zum Feuermachen zwei ganz bestimmte Steine braucht, einen sogenannten Feuerstein und einen, der Schwefelkies enthält. Es wird auch noch dauern, bis jemand die Sache mit dem Zunder versteht. Doch das Funkenschlagen wird von Frauen, Männern, Alten und Jungen so oft wiederholt, bis die Menschheit das Feuer beherrscht. Irgendwann vor einer Million Jahre, vielleicht auch erst vor ein paar 10 000 Jahren wird das gewesen sein. Wer die Technik beherrscht, kann Nahrung durch Kochen, Braten und Räuchern verdaulicher und haltbarer machen, kann sich in kalten Nächten am Feuer wärmen. Also länger leben. Nach und nach wird die Energie den gesamten Alltag verändern. Höhe, Ferne, Kälte und Masse werden beherrschbar. Menschen werden ein Leben führen, dessen Energiedurchsatz von Jahr zu Jahr wächst: Morgens klingelt der elektrische Wecker, dann geht es im beheizten Badezimmer unter die heiße Dusche, nach dem Kaffee mit Auto, Bahn oder E-Bike zum Job, dann wird am Fließband oder Computer gearbeitet. Abends gibt es Essen aus der Mikrowelle, vom Lieferdienst oder manchmal auch noch selbst gekocht, dazu oder danach den gestreamten Film. Nichts davon geht ohne Energie.

Diese Entwicklung liegt damals, an jenem Tag oder in jener Nacht des ersten künstlich erzeugten Funkens, weit jenseits jeder Vorstellungskraft. Auch der Gedanke, dass es überhaupt so etwas wie eine sich entwickelnde Menschheit geben und das Feuer dabei helfen wird, ist unseren Vorfahren fremd. Das wird noch Jahrtausende so bleiben. Der kurze Blick in die frühe Geschichte offenbart damit etwas Verblüffendes: Die Idee, dass es überhaupt so etwas wie eine vom Menschen veränderbare und bessere Zukunft und damit Fortschritt gibt, ist ziemlich neu. Jedenfalls gemessen an der langen Geschichte der Menschheit. Für uns ist das heute fast undenkbar, so sehr ist unsere Gegenwart von Zukunftserwartungen geprägt. Viele Entscheidungen treffen wir nur, weil wir uns davon morgen etwas erhoffen: Wir sparen heute, um künftig eine Reise machen zu können. Wir demonstrieren heute, damit sich die Politik morgen ändert. Und die besonders Genialen unter uns tüfteln lange an etwas, um irgendwann mal unsere Welt zu verändern. Oder auch nur, um viel Geld zu verdienen.

Noch viele Jahrtausende lang ist das für unsere Vorfahren anders. Da leben, lieben und sterben Menschen ohne eine Ahnung davon, dass ihr Schicksal oder gar das einer ganzen Gesellschaft durch ihre eigene Genialität, ihren Erfindungsgeist oder ihre Anstrengung verbessert werden könnte und sollte. Zuständig für die Zukunft sind die wechselnden Götter – die verteilen Glück oder Unglück, Lohn oder Strafe. Es verändert sich wenig, das Leben aufeinanderfolgender Generationen unterscheidet sich über Jahrhunderte kaum. Ein Handwerker oder eine Bäuerin führen im 15. Jahrhundert ein Leben, das dem ihrer Eltern und dem ihrer Kinder weitgehend gleicht, wenn nicht gerade eine Hungersnot, eine Seuche oder ein Krieg dazwischenkommt und es damit noch etwas elender wird.

Ein sehr früher Versuch, die Zukunft zum eigenen Nutzen zu beeinflussen, ist ausgerechnet das Glücksspiel. Im Mittelalter sind Würfelspiele noch verpönt, ab dem 17. Jahrhundert werden sie dann zunehmend beliebter. Und damit stellt sich auch die Frage, wie und ob man die Würfel nicht doch beeinflussen kann. Schließlich wendet sich der Mathematiker und Religionsphilosoph Blaise Pascal dem Problem zu und schickt seine Ideen und Berechnungen an seinen Freund, den Mathematiker Pierre de Fermat. Der Briefwechsel der beiden, der am 29. Juli 1654 beginnt, wird in die Geschichte eingehen – als Geburtsstunde der klassischen Wahrscheinlichkeitsrechnung. Und damit als einer der ersten Versuche, das Schicksal in die Hand zu nehmen. Selbst wenn es um so etwas gänzlich Unberechenbares wie das Würfelspiel geht.

Die Philosophin Hannah Arendt verortet die Idee, dass es so etwas wie dauerhaften Fortschritt geben könnte, erst so etwa ab dem 17. Jahrhundert. Damals wird nach und nach das zyklische Zeitverständnis des Mittelalters durch ein lineares abgelöst. Dazu muss die Zeit allerdings erst zum Kontinuum werden, darf nicht mit immer neuen Herrschern immer wieder neu anfangen, an Sommertagen länger sein als an Wintertagen und in verschiedenen Königreichen unterschiedlich gemessen werden. Die Zukunft muss den Göttern entwendet und damit zu etwas werden, das sich nicht nur durch Säen, Ernten, Einlagern und Erntedank beeinflussen lässt. Sondern auch durch Genialität und Mut, Wettbewerb und Kooperation, durch die Fähigkeit, andere zu überzeugen oder zu organisieren. Durch Unternehmertum und politisches Talent. Man muss dafür das eigene Schicksal als etwas begreifen, dessen Zukunft man selbst gestalten kann. Und sich selbst als Teil einer Gesellschaft, die durch das eigene Handeln verändert wird: Weil jemand ein neues Medikament erfindet oder eine hilfreiche Technik, eine neue Gesellschaftstheorie entwirft, sich für eine bessere Gesellschaft oder auch nur erträglichere Arbeitsbedingungen einsetzt. Damit die Zukunft gestaltet und dauerhaft verbessert werden kann, muss sie also erst denkbar sein. Und sie musste gedacht werden. Der »Erwartungshorizont« muss über den »Erfahrungshorizont«[1] hinausgehen und das bedeutet:

Menschen dürfen sich das, was kommen könnte, nicht mehr nur als Verlängerung oder Wiederholung der Gegenwart in die Zukunft vorstellen, sondern als etwas komplett Neues.

Als sie das endlich können, beginnt eine grundsätzlich neue Epoche: die Moderne. Philosophen, Historiker und Soziologen verorten diese »Moderne« ab dem 19. Jahrhundert. Der Mensch befreit sich endgültig von den Fesseln des absolutistischen Staates, strebt unabhängig nach Wissen und Wahrheit und schließt sich mit anderen zusammen, um eine politische Ordnung zu errichten, an deren Regeln jeder beteiligt ist – jedenfalls in der Theorie.[2] Der Wunsch nach individueller Freiheit und Autonomie brennt nun immer mächtiger. Ab dem 19. Jahrhundert geht das Umformen der Welt nach menschlichen Vorstellungen immer schneller. Immer besser können Menschen nun die Natur ihren Bedürfnissen anpassen. Neue Verfahren und Produkte verändern das Leben rasant. Der Fortschritt wird zum Imperativ.

Im Rückblick ist es leicht, jene Epoche als die industrielle Revolution zu bezeichnen. Für die Menschen, die sie erleben, muss der rasante Wandel abwechselnd erschreckend und grandios gewesen sein. Die Innovationen sprudeln nur so. Die Erfindung des chemischen Düngers und damit die Effizienzfortschritte bei der Nahrungsmittelproduktion befreien viele Millionen Menschen von der Last, den größten Teil des Alltages mit der Suche oder der Produktion von Nahrung zu verbringen. In westlichen Mittel- und Oberschichten dürfen immer mehr Kinder ihre Zeit mit Lernen verbringen statt mit Arbeiten, nach und nach dann auch die der Unterschicht. Die Entdeckung von Neuem motiviert, noch mehr Neues zu suchen. Die Erfindung der Dampfmaschine, der Eisenbahn, des Automobils, des Flugzeuges helfen dabei, den Raum zu bezwingen und auch ein wenig die Zeit. Medizin, moderne Hygienekonzepte und nährstoffreichere Ernährung steigern die Lebenserwartung.[3] Die Waschmaschine befreit die Frauen schließlich von einem Teil der zeitfressenden Familienarbeit, und dann befreien sich (manche) Frauen selbst, kämpfen für das Wahlrecht und bis heute für eine gerechtere Verteilung der Familienarbeit.[4]

Die Dynamik der technischen Entwicklungen inspiriert Künstler und Intellektuelle. Inbrünstig werden im 19. Jahrhundert und frühen 20. Jahrhundert die Möglichkeiten der Technik gepriesen, trunken von all den neuen Möglichkeiten. »Wir erklären, dass sich die Herrlichkeit der Welt um eine neue Schönheit bereichert hat: die Schönheit der Geschwindigkeit. Ein Rennwagen, dessen Karosserie große Rohre schmücken, die Schlangen mit explosivem Atem gleichen ... ein aufheulendes Auto, das auf Kartätschen zu laufen scheint, ist schöner als die Nike von Samothrake«, schreibt der Künstler Filippo Tommaso Marinetti 1909 in seinem berühmt-berüchtigten futuristischen Manifest und er fragte: »Warum sollten wir zurückblicken, wenn wir die geheimnisvollen Tore des Unmöglichen aufbrechen wollen?«[5] Ein paar Jahrzehnte später schafft der französische Künstler Raoul Dufy für die Weltausstellung in Paris 1937 ein monumentales Wandgemälde, »La Fée Électricité«.[6] Auf 600 Quadratmeter Wandfläche malt er die Geschichte der Elektrizität, von den Anfängen der Naturwissenschaft in der Antike bis in seine Gegenwart. Deren Segnungen verbildlichte er mit einem Orchester, dessen Töne die Menschen am Radio hören können. Heute hängt das Gemälde im Musée d'Art Moderne de Paris.

Vieles, von dem vor dem Zweiten Weltkrieg nur geträumt wurde, kann danach dann auch gekauft werden. Jedenfalls von der westlichen Mittelschicht. In den USA fädelt Präsident Teddy Roosevelt den New Deal ein, ein Konjunkturprogramm von bis dahin unbekanntem Ausmaß. Er gibt so den Startschuss für den Konsum der Massen und für die Produktion weiterer neuer Produkte. Der Fortschritt wird nun dinglich und zum Diener des Konsums. Das Farbfernsehen trägt neue Wünsche in jedes Wohnzimmer: Die Einbauküche, den Instantkaffee, den Wäschetrockner. Und der wachsende Wohlstand macht all das für immer mehr Menschen erschwinglich, jedenfalls im Westen. Dabei hat der Massenkonsum durchaus etwas Egalitäres und der Fortschritt damit auch. »Der reiche Mann raucht die gleichen Zigaretten wie der arme Mann, rasiert sich mit dem gleichen Rasierapparat, benutzt das gleiche Telefon, den gleichen Staubsauger, das gleiche Radio und den gleichen Fernseher«, jubelte *Harper's Magazine* im Jahre 1947.[7] Natürlich stimmt das so nicht. Die feinen Unterschiede gibt es weiterhin, bei der Zigarettenmarke, beim Telefon und auch beim Fernseher. Und wenn sich die Reichen dann doch nicht mehr durch Konsumprodukte vom Pöbel unterscheiden können, suchen sie nach anderen Dingen: Die Kunst an der Wand, den besonderen Schläger für das Golfen und die Mitgliedschaft in dem exklusiven Club. Auch heute suggeriert der Aldi-Mittelgang allerdings erfolgreich, dass sich im Grunde jeder fast alles leisten kann: auch wenn es nur billige Kopien der schönen neuen Dinge sind.

Der französische Philosoph Pierre Bourdieu geißelt diese Art des Massenkonsums bereits in der zweiten Hälfte des vergangenen Jahrhunderts als Mittel zur Aufrechterhaltung sozialer Ungleichheiten und Herrschaftsverhältnisse.[8] Seit der Fortschritt in der Welt ist und damit der Traum vom Wohlstand, wird auch über den Nutzen von beidem gestritten. Sogar in berühmten Familien. Karl Marx feiert im 19. Jahrhundert den technischen Fortschritt als eine Voraussetzung für ein gutes Leben, weil er die Menschen so von fremdbestimmten Arbeiten zur Sicherung der Subsistenz befreit. Arbeit könne zum »Ausdruck der Menschlichkeit« und zum »Stoffwechselprozess mit der Natur« werden. Später dann gibt es lange Auseinandersetzungen darüber, ob das Denken von Marx zu einer Art Fetischisierung des Fortschritts führte oder nicht.[9] Und ausgerechnet sein Schwiegersohn Paul Lafargue bringt den ersten Longseller über die Nebenwirkungen des Fortschrittes auf den Büchermarkt und preist darin das Nichtstun. Das kurze Büchlein hat den schönen Titel: *Das Recht auf Faulheit*. Es beginnt mit dem Satz: »Ein seltsamer Wahn beherrscht die Arbeiterklassen der Nationen, in denen die kapitalistische Zivilisation regiert. Dieser Wahn ist die Liebe zur Arbeit, die wilde Arbeitsleidenschaft, die bis zur Erschöpfung der Lebenskräfte des Einzelnen und seiner Nachkommenschaft getrieben wird.«[10]

Fast schwärmerisch beschreibt Lafargue dann das selbstbestimmte Leben der Bauern vor der industriellen Revolution. Für ihn ist Fortschritt nicht an sich sinnvoll und schon gar nicht, wenn er vor allem zur Produktion nutzloser Dinge für die Oberschicht führt. Er muss schon mehr Freizeit für die Arbeiter mit sich bringen. Genau das tut die industrielle Revolution erst einmal nicht, im Gegenteil: Es wird noch Jahrzehnte dauern, bis die Kinderarbeit abgeschafft ist und Menschen nicht mehr pausenlos für einen Elendslohn schuften müssen. Lafargue selbst hätte über die heutige Forderung nach einer Viertagewoche nur müde gelächelt. Sein Ziel sind etwa drei Stunden Arbeit pro Tag. Man kann ihn also mit etwas Mut einen der ersten Postmaterialisten nennen. Der Denker kritisiert auch damals schon die nutzlose Produktion, die raschelnden Seidenkleider und den Tand der Bourgeoisie, für deren Produktion sich die armen Leute krumm schuften, und damit den Fortschritt, der nur immer mehr Waren produziert.

Diese Familiendialektik ist amüsant: Die so unterschiedlichen Ideen von Schwiegervater und -sohn werden in den kommenden Jahrzehnten viele Denkschulen befruchten. Da sehen die einen im technischen Fortschritt das Mittel zur Befreiung der Menschheit, anderen warnen vor den Folgen der Modernisierung. Die einen wollen möglichst viel Wachstum, die anderen fordern eher den Verzicht. Die einen wollen, dass die Menschen selbstbestimmt arbeiten. Die anderen finden, es würde der Menschheit besser gehen, würde sie sich weniger um die Arbeit und mehr um die Freizeit kümmern. Und endlich lernen, die Früchte ihres Schaffens mehr zu genießen.

Und dann gibt es noch den berühmten Ökonomen John Maynard Keynes. Der ist gemeinhin für seine Vorschläge für staatliche Ausgabenprogramme bekannt, die in Rezessionen den Konsum anregen und die Wirtschaft wieder in Schwung bringen sollen. Besonders bei Sozialdemokraten hat ihn das beliebt gemacht. Weniger bekannt ist, dass sich Keynes 1928 mit einem Essay über »Die wirtschaftlichen Möglichkeiten der Enkel« auf die Seite der Müßiggänger und Konsumverweigerer stellt. »Wir werden diejenigen ehren, die uns lehren können, wie wir die Stunde und den Tag tugendhaft und gut vorbeiziehen lassen können, jene herrlichen Menschen, die fähig sind, sich unmittelbar an den Dingen zu erfreuen, die Lilien auf dem Feld, die sich nicht mühen und die nicht spinnen«, schreibt er. Auch Keynes ist schon damals überzeugt, dass drei Stunden Arbeit am Tag irgendwann völlig ausreichen werden.[11]

Das alles ist nicht nur Lockendrehen auf intellektuellen Glatzen. Diese Ideen und Konzepte werden seit vielen Jahrzehnten in Parteiprogrammen aufgegriffen, prägen Überzeugungen und politische Debatten – bis heute. Und sie lassen immer noch große Fragen unbeantwortet: Was, wenn die Probleme der Menschheit tatsächlich in einem manischen Suchen nach immer mehr technologischem Fortschritt und damit materiellen Innovationen begründet liegen? Was, wenn wir gar nicht in der Lage sind, seine Früchte wirklich zu genießen? Lassen sich viele Probleme der modernen Gesellschaften möglicherweise gar nicht durch mehr Innovation lösen, sondern im Gegenteil durch Verlernen mancher Kulturtechniken und in der Rückbesinnung auf die Fähigkeiten und die Naturverbundenheit der letzten noch existierenden Naturvölker?

Die Liste der Fragen und ihrer möglichen Antworten füllt Bibliotheken. Denn eines ist klar: Heute, mehr als eineinhalb Jahrhunderte nach dem Beginn der industriellen und mitten in der digitalen Revolution, genießen wir im Westen zwar mehr Wohlstand denn je. Die »globale Vermögenssumme« hat sich seit dem Jahr 2000 mehr als verdreifacht und beläuft sich nun auf 1540 Billionen Dollar.[12] Diese Zahl hat hinter der 1540 zwölf Nullen! Doch trotz oder wegen ihrer Größe ist sie unvorstellbar. Vorstellbar aber ist schon, dass die Menschheit so viele Dinge besitzt wie nie. Nur reicht uns das alles immer noch nicht. Und all die Maschinen, also all der technische Fortschritt, haben uns mitnichten von der Arbeit befreit. Vielleicht wollen wir gar nicht befreit werden?

Nicht wenige Menschen halten eine Welt mit weniger Arbeit eher für ein Horrorszenario – und nicht für eine Verheißung. Dabei kommt die Frage, wie das gute Leben geht und wie viel Lohnarbeit richtig ist, heute oft als Generationenkonflikt daher. Da gibt es auf der einen Seite den Wunsch der Generation Z, und damit vieler junger Menschen, nach der Viertagewoche. Auf der anderen Seite stehen oft ältere Funktionsträger, die solche Wünsche für Zeichen von Leistungsverweigerung und Verweichlichung halten. Deswegen moralisieren Letztere auch gern die Arbeit an sich. Nicht mehr arbeiten zu wollen, gilt ihnen als verwerflich und verweichlicht. »Letztendlich ist es eine sittliche Pflicht, zu arbeiten«, findet Bundeskanzler Olaf Scholz.[13] Bundesfinanzminister Christian Lindner (FDP) sieht den Wohlstand dieses Landes durch »mentalitätspolitische Standortfaktoren« gefährdet.[14] Und Arbeitgeberpräsident Rainer Dulger fordert: »Wir müssen alles versuchen, um das Arbeitsvolumen zu halten« und einen »Mentalitätswechsel« herbeizuführen.[15] Nur dann lasse sich der Wohlstand bewahren.

Nur um welchen Wohlstand geht es da, woran wird der gemessen: am Wachstum? An der Lebensqualität? Daran, dass die Erde auch übermorgen noch Menschen ernähren kann? Und welchen Fortschritt braucht man dafür?

3

Was ist Fortschritt heute?

Über Marsreisen, KI und bezahlbaren Wohnraum

»Oh, mein Gott! Seht euch dieses Bild da an! Hier geht die Erde auf. Mann, ist das schön!« Als der Astronaut Will Anders das ruft, schaut er mit seinen Kollegen fasziniert aus dem kleinen Fenster des Apollo-8-Raumschiffs ins Weltall. Gerade haben sie den Mond umkreist, der Kapitän hat das Schiff um seine Längsachse rotieren lassen, und plötzlich taucht die Erde im Seitenfenster auf, als halbe blau-weiß schillernde Kugel. Will Anders greift nach einer Kamera. »Hey, nicht fotografieren. Das ist nicht vorgesehen«, warnt ihn sein Chef. Doch der Astronaut lässt sich nicht beirren. Er drückt auf den Auslöser und macht ein Schwarz-Weiß-Foto. Danach legt er einen Farbfilm ein, knipst erneut, und so entsteht am 24. Dezember 1968 das erste Farbfoto der halben Erdkugel, NASA-Foto AS8-14-2383HR.[1]

Was an diesem Ereignis ist hier der wichtigste Schritt in die Zukunft? Die Tatsache, dass Menschen mit dieser Mission die baldige Mondlandung vorbereiten? Die Entschlossenheit des amerikanischen Präsidenten John F. Kennedy, die »Sowjets zu schlagen«, einen Mann seiner Nation als Ersten auf dem Mond landen sehen zu wollen, seine Vision vom »Man on the Moon« zu verwirklichen[2] und dafür nach heutigem Wert 288 Milliarden Dollar[3] auszugeben? Die Idee der Kamera- und Filmfirma Kodak, kurz zuvor einen 70-mm-Ektachrome-Film zu entwickeln, mit dem solche Fotos überhaupt erst möglich werden? Die mentale Freiheit und der Mut des Astronauten, sich im entscheidenden Moment über die strengen Regeln der NASA hinwegzusetzen und etwas zu wagen, was im durchgetakteten Ablauf seiner Mission überhaupt nicht vorgesehen war? Oder ist es die Wirkung des Fotos, bei dessen Anblick vielen Menschen zum ersten Mal klar wird, wie klein die Erde doch ist? Viele spüren damals, so wird immer wieder berichtet, zum ersten Mal das Gefühl von Endlichkeit und von Einsamkeit in einem großen Weltall.

Bald schon wird das Foto der halben Erde, gemeinsam mit der vier Jahre später entstandenen Aufnahme der gesamten Kugel, zu einem der Auslöser, sicher aber zu dem Symbol der Naturschutzbewegung. Es inspiriere »zur Kontemplation über unsere zerbrechliche Existenz und unseren Platz im Kosmos«, schreibt der Naturfotograf Galen Rowell damals, und er nennt das Bild die »einflussreichste Umweltfotografie, die jemals gemacht wurde«[4]. Die Menschheit weiß seither, dass sie in den unendlichen Weiten bis auf Weiteres nur diesen einen Planeten hat. Sie darf also nicht nur nach den Sternen greifen und von der Eroberung des Weltraums träumen, sie muss sich auch um die Erhaltung der Heimat kümmern. Womit wir bei dem entscheidenden Punkt sind, um den dieses Buch immer wieder kreisen wird: Fortschritt hat zwar viele Facetten, und das schon seit vielen Jahrhunderten. Eines aber ist heute wichtiger als jemals zuvor in der Menschheitsgeschichte: Moderne Fortschrittskonzepte dürfen den Planeten nicht als etwas betrachten, das man einfach ausbeuten kann. Die Begrenztheit der Erde zu akzeptieren und als Rahmen zu begreifen, muss die Grundlage jeder modernen Konzeption von Fortschritt sein. Ist das nicht der Fall, trägt die Innovation früher oder später zum Untergang bei. Oder konkreter formuliert: Es ist kein Fortschritt, wenn in ein paar Jahrzehnten einige wenige Menschen 200 Jahre alt werden, viele Hunderte Millionen aber vor Hitze, Dürren und Überflutungen flüchten müssen. Denn in einer zunehmend durch Ökokatastrophen verwüsteten Welt werden Demokratien wanken, Regierungen implodieren und Länder unregierbar – was wiederum die Möglichkeiten für eine gute Zukunft für *die* Menschheit radikal zusammenschrumpfen lässt. Der blaue Planet wird dann ein Ort sein, der nur noch aus dem Weltall schön aussieht.

Damals werden die Astronauten, zurück auf der Erde, erst einmal wegen ihres Mutes wie Helden gefeiert. Die Techniker, die die Rakete gebaut hatten, wegen ihres Erfindergeistes. Und dann feiert die amerikanische Nation auch noch sich selbst, wegen des politischen Erfolges im Wettkampf gegen den Sozialismus. Immerhin sind sie früher als die Sowjetunion auf dem Mond gelandet und haben ihre Flagge als Erste dort aufgestellt. Die USA sind die Nation, der wegen ihres Vorsprunges bei der Eroberung des Weltalls also eine blühende Zukunft offenzustehen scheint. Ihr ist gleich dreierlei gelungen: Der erste Schritt auf den Himmelskörper, die Erfindung atemberaubender neuer Technik und der Beweis für die Überlegenheit des Kapitalismus über den Sozialismus. Klingt alles lange her, heute, über drei Jahrzehnte nach dem Zusammenbruch der Sowjetunion. Und dennoch. Heute, nachdem auch der Siegeszug der Globalisierung an ein vorläufiges Ende gekommen scheint, wo zwar nicht mehr zwei Wirtschaftssysteme, aber Staaten wieder miteinander darum konkurrieren, wer die Zukunft gestalten darf, ist die Frage aktueller denn je: Was von der damaligen Weltsicht können wir heute noch brauchen?

Heute kann Fortschritt vieles bedeuten: Ein bemannter Flug zum Mars. Medizin, die das Leben verlängert. Klimafreundliche Flugzeuge. Mehr Wachstum. Weniger Wachstum. Gendern. Nicht-Gendern. Künstliche Intelligenz. Gentechnik. Mehr Gentechnik. Weniger Gentechnik. Mehr Tierschutz. Mehr Menschenschutz. Bezahlbarer Wohnraum. Weniger Arbeit. Mehr Arbeit. Eine heilere Umwelt. Frieden … Diese Liste ist das Ergebnis einer nicht repräsentativen Umfrage unter Freunden und Familienmitgliedern. Die Antworten sind schon bei der kleinen Gruppe verwirrend vielfältig, eine bunte Mischung aus sozialen Errungenschaften und technischen Träumereien. Da denken die einen sofort an Erfindungen, die uns länger und gesünder leben lassen. Andere an gesellschaftliche Veränderungen, die für mehr persönliche Freiheit sorgen, für eine fairere Verteilung oder für mehr Sicherheit. Es gibt den Wunsch nach noch mehr Dingen, die das Leben noch angenehmer machen. Utopien und Träumereien. Wir alle hoffen darauf, dass sich Wissen rasant weiterentwickeln und dann auch durch neue Produkte unsere Wirklichkeit verändert: Durch neue Medikamente. Durch umweltschonende Formen der Energiegewinnung und Speicherung. Und durch all die verrückten Ideen, die man aus der Science-Fiction-Literatur kennt.

Wie irre und zugleich irreal schien noch vor wenigen Jahren beispielsweise der Babel-Fisch aus dem Roman *Per Anhalter durch die Galaxis*.[5] Den stecken sich die intergalaktischen Reisenden einfach ins Ohr, und verstehen dann auf jedem Planeten jede Sprache unmittelbar. Inzwischen werden ähnliche Übersetzungsgeräte für terrestrische Sprachen immer besser. Aber es gab auch damals noch eine andere Art Fortschritt: Lieutenant Uhura, gespielt von Nichelle Nichols, hatte die Rolle der Kommunikationsoffizierin auf dem Raumschiff Enterprise. Sie war damit die erste schwarze Frau im amerikanischen Fernsehen, die kein Dienstmädchen spielen musste. Sie küsste als erste schwarze Frau im Fernsehen einen weißen Mann. Das war damals so neu, dass der schwarze Menschenrechtler Dr. Martin Luther King die *Star-Trek*-Serie dafür lobte, wie sehr sie das Fernsehen verändert habe. Auch faxen konnte die Crew, lange bevor das Fax erfunden wurde. Im Pilotfilm bekam sie eine Mitteilung auf einem Blatt Papier, das aus einer Art Faxmaschine kam. Das war 1966, wirklich erfunden wurde das Gerät erst 1979. »Science-Fiction wie *Star Trek* unterhält nicht nur, sie erfüllt auch einen ernsten Zweck: Sie erweitert die menschliche Vorstellungskraft«, schreibt der Physiker Stephen Hawking in einem Buch, in dem es nur um die Physik von *Star Trek* geht.[6]

Allein mit Anekdotischem und historischen Fakten ließe sich dieses Buch füllen, doch wie definiert sich Fortschritt nun? »Die meisten Menschen stimmen darin überein, dass Leben besser ist als Tod. Gesundheit ist besser als Krankheit. Nahrung ist besser als Hunger. Wohlstand ist besser als Armut. Frieden ist besser als Krieg. Sicherheit ist besser als Gefahr. Freiheit ist besser als Tyrannei. Gleiche Rechte sind besser als Engstirnigkeit und Diskriminierung. Alphabetismus ist besser als Analphabetismus. Wissen ist besser als Ignoranz. Intelligenz ist besser als Dummheit. Glück ist besser als Leid. Gelegenheiten, Familie, Freunde, Kultur und Natur zu genießen, sind besser als Schufterei und Monotonie«, schreibt der Psychologe Steven Pinker: Gebe es von all diesen Errungenschaften mehr, also mehr Wissen, Glück und Lebensqualität, dann sei das Fortschritt.[7] Klingt überzeugend. Nur, so recht der Mann mit seiner Aufzählung hat, so geschickt umschifft er doch die Untiefen und drückt sich vor den entscheidenden Fragen: Wie müssen die Menschen mit der Welt umgehen, damit diese Ziele noch erreicht werden können? Welche Bedingungen müssen geschaffen werden, damit sie auch dauerhaft existieren? Und wie will man das Ganze eigentlich messen, um Erfolge oder Misserfolge zu dokumentieren?

Bei den Antworten hilft eine kurze Definition aus dem Oxford Dictionary. Dort steht, Fortschritt sei »eine positiv bewertete Weiterentwicklung, Erreichung einer höheren Stufe der Entwicklung.« Tatsächlich fasst der Begriff der »Entwicklung« ganz gut, worum es beim Fortschritt wirklich geht. Darum, dass Menschen gut leben können. Vielleicht sollte man Fortschritt also – in einer ersten Annäherung – ganz einfach als etwas beschreiben, das die Gegenwart für die Menschen besser macht als die Vergangenheit, und das Versprechen auf eine lebenswerte Zukunft in sich trägt. Etwas, das Menschen unveräußerliche Rechte, Freiheit und Frieden garantiert und die Überlebenschancen der kommenden Generationen nicht ruiniert.

Es gibt viele Regale voller Bücher, die auch den Entwicklungsbegriff problematisieren, weil in ihm implizit mitschwingt: Wir im Westen leben in einem entwickelten Land mit kultivierten Menschen, viele Menschen in Afrika in »unterentwickelten« Ländern. Tatsächlich hat sich diese Sicht auf die Welt in mancherlei Hinsicht als ziemlich eurozentristisch entpuppt. Zwar haben die Demokratie und auch die Menschenrechte ihren Ursprung durchaus in Europa – und sie sind ein Geschenk an die gesamte Menschheit. Doch noch im 19. Jahrhundert, während im »entwickelten« Großbritannien schon lange die Demokratie herrschte, brandschatzten beispielsweise die Briten das Königreich Benin, das auf dem Gebiet des heutigen Nigeria lag, zerstörten den Königspalast und raubten Tausende von Kunstwerken. Ohne Sklaverei, ohne Kautschuk aus Amazonien, Kupfer aus Peru, also ohne die Ausbeutung des Südens, wäre auch die Entwicklung im Rest Europas nicht halb so dynamisch gewesen. Ein Spaziergang durch Brüssel zeigt das plastisch. Dort zeugen heute die schönsten Jugendstilhäuser voller Kunstwerke aus Elfenbein davon, wie König Leopold noch Ende des 19. Jahrhunderts den Kongo ausplündern ließ. Das Land war damals sein Privatbesitz, inklusive der Menschen, und zwar mehr als hundert Jahre nach der Französischen Revolution.

Die Deutschen waren nicht besser als Briten und Belgier, sie ermordeten wenig später in Namibia 10 000 Nama und 60 000 Herero. Die hatten sich gegen die koloniale Unterdrückung gewehrt, die die deutschen Kolonialherren allerdings gern als »Zivilisierung« verkauften. Und auch den Holocaust muss man erwähnen, wenn es um vermeintlich kulturell höherstehende Länder geht.

Dependenztheoretiker wie der brasilianische Soziologe und spätere Präsident Fernando Henrique Cardoso oder der deutsche Politologe Dieter Senghaas haben auf die düsteren Teile der menschlichen Entwicklungsgeschichte immer wieder hingewiesen, darauf, wie auch vermeintlich so zivilisierte Nationen anderswo wüteten. Wirkmächtig wurde diese Sicht im Westen jedoch nie, sie ist ja auch nicht sehr bequem. Ebenso unbequem ist die Erkenntnis, dass auch unsere Wirtschaftsweise bis heute kein Entwicklungsmodell für den Rest der Welt sein kann, und unsere Art des Konsumierens ebenso wenig. Ganz einfach, weil der Planet ruiniert wäre, hätte die gesamte Menschheit so viele Autos wie die Durchschnittsdeutschen, würde so viel Fleisch essen oder in so großen Wohnungen leben. Menschen aus Ländern wie Niger schaden dem Rest des Planeten kaum. Wir schon. Oder etwas hoffnungsfroher: Wir noch.

Das Entwicklungsprogramm der Vereinten Nationen (UNDP) versucht seit 1990, Entwicklung in Zahlen zu übersetzen. Mit dem sogenannten menschlichen Entwicklungsindex[8] misst es, ob und wo es der Menschheit wirklich besser geht. Dabei zählen nicht nur die Wachstumsraten der Wirtschaft, sondern auch Faktoren wie die Lebenserwartung, ob Kinder in die Schule gehen und Jugendliche eine Ausbildung bekommen. »Menschen sind der wahre Reichtum eines Landes. Das grundlegende Ziel von Entwicklung ist es, eine Umgebung zu schaffen, in der Menschen ein langes, gesundes und kreatives Leben genießen können. Das mag wie eine einfache Wahrheit erscheinen, gerät jedoch häufig in Vergessenheit hinter dem Anliegen der Anhäufung materieller Güter und finanziellen Reichtums«, erklärt der indische Nobelpreisträger Amartya Sen, der an der Entwicklung des Index beteiligt war.[9] Lange lasen sich die Zahlen des Index ermutigend: Danach wurde für viele Menschen über Jahre hinweg vieles immer besser.

Allerdings hatte der Bericht des Entwicklungsprogramms von Anfang an blinde Flecken. Weil er das Wirtschaftswachstum stark gewichtet und die Verteilung von Vermögen und Einkommen gar nicht berücksichtigt. Auch Umweltindikatoren hat er keine. Dabei kann die Lebensqualität nicht gut sein, wenn Luft, Wasser und Boden verschmutzt werden. Ganz oben in diesem Ranking standen von Anfang an Länder wie Norwegen, Deutschland oder die Schweiz – die die Umwelt weltweit bis heute deutlich mehr zerstören und viel stärker zur Klimakrise beitragen als andere, arme Länder, die erst viel weiter unten auftauchten. Nun ist das Leben in Deutschland im Vergleich zu einem Leben in Somalia tatsächlich sehr angenehm. Die meisten Menschen würde wahrscheinlich auch spontan Deutschland als deutlich entwickelter bezeichnen – trotz all der Umweltprobleme. Dennoch muss man festhalten: Der Index unterschlug von Anfang an einen Teil der Wahrheit. Deswegen wuchs um die Jahrtausendwende die Kritik daran immer mehr.

Die Vereinten Nationen entwickelten daraufhin die sogenannten Millenniums-Entwicklungsziele (MDG). Die galten offiziell ab 2000 und sollten der neue Fahrplan in eine bessere Welt werden. Bis zum Jahr 2015 sollte die Menschheit acht konkrete Entwicklungsziele erreichen. Ganz oben standen die Beseitigung der extremen Armut und des Hungers. Dann folgten die Primarschulbildung, die Geschlechtergleichheit, die Senkung der Kindersterblichkeit, die Verbesserung der Müttergesundheit, der

Kampf gegen HIV/Aids, Malaria und andere Krankheiten, die ökologische Nachhaltigkeit – und langfristige Entwicklungspartnerschaften.[10] Der damalige UN-Generalsekretär Kofi Annan appellierte damals vehement, dass die reichen Nationen sich mehr engagieren müssten, schon aus Eigeninteresse.

Der Appell wirkte. Anfang des Jahrtausends gaben die Regierungen des Nordens ein paar Jahre lang deutlich mehr Geld für Entwicklungszusammenarbeit aus, Künstler organisierten weltweit Kampagnen, um private Spenden aufzutreiben, und die Regierungen des Südens gaben mehr Geld für die Armen und die Bildung aus. Die Jahre, in denen auch internationale Organisation wie der Internationale Währungsfonds (IWF) und die Weltbank auf Druck der USA und der EU die armen Länder zum Sparen im Sozialen gezwungen hatten, waren erst einmal vorüber. Besonders positiv wurden die Statistiken allerdings durch die Entwicklung der beiden asiatischen Riesen Indien und China verändert. Beide investierten massiv in die Armutsbekämpfung.

Als dann 2015 Bilanz gezogen wurde, nannte Ban Ki-Moon, der nächste UN-Generalsekretär, die Millenniums-Entwicklungsziele »die erfolgreichste Armutsbekämpfungsbewegung der Geschichte«[11]. Tatsächlich konnten sich die Zahlen sehen lassen: Nach den eineinhalb Jahrzehnten, in denen die MDG existierten, hatten viele Hundert Millionen Menschen in allen Teilen der Welt bessere Überlebenschancen als zuvor, sie hatten weniger oft Hunger, lernten lesen, schreiben und wurden schneller mit Medizin versorgt. Es hatte für sie spürbar Fortschritt gegeben. Ban Ki-Moon machte folgende Rechnung auf: »Die Ziele halfen, mehr als eine Milliarde Menschen aus extremer Armut zu befreien, Hunger abzubauen, mehr Mädchen als je zuvor den Schulbesuch zu ermöglichen und den Planeten Erde zu schützen. Sie waren Anstoß für neue und innovative Partnerschaften, rüttelten die Weltöffentlichkeit auf und zeigten den enormen Wert ambitionierter Zielsetzungen.«[12]

Ganz war das Elend damit zwar immer noch nicht aus der Welt geschafft. Aber dies schien immerhin denkbar. Zugleich zeigte sich allerdings die Kehrseite dieser Entwicklung immer deutlicher, die rasante Zerstörung der Natur. Die Regierungen des Südens schlussfolgerten daraus: Es reiche nicht, dass der Norden ihnen durch Geld und gute Ratschläge helfe. Auch die Industrienationen selbst seien Entwicklungsgebiet, solange sie kein nachhaltigeres Wirtschaftsmodell haben. Es brauche also eine andere, eine globale Idee von Fortschritt. Wirklich gut werde die Zukunft der Menschheit erst, wenn die Ausbeutung anderer Menschen, anderer Länder und der Natur aufhöre. Und so entstanden schließlich die sogenannten Ziele für nachhaltige Entwicklung (SDG, Sustainable Development Goals). Die Umwelt spielt in diesen Indizes eine deutlich größere Rolle als zuvor. Und nun muss auch der Norden bei sich nachmessen. Insgesamt gab sich die Weltgemeinschaft nun 17 Ziele mit 169 Unterzielen und 240 Indikatoren. Darunter die Bekämpfung von Hunger, Diskriminierung und Umweltzerstörung.[13]

Die Ziele und Indikatoren begeisterten die Experten. Für das breitere Publikum waren und sind es jedoch bis heute viel zu viele, um das Konzept wirklich populär zu machen. Und dann, im Jahr 2020, endete die Erfolgsgeschichte der menschlichen Entwicklung auch noch jäh – egal nach welchen der vielen Maßstäbe man sie berechnet. Denn erst brach Corona aus, sorgte dafür, dass rund sieben Millionen Menschen starben[14] und viele Länder des Südens von der globalen Ökonomie abgeschnitten wurden. Plötzlich kamen keine Touristen mehr, der Export und der Import von Gütern wurde schwierig – und anders als im reicheren Norden fehlten armen Regierungen die Mittel, um die eigene Wirtschaft und die Bevölkerung zu unterstützen. Und dann folgte 2022 auch noch der russische Angriffskrieg auf die Ukraine. Er ließ die Energiepreise weltweit explodieren und die für Weizen ebenso. Die Folgen sind bis heute brutal. Weltweit hungern bereits wieder 735 Millionen Menschen, eine Zahl, die viele Jahre lang gesunken war, inzwischen aber wieder steigt.[15] Und als ob das nicht genug ist, wird inzwischen auch die Klimakrise in vielen Ländern immer deutlicher spürbar. Nun muss im September 2024 eine UN-Konferenz erneut eine traurige Bilanz ziehen: Die

Sache mit der Entwicklung erweist sich ganz offensichtlich auch im 21. Jahrhundert als ziemlich schwierig.

Was auch an der Janusköpfigkeit des Fortschritts liegt. Die Coronapandemie hat das zuletzt sehr klar gezeigt. Einerseits wurde der Impfstoff gegen das Virus atemberaubend schnell entwickelt, auch weil Labore bereits jahrelang an den nötigen Techniken und Wirkstoffen für ähnliche Erreger geforscht hatten. Die Pharmaindustrie war daher in der Lage, den Corona-Impfstoff schnell milliardenfach zu reproduzieren, sie bekam dafür Milliarden an Euro und Dollar von den reichen Staaten. Deren Regierungen sorgten dafür, dass er in ihren Ländern breit verteilt und Millionen Menschen vor dem Tode gerettet werden konnten. Andererseits gehört zur Wahrheit aber auch die Ungerechtigkeit, dass Menschen in vielen ärmeren Ländern erst sehr viel später geimpft wurden, wenn überhaupt. Dennoch kostete Corona, verglichen mit früheren Seuchen wie der Pest oder der Cholera, im Verhältnis zur Weltbevölkerung vergleichsweise wenig Leben. Bis April 2024 waren 700 Millionen Menschen mit Covid infiziert, ein Prozent starb. Der Entwicklungsbiologe Matthias Glaubrecht, der die Geschichte der Pandemien erforscht hat, nennt den Kampf gegen diese Seuche erstaunlich erfolgreich.[16] Zugleich aber warnt er, dass die nächsten, möglicherweise noch schlimmeren Pandemien schon lauern – wenn wir unseren Umgang mit der Natur nicht verändern. Das aber ist der Teil der Pandemiegeschichte, der keine Schlagzeilen macht, jedenfalls so lange nicht, bis die nächste Seuche ausbricht.

Corona konnte sich nur in solch rasantem Tempo zu einer weltweit bedrohlichen Krankheit entwickeln, weil wir so leben, wie wir leben. Die Viruserkrankung ist wahrscheinlich eine Zoonose – also eine Krankheit, die vom Tier auf den Menschen überspringt. In den kommenden Jahren werden ähnliche Seuchen und ihre globale Verbreitung wahrscheinlicher. Einfach weil Menschen immer weiter in den letzten verbleibenden Lebensraum wilder Tiere eindringen: Um den Urwald zu roden und Äcker anzulegen. Um Rohstoffe auszubeuten. Um dort zu leben. Und weil wir heute so vernetzt sind wie nie zuvor, können sich

Erreger, die dort lauern und dann auf Menschen übertragen werden, sehr schnell weltweit ausbreiten. Die Fähigkeit der Menschheit, sich über den ganzen Globus zu verbreiten und auch noch in unwirtlichen Gegenden auf Kosten der Natur zu überleben, entwickelt sich zu einem Problem – das wiederum die menschliche Entwicklung hemmt.

Vieles, was gemeinhin als Fortschritt gilt, kann sich nach und nach zum Fluch entwickeln. Oder es hat unangenehme Nebenwirkungen: Die Atomenergie beispielsweise, mit der schier unerschöpfliche Mengen an Energie produziert werden können, sorgt für Müll, der Millionen Jahre weiter gefährlich bleiben wird. Oder: Solarmodule produzieren Strom sauber und emissionsfrei. Ihre Produktion aber ist es nicht. In Chile heißen die Gegenden, in denen die Rohstoffe für die Solarmodule abgebaut werden, deswegen inzwischen »Zonas de Sacrificio environmental« (ökologische Opferzonen). Weil die Natur durch den Abbau komplett zerstört wird. Grün ist die Solarenergie vor allem bei uns.

Die gesamte Industrialisierung kann man zugleich als Segen und als Fluch beschreiben. Sie sorgt für schnelle Autos und warme Wohnungen und dafür, dass durch Feinstaub in der Luft allein in der EU rund 300 000 Menschen vorzeitig sterben, darunter Zehntausende in Deutschland.[17] Sie bringt uns die Urlaube in der Karibik und den Menschen dort die Braunalge, die heute an so mancher Traumküste vermodert und durch ihren Gestank den Kreuzfahrttourismus schon wieder vertreibt.[18] Sie hat uns das Plastik geschenkt, durch das das Leben auf vielfache Weise komfortabel wird und das zugleich die Weltmeere vermüllt. Sie lässt uns im Internet in Sekundenschnelle alle möglichen Fakten vom anderen Ende der Welt finden, wir aber wollten 2023 am liebsten wissen, warum Fake Lashes erfunden wurden – das war im Jahr 2023 tatsächlich die bei Google am häufigsten gestellte »Warum«-Frage.[19]

Ein lebendiges System, so argumentiert die Transformationsforscherin Maja Göpel, sei nach und nach in eine Art Fließband verwandelt worden: Vorne die Rohstoffe rein und hinten der Müll raus. »Wie ein Kind, das sein Spielzeug auseinandernimmt, nahm der Mensch Stück für Stück die Natur auseinander und begann, mit ihren Einzelteilen zu spielen. Er fand heraus, welche Aufgaben sie hatten. Er veränderte sie, tauschte sie gegeneinander aus und setzte sie neu zusammen, in der Überzeugung, dass die Welt für ihn damit besser funktioniert als vorher«, schreibt Maja Göpel:»Aus der Natur, deren Teil der Mensch gerade noch gewesen war, wurde nun die Um-Welt, von der er sich abgetrennt hatte und die ihn ab jetzt nur noch umgibt. Aus einem lebendigen Ganzen, in dem alles miteinander verbunden ist, wurde eine Maschine, die sich für eigene Zwecke nach Belieben umbauen und verändern lässt.«[20]

Eines müsste bei dem Parforce-Ritt durch die Jahrhunderte klar geworden sein: Unsere Großeltern konnten vielleicht noch einen naiven Fortschrittsglauben pflegen und darauf hoffen, dass sich all die Probleme der modernen Welt schon durch irgendeine Zaubertechnik werden lösen lassen. Sie konnten daher auch mit halbwegs gutem Glauben davon ausgehen, dass es ihren Kindern einmal besser gehen werde als ihnen selbst. Wir aber können diese Annahme nicht mehr gutgläubig in die Zukunft fortschreiben, jedenfalls nicht mehr für unsere Enkel. Wir können, anders als unsere Vorfahren, nicht mehr darüber hinwegsehen, dass der Fortschritt brutale Nebenwirkungen hat. Die Veränderung des Klimas. Die Zerstörung der Natur. Die wachsende Ungleichheit in und zwischen vielen Ländern.[21]

Die entscheidende Frage ist, wie viel Spielraum noch bleibt: Welche Teile des Planeten sind bereits unwiederbringlich zerstört und welche können regenerieren? Wir sollten also einmal kurz und schonungslos Bilanz ziehen, um sie klar zu sehen: die planetaren Grenzen des Fortschritts.

4

Die Grenzen des Möglichen

Welche Zukünfte erlaubt der Planet noch?

W er wissen will, was uns diese Erde noch an Zukunft erlaubt, sollte mit Ludwig Ries sprechen. Der Wissenschaftler hatte viele Jahre lang den schönsten Arbeitsplatz Deutschlands. Um in sein Büro zu kommen, musste er aus München erst die Bahn nehmen, dann die Zahnradbahn und dann die Seilbahn. Immer höher hinauf in die Alpen ist er gefahren, bis auf die Zugspitze. Der Schreibtisch von Ries stand im Schneefernerhaus direkt unter dem Gipfel, und damit in der höchstgelegenen Forschungsstation des Landes. Von der Terrasse der Station kann man dort den Skifahrern unten am Hang beim Wedeln zuschauen – wenn hin und wieder noch Schnee liegt. Doch fürs In-die-Luft- oder Auf-die-Piste-Gucken hatte Ries meist keine Zeit. Er musste messen. Denn Ries war Klimaforscher, und zwar einer der praktischen Art.

Im Schneefernerhaus hat der Mann die Luft analysiert. Ein Rohr unterhalb der Bergspitze saugt dort regelmäßig frische Alpenluft an und leitet sie in Messgeräte, die überall in der Station verteilt sind. Dort wird geprüft, was so alles in dieser Luft schwebt. Um die Ergebnisse direkt auszuwerten, hat Ries oft in der Station übernachtet. Die Daten schickte er an seine Chefs im Umweltbundesamt, an Unis und Forscher in der ganzen Welt. Doch mit jedem Jahr, in dem er das tat, wuchsen seine Sorgen. Ries stieß zunehmend auf Stoffe, die nicht in so großer Konzentration in der Luft sein sollten: Methan, Stickoxide und vor allem Kohlendioxid. Andere Forschende, die andere Geräte bedienten und in anderen Schlafzimmern der Station übernachteten, fanden Chemikalien, die überhaupt nicht in die Luft gehören. Sie wissen deswegen, dass manche Stoffe weit durchs Land bis hinauf in die Alpenseen wehen, sich dort ablagern, und die Fische deswegen krank oder unfruchtbar werden. Und dass man Mikroplastik selbst auf dem Boden der entlegensten Bergseen findet. Ries selbst ist eher ein sachlicher Typ, keiner, der gleich skandalisiert. Seit er pensioniert ist, blickt er resümierend auf sein langes Forscherleben zurück, und er fasst die Erfahrungen so zusammen: »Die Menschen erfinden immer weiter, immer neue Stoffe. Aber kaum jemand übersieht die gesamten Folgen dieses Handelns.« Hätten die Erfindungen dann aber irgendwann doch spürbar negative Folgen für die Umwelt– was nicht selten passiere – würde fast immer nur repariert. Nur sehr selten würde verboten. Fast nie lasse man etwas einfach sein, weil die Folgen noch unklar und potenziell gefährlich seien. Die Menschheit leide, so sagt es Ries, unter den Folgen »eines entgleisten Fortschrittsbegriffes«.

Fehlerkorrektur: Bis vor ein paar Jahrzehnten schienen die Möglichkeiten dafür unendlich, auch weil der Planet unendlich wirkte. Das ist heute definitiv anders. Wer heute also seriös über die Zukunft reden oder sie sogar gestalten möchte, kann und muss zunächst einen Überblick darüber haben, was aktuell passiert: Wie unser gegenwärtiger Umgang mit der Natur deren künftigen Nutzen und damit den Fortschritt einschränkt – weil wir die Erde immer schneller und immer stärker umformen. Der Nobelpreisträger für Chemie, Paul Crutzen, hat dafür als Erster einen Begriff erfunden: Das Anthropozän. Man kann den Begriff als »Menschenzeitalter« übersetzen. Er beschreibt die Tatsache, dass die Menschheit zum ersten Mal in der Geschichte dieses Planeten die Macht hat, ihn unwiederbringlich zu verändern und sogar zu zerstören. Und dass sie davon auch reichlich Gebrauch macht.

Die Folgen in aller Kürze und zuerst die fürs Klima: Tausende von Jahren haben die Menschen das Klima kaum beeinflusst. Mit dem Beginn der Industrialisierung verändert sich das radikal, der Ausstoß von Treibhausgasen nimmt rasant zu. Beim Bildungsserver von Wikipedia oder auch der Internetseite des Umweltbundesamtes kann man eine Kurve finden, die den Anstieg gut zeigt.[1] Auch deren Wirkung ist oft dokumentiert: Damit das Klima stabil bleibt, sollte die CO_2-Konzentration in der Atmosphäre 350 ppm nicht überschreiten. Diese Grenze wurde jedoch 1990 erstmals verletzt. Im Jahr 2023 lag sie bereits bei 420 ppm und war damit fast doppelt so hoch wie der vorindustrielle Wert, und sie steigt weiter. Folglich steigt auch die Erderwärmung. Das Risiko ist groß, dass schon in den nächsten fünf Jahren zumindest vorübergehend das 1,5-Grad-Limit gerissen wird – die Durchschnittstemperatur also 1,5 Grad Celsius über der liegen wird, die vor der Industrialisierung normal war.[2]

1,5 Grad: Diesen Wert hat die Weltgemeinschaft im Pariser Klimaabkommen global als Obergrenze festgelegt, über die sie die Erwärmung eigentlich nicht treiben will. Aus gutem Grund: Liegt die Temperatur dauerhaft darüber, lässt sich nicht mehr vorhersagen, was das mit dem Wetter macht. Sicher ist hingegen, dass sich die Lebensbedingungen in vielen Ländern radikal verändern. Teile von Afrika werden so heiß, dass dort niemand mehr wohnen kann. In Europa könnte es hingegen kälter werden, wenn der Golfstrom die Richtung ändert. Und die Permafrost-Gegenden in Russland könnten auftauen, was zu einem massiven Methan-Ausstoß führen würde. Das würde das Klima dann noch weiter anheizen, weil das Methan in der Atmosphäre viel stärker wirkt als CO_2.[3]

Wie viel CO_2 die Menschheit noch in die Atmosphäre lassen darf, bis die 1,5-Grad- oder auch die 2-Grad-Marke erreicht ist, können Physiker leicht berechnen.[4] Bei MCC, einem Berliner Klimaforschungsinstitut, kann man die tickende CO_2-Uhr beobachten. 2020 waren noch rund 400 Gigatonnen bis zum 1,5-Grad-Ziel übrig. 2024 noch rund 200 Gigatonnen. Die Uhr tickt also immer schneller.[5] Auch weil die meiste Energie auch heute noch weltweit vor allem durch das Verfeuern von Kohle, Gas und Öl erzeugt wird. Trotz des Erneuerbaren-Booms lieferten fossile Energieträger 2022 etwa 82 Prozent des weltweiten Energieverbrauchs.[6]

Doch der Klimawandel ist leider nur ein Teil des Problems. Um ein Gefühl für das schiere Ausmaß unseres Schaffens – oder unserer Zerstörungskraft – zu bekommen, haben Forscher in einer Studie für das Magazin *The Anthropocene Review*[7] nachgerechnet: Danach summiert sich das Gesamtgewicht aller Objekte und vom Menschen bewegten Massen auf rund 30 Billionen Tonnen. Diese Zahl an sich sagt wenig aus. Deswegen ein Vergleich: Würde man dieses Gewicht gleichmäßig auf der Erde verteilen, dann lägen auf jedem Quadratmeter der Erdoberfläche 50 Kilogramm. Das ist das 100 000-Fache des Gewichts aller Menschen auf der Erde. Ändern wir unser Verhalten nicht, wird diese Masse in zwanzig Jahren noch mal doppelt so groß sein. Was das für einen begrenzten Planeten bedeutet, erklärt sich von selbst. Es wird nicht mehr sehr lange dauern, und die guten Teile der Erde sind verbraucht. Wobei wir in Deutschland zu den Großkonsumenten gehören. Würden alle Menschen so leben wie wir, dann bräuchte es schon drei Planeten.[8]

Mindestens so folgenreich wie unser Umgang mit der unbelebten Materie ist der mit den Tieren. Die Älteren kennen sie aus Erfahrung, die Jüngeren aus Erzählungen: Die Windschutzscheibe, die im Sommer bei jeder längeren Fahrt voller Insekten klebte. Heute findet sich dort nur noch selten eine Fliege, und das ist ein stilles Drama. Die sogenannte Krefeld-Studie, eine Art Volkszählung für Insekten, hat es in Deutschland 2016 zum ersten Mal einer breiteren Öffentlichkeit vor Augen geführt. Die Mitglieder des entomologischen Vereins Krefeld waren über Jahre in verschiedene Naturschutzgebiete gereist und hatten dort ihre kleinen Netze aufgestellt. Schon damals flog, schwirrte und schwebte den Hobbyforschern durchschnittlich 76 Prozent weniger sechsbeiniges Getier in ihre Fallen als im Startjahr der Messungen 1989. In weniger als zwei Jahrzehnten gab es zwei Drittel weniger Insekten? Das ist ein dramatisch schnelles Sterben.[9]

Der stille Tod der Insekten gefährdet wiederum andere Tiere. Beispielsweise die Vögel, die der Naturschutzbund (NABU) kontinuierlich zählt. So gibt es heute 51 Prozent weniger Feldlerchen als noch 1980. Die Zahl der Kiebitze ist um 93 Prozent zurückgegangen, die der Rebhühner sogar um 91 Prozent. Schlimm steht es auch um die Feldvögel, die in Agrarlandschaften leben. Von denen sind zwischen 1980 und 2016 in der EU rund 56 Prozent, in Deutschland rund 40 Prozent, verschwunden.[10] Was wiederum Folgen für uns hat. »Die planetare Gesundheit ist eine Voraussetzung des eigenen Wohlbefindens!«, sagt der Arzt und Wissenschaftsjournalist Eckhart von Hirschhausen, und dass die Lage nicht gut sei. Er jedenfalls sorgt sich von Monat zu Monat mehr. Nicht nur um die Eisbären, sondern darum, dass die Natur uns bald nicht mehr wird trösten können. Weil die Wälder krank sind, die Vögel tot und die Schmetterlinge fort. Und weil damit sogar der Spaziergang zur Trauerarbeit wird. »Manchmal kommt es mir vor, als wenn alle wie die Kaninchen auf die Schlange starren – und meinen, die Schlange geht weg, wenn wir ganz fest die Augen zumachen«, lautet Hirschhausens Diagnose. Das funktioniert auch deswegen, weil wir das alltägliche Sterben so gut übersehen können. Es fehlen zwar viele kleine Tiere in der Luft, im Wasser und im Boden, aber wer merkt schon, dass es weniger Regenwürmer gibt? Wer hat sich einmal genau angeschaut, was da in der Erde alles so lebt und buddelt – oder auch nicht mehr?

Während die wilden Tiere aussterben, nimmt die Zahl anderer Arten zu. Doch leider immer nur die der sogenannten Nutztiere. Allein die Masse der Hausschweine ist heute schon doppelt so groß wie die aller anderen lebenden Säugetiere. Noch beeindruckender sind die Gewichtsvergleiche: Wilde Säugetiere an Land wiegen etwa 20 Millionen Tonnen, die im Meer 40 Millionen Tonnen. Der Mensch bringt es schon auf 390 Millionen Tonnen Gesamtgewicht, seine Nutz- und Haustiere kommen auf 630 Millionen Tonnen.[11] Ein Fakt, der unmittelbar mit dem Sterben anderer Tiere verbunden ist. Weil als Futter für die Nutztiere auf immer mehr Flächen Mais und Soja angebaut wird, bleibt immer weniger Raum für die wilden Tiere. Machen wir so weiter wie bisher – und nichts deutet auf das Gegenteil hin – werden in den kommenden Jahrzehnten viele Millionen Arten für immer verschwinden. Es geht dabei nicht um den berühmten Eisbären auf der Scholle, der wird sicher in irgendeinem Zoo überleben. Es geht um die Tiere und Pflanzen in unserer Nachbarschaft.

Unsere Macht ist so groß, dass wir möglicherweise sogar einen Prozess stoppen, der Jahrtausende funktionierte: Die Evolution selbst.[12] Rund eine Million von geschätzt acht Millionen Tier- und Pflanzenarten sind bereits heute akut vom Aussterben bedroht. Zwar hat es auch in der Vergangenheit immer wieder Artensterben gegeben. Aber nicht in diesem Tempo.[13] Heute verschwinden Tiere und Pflanzen mindestens hundertmal schneller als in den letzten zehn Millionen Jahren. Schon jetzt sind manche Ökosysteme, beispielsweise Korallenriffe oder große Teile der Tropenwälder, unwiederbringlich zerstört. Das kann die Natur nicht mal so eben wiederherstellen. Dafür fehlen Zeit und Raum.

Oft schätzt die Menschheit nur, was sie zählen kann. Im Auftrag der britischen Regierung hat der Wirtschaftswissenschaftler Partha Dasgupta von der University of Cambridge daher im Jahr 2021 versucht, die Natur und deren Verlust zu beziffern. Seine Hoffnung war, dass Menschen eher hinhören, wenn Schäden in Geldsummen ausdrückt werden. Gupta hat deswegen die Leistungen der Natur in Dollar umgerechnet: Die Bestäubungsleistung der Bienen, die Sauerstoffproduktion der Pflanzen und die Nahrung, die wir aus Ackerfrüchten und Tieren herstellen. Er hat zudem recherchiert, was die Regierungen ausgeben, um diese Leistungen erhalten. Der Wissenschaftler kam zu folgendem Ergebnis: Die meisten Regierungen zahlen nicht etwa für den Erhalt der Natur. Sie subventionieren deren Zerstörung, und zwar jedes Jahr mit rund 500 Milliarden US-Dollar. Zum Beispiel dadurch, dass sie die industrielle Landwirtschaft bezuschussen, die Fischerei, die Nutzung fossiler Energien und Kraftstoffe. Die so eingesetzten Gelder sorgen für Schäden von vier bis sechs Billionen US-Dollar pro Jahr. Nur ein kleiner Teil dieser Summe wird hingegen für den Schutz der natürlichen Lebensgrundlagen ausgegeben: 78 bis 143 Milliarden US-Dollar pro Jahr. Das sind gerade 0,1 Prozent der globalen Wirtschaftsleistung.[14]

Ändere die Menschheit ihren Umgang mit der Natur nicht schnell, drohe der »ökologische Systemkollaps«, warnt Jem Bendell.[15] Der Nachhaltigkeitsforscher hatte Ende 2017 eine Auszeit vom Universitätsbetrieb genommen, um sich einen Überblick über den Stand der Klimaforschung zu verschaffen. Was er dann zusammentrug, schockierte ihn ungemein – und nicht nur ihn. Das Papier, in dem er die wichtigsten Fakten über den drohenden Ökokollaps aufschrieb, wurde weltweit gelesen. Bendell hält ihn zwar noch nicht für unvermeidbar. Aber er sieht zugleich wenig Hinweise dafür, dass die Menschheit ihn zu vermeiden versucht. Er fordert deswegen, mehr Geld für die »Deep Adaptation« auszugeben, also für die Anpassung und Vorbereitung auf tiefgreifende Veränderungen des Ökosystems.[16] Fortschritt wäre damit etwas ganz Banales: Beispielsweise mehr Bäume, die eine lange Trockenheit überleben. Mehr Dämme gegen Hochwasser. Mehr Grün in den Städten, damit die Menschen die Hitze besser ertragen.

Viel zu oft tun wir jedoch das Gegenteil. Wir überschreiten ständig die »planetaren Grenzen«[17]. Dadurch wird halbwegs sicherer Handlungsspielraum für die Menschheit zunehmend kleiner. Es sinkt damit die Überlebenswahrscheinlichkeit. Und es wächst die Gefahr von sich gegenseitig verstärkenden Umweltkatastrophen dramatisch. Sinnvolle Zukunftsgestaltung geht anders. Oder geht sie gar nicht, weil das Wirtschaftssystem, in dem wir leben, so etwas unmöglich macht?

Die Frage ist ernst gemeint. Das Ende der Welt auszumalen, jedenfalls der Welt, die wir kennen, ist heute nicht mehr schwer. Hollywood hat da ganze Arbeit geleistet, Doomsday-Szenarien kennen wir viele. Immer öfter spielt dabei die Kombination aus dem Missbrauch ökonomischer Macht und politischer Kurzsichtigkeit eine Rolle, also das polit-ökonomische System, in dem wir leben, diese Mischung aus Markt und Staat, die so viel Neues in die Welt bringt und zugleich so viel zerstört. Deswegen muss man einmal grundsätzlich fragen, ob es im Kapitalismus überhaupt eine Rettung geben kann und damit einen Fortschritt, der die planetaren Grenzen respektiert.

5
Gibt es im Kapitalismus eine Zukunft?
Oder muss der weg?

Kapitalismus! Kaum ein Wort weckt zugleich so viel Ablehnung wie Begeisterung. Die einen hoffen immer noch, dass er die Menschheit reich macht, die anderen sehnlich auf seinen Untergang. Für die einen ist er die Grundlage des Fortschritts, für die anderen ein System, das uns immer schneller in die Katastrophe treibt. Und obwohl in Deutschland zwei Drittel der Menschen glauben, dass »der Kapitalismus« Probleme hat,[1] erteilen sie Parteien, die offensiv mit seiner Abschaffung werben, fast immer eine Abfuhr. Sicher auch, weil die historischen Erfahrungen mit dem real existierenden Sozialismus mehr als düster waren: Da zählten weder die Rechte der Menschen noch die der Natur. Und so werben selbst neue linkspopulistische Parteien wie die von Sahra Wagenknecht nicht mehr mit dem Sozialismus als Alternative. Stattdessen soll die soziale Marktwirtschaft neu erblühen, durch gemeinwohlorientierte Unternehmen, faire Löhne und Deglobalisierung. Auch in vielen anderen Ländern sind alternative Wirtschaftssysteme, die den Kapitalismus abschaffen wollen, kaum noch ein Thema. Wenn aber keine politisch wirkmächtige Kraft über sein Ende nachdenkt: Muss man sich mit dem Kapitalismus an sich überhaupt noch beschäftigen?

Unbedingt! Am Zustand der Welt ist vieles nicht gut, und auch die Aussichten sind eher trübe. Deswegen muss man schon fragen, ob der Kapitalismus besser auf die Müllkippe der Geschichte gehört – auch wenn ihn gerade kaum jemand entsorgen will.

Ob wir trotz oder wegen ihm in der Misere stecken. Ob Wirtschaftswachstum, das Alter Ego des Kapitalismus, den Fortschritt behindert oder beflügelt. Und selbst wenn sich dieses Wirtschaftssystem längst global so durchgesetzt haben sollte, dass die Alternativen unmöglich geworden sein könnten, gibt es vielleicht doch ungenutzte politische Spielräume. Vielleicht geht da mehr, als es manchmal scheint, weil es *den* Kapitalismus gar nicht gibt, sondern viele verschiedene Schattierungen.

Könnten also kluge Reformen gleichzeitig die Lebensqualität, die Natur und die Innovationsfähigkeit verbessern und ein nachhaltiges Wirtschaften ermöglichen? Um diese möglichen Spielräume zu finden, lohnt es sich, die herrschenden Regeln und Mechanismen des Marktes kurz Revue passieren zu lassen. Zu prüfen, was abgeschafft, was gestärkt und was verändert werden kann, wie man den Markt also zivilisieren und verwandeln könnte.

Eine kurze Weile war es modern, dem Kapitalismus fast jede Kraft zuzuschreiben. Im Sommer 1989, also kurz vor dem Fall der Mauer, beschwor der amerikanische Politikwissenschaftler Francis Fukuyama in einem Essay in der Zeitschrift *The National Interest* sogar das Ende der Geschichte und behauptete, der Kommunismus habe sich erledigt, es werde sich auf der ganzen Welt eine Kombination aus Kapitalismus und Demokratie durchsetzen. Die These war dort zwar noch als Frage formuliert: »The End of History?« Im später erschienenen Buch fehlte das Fragezeichen dann schon.[2] Fukuyama begriff die US-amerikanische Staatswirklichkeit als Höhepunkt der Geschichte. Die Kombination von Demokratie und Kapitalismus sei das beste System, das die Menschheit jemals erschaffen habe. Er schrieb nicht, dass nun alles gut wird. Aber er blickte schon sehr, sehr optimistisch in die Zukunft.

Nun hat das mit der Verbreitung der Demokratie bekanntlich nicht so gut geklappt, sie ist weltweit wieder auf dem Rückzug. Nur eine sehr kurze Weile durfte sie die Globalisierung der Wirtschaft begleiten, heute werden politischen Freiheiten zunehmend beschränkt. Die Bertelsmann Stiftung spricht inzwischen sogar von einer »Erosion der Demokratie«. In vielen der 137 Länder, die sie regelmäßig untersucht, haben sich in den vergangenen Jahren autoritäre Regimes etabliert. Gerade noch 63 Demokratien stehen 74 Autokratien gegenüber.[3] Deutlich besser geht es dem Kapitalismus, der hat global gesiegt, vorerst jedenfalls. »Es ist einfacher, sich das Ende der Welt vorzustellen, als das Ende des Kapitalismus«, sagt der amerikanische Literaturkritiker und Marxist Frederik Jameson.[4] Tatsächlich kann man die Länder, in denen der Markt nicht in irgendeiner Form herrscht, an einer Hand abzählen: Nordkorea, Kuba – und dann wird es schon eng. Dauerhaft leben möchte man dort nicht. Menschen flüchten jedenfalls nicht dorthin, sondern nach Europa und in die USA, in die Zentren des Kapitalismus. Der deutsche Politikwissenschaftler Elmar Altvater urteilte daher 2006, also ein paar Jahre nach dem Fall der Mauer, in einem Essay: »Der Kapitalismus scheint heute zur inneren Natur der Menschen zu gehören, geriete er an Grenzen, wäre es das Ende der Menschheit, vielleicht sogar des Lebens auf Erden.«[5]

Schaut man auf Indikatoren wie Lebenserwartung und Wohlstand und blendet die Umwelt kurz einmal aus, dann zeigt sich zudem klar: In den vergangenen hundert Jahren war der Kapitalismus immer mehr in der Lage, das Leben vieler Menschen sehr angenehm zu machen, jedenfalls im Westen. Bei uns hat er für unglaubliche Fortschritte gesorgt, für technische und soziale Errungenschaften, und er tut es immer noch. Es geht den Mittel- und Oberschichten heute materiell so gut wie nie zuvor in der Geschichte, und noch nie war diese Gruppe selbst so groß. Auch in vielen Ländern des Südens leben die Besitzenden besser denn je zuvor. Doch seit Kurzem steigt eben auch die globale Armutsquote wieder, immer mehr Kinder werden wieder ins Elend geboren. Selbst in Industrieländern leben zu viele Menschen am Existenzminimum. In Deutschland ist ein Fünftel der Bevölkerung von Armut oder sozialer Ausgrenzung bedroht. Jedes fünfte Kind wächst in Armut auf.[6] Der Historiker Jason Moore spricht deswegen lieber vom Kapitalozän[7] statt vom Anthropozän, und er meint damit: Dort wo das Kapital ist, ist das Leben angenehm. Jedenfalls noch. Der Mensch an sich sorgt aber in Kombination mit diesem Wirtschaftssystem gerade dafür, dass Umwelt und Natur ruiniert werden und damit auch die Armen. Nach und nach kommen dann die anderen dran – wenn es keine radikale Kehrtwende gebe. Auf die derzeit nichts hinweist.

Was also tun? Kritiker des Kapitalismus argumentieren so: Versucht erst gar nicht, noch etwas zu renovieren. In diesem System ist ein gutes Leben der gesamten Menschheit und ein Fortschritt, der allen zugutekommt, schlicht unmöglich – seine Regeln werden das nie erlauben. Daran gelte es wieder und wieder zu erinnern, damit sich die Leute nicht in nutzlosen Reformen aufreiben, sondern größer denken. Neu ist diese Form der Generalkritik nicht, doch seit sogar in populären Netflix-Serien wie *Squid Game* neuerdings ein antikapitalistischer Unterton zu hören ist, findet sie eine frische Sprache und ein neues Publikum. Sogar. »Es ist okay, wütend auf den Kapitalismus zu sein«[8] schreibt der amerikanische Senator Bernie Sanders, der in den USA immer wieder besonders die jungen, linken Wählenden begeistert hat. Die amerikanische Philosophin Nancy Fraser[9] hat den Kapitalismus jüngst in einem sehr erfolgreichen Buch sogar mit Kannibalismus verglichen. Das System funktioniere nur wegen der permanenten Zerstörung von Menschen und Natur, schreibt sie. Und ganz aktuell fasst auch der deutsche Soziologe Jens Beckert zusammen, was am Kapitalismus nicht zukunftsfähig ist.[10]

Beckert ist Chef des Max-Planck-Instituts für Gesellschaftsforschung (MPIfG) und Professor an der Universität zu Köln. Seit Langem schon beschäftigt er sich mit dem Wesen des Kapitalismus. Aus Beckerts Büro kann man weit über Dächer der Stadt bis hin zum Fernsehturm schauen, von der Terrasse auch noch bis zum Dom – was in Köln einem Hauptgewinn im Lotto gleicht. Beckert schaut lieber auf eine Wand voll Bücher. Dort im Regal stehen gleich mehrere Exemplare seines Werks *Imaginierte Zukunft*.[11] Darin erklärt der Forscher ausführlich den Zusammenhang von Zukunft, Erwartungen, Wachstum, Eigentum, Zins. Die sehr kurze Kurzfassung seiner Argumentation geht so: Um im Kapitalismus etwas zu unternehmen, brauche man Kapital. Das leihe man sich in der Erwartung, daraus mehr zu machen. Man bekomme es auch nur, weil man den Gläubiger überzeugen könne, dass man das schaffe. Normalerweise müsse man für das geliehene Geld dann Zinsen zahlen. Um alles irgendwann zurückzuzahlen und auch noch Gewinn zu erwirtschaften, müsse das neue Unternehmen wachsen. Und weil dieser Mechanismus gleichzeitig in Tausenden Firmen wirke, entstehe ein auf Neuerungen und Wachstum beruhendes Wirtschaftssystem: Der Kapitalismus.

»Wirtschaftliche Aktivitäten werden in einem kapitalistischen Wirtschaftssystem nicht begonnen, weil konkrete Bedürfnisse nach Kleidung, Urlaub oder Mobilität erfüllt werden sollen«, erklärt Beckert, sondern weil die Eigentümerinnen von Kapital ihr Vermögen mehren wollten. Deswegen durchforsteten Manager die ganze Welt ständig nach neuen Möglichkeiten für gewinnversprechende Investitionen. Deswegen würden immer neue Regionen in die Weltwirtschaft integriert. Deswegen entstehe permanenter Veränderungsdruck, Innovation und immer weiteres Wachstum. Nun sei seit Marx zwar hinreichend beschrieben worden, wie die Menschen durch den Kapitalismus ausgebeutet würden, argumentiert der Soziologe in seinem neuen Buch. Der Umgang mit der Natur sei hingegen eher selten ein Thema. Dabei sei die permanente Ausbeutung der natürlichen Ressourcen die zweite unverzichtbare Grundlage des Kapitalismus. Die Wirtschaft müsse sich, um zu wachsen, immer neue Ressourcen einverleiben: neue Gebiete, neue Menschen, neue Rohstoffe. Dieses Wirtschaftssystem, so seine Analyse, zerstöre damit auf Dauer die eigenen Grundlagen. Es kenne keinen eigenen Regulierungsmechanismus, der rechtzeitig genug die ökologischen Schäden berücksichtige. Die Natur sei ein kostenloser Produktionsfaktor und damit einer, der zerstört würde.

Das drängendste aller Probleme, das sich so ergebe, nennt Beckert »die fossilen Infrastrukturen«. Damit meint er all das, was unsere Wohnungen warm, die Autos schnell und das Leben angenehm macht und mithilfe von Gas, Öl oder Kohle produziert wird. Diese Infrastrukturen müssten schnell rückgebaut werden, es führe »kein Weg an nachhaltigen Beschränkungen von wirtschaftlichem Wachstum und exzessivem Konsum vor allem in den hoch entwickelten Ländern vorbei«. Solche Einschränkungen seien jedoch nicht mit den »bestehenden Strukturen der kapitalistischen Moderne vereinbar«. Die Naturzerstörung gehöre nun mal zum System, also werde die Menschheit die Klimakrise wahrscheinlich nicht in den Griff bekommen. Da helfe auch das größte individuelle Umweltbewusstsein nicht. Was auch mit dem sogenannte »Rückkopplungseffekt« zu tun hat. Der bedeutet: Der Kapitalismus sorgt zwar durch Wettbewerb für technologischen Fortschritt. Doch statt die Innovationen zugunsten der Natur zu nutzen und weniger zu verbrauchen, konsumieren wir immer mehr. Ein Beispiel? Autohersteller könnten heute deutlich weniger Rohstoffe verbrauchen, um Autos zu bauen. Doch statt das zu tun, installieren sie einfach alle möglichen Zusatzfunktionen in die Fahrzeuge, die es vorher nicht gab. Autos sind daher heute – trotz allen Fortschritts – sehr viel schwerer als in der Vergangenheit. 800 Kilogramm wog 1974 der VW Golf I.[12] Zwischen 1260 und 1590 Kilogramm wiegt der VW Golf VIII, der heute verkauft wird.[13] Das ist mal eben eine Verdoppelung, und die liegt nicht nur an Sicherheitsfeatures. Und der Golf gehört sogar noch zu den leichteren Autos.

Unser Konsum verstärkt den Rückkopplungseffekt noch zusätzlich: Wir kaufen zwar immer effizientere Geräte, haben davon aber immer mehr. Wir konsumieren also für das gleiche Geld einfach mehr. Wir kaufen den neuen Kühlschrank und stellen den alten in den Keller – um die Bierflaschen darin zu kühlen. Wir dämmen das Haus, planen aber schon den Anbau. Wir wechseln (ein bisschen) zur Elektromobilität, aber der neue Hybrid ist dann besonders schwer.

Erklären lässt sich dieses Verhalten damit, dass sich viele Menschen in modernen Gesellschaften in einer permanenten materiellen Aufrüstungsspirale befinden. Das bedeutet: Immer geringere Teile des Konsums müssen die Grundbedürfnisse befriedigen – also Hunger, Durst, den Schutz vor Wärme oder Kälte. Immer größere Teile erzählen hingegen Geschichten darüber, wer wir sind oder wer wir sein wollen. Wir kaufen bestimmte Sachen und andere nicht, weil wir dazugehören wollen. Wir tragen bestimmte Kleider oder fahren das Auto einer bestimmten Marke, um zu signalisieren, dass wir zu einer Gruppe gehören – oder eben nicht. Wir sind Teil der Mittelschicht – oder eben nicht. Wir betreiben Statuskonsum. Und der funktioniert, indem Menschen sich überbieten.

»Wir bringen in unserem Wirtschaftssystem Menschen dazu, Geld auszugeben, das sie nicht haben, für Dinge, die sie nicht brauchen. Um damit Eindruck zu schinden, der nicht lange anhält. Auf Menschen, die uns eigentlich egal sind«, nennt der Ökonom Tim Jackson die Absurdität der Konsumgesellschaft ironisch. Jackson ist einer der wenigen Ökonomen, die es wagen, das Wachstumsparadigma zu kritisieren – und überhaupt zu fragen, was in einem Land passiert, dessen Regierung nicht »mehr Wachstum« als eines der wichtigsten Ziele verfolgt. Er findet dabei sogar bei Klassikern der Ökonomie mitunter überraschende Antworten.[14] »Adam Smith hat einst von einem Leben ohne Scham gesprochen, das die meisten Menschen sich wünschen«, sagt Jackson: »Ohne Scham hieß damals, ein sauberes Hemd zu tragen.«

Heute gehört zu einem akzeptablen Leben in dieser Gesellschaft so viel mehr. Statistiken belegen, dass die Menge an Dingen, die zu Weihnachten verschenkt werden oder der Aufwand, den eine Durchschnittsfamilie beim Schmücken des Hauses betreibt, deutlich höher ist als vor 50 Jahren. Die Urlaube führen weiter weg. Die Häuser sind größer. Die Handy-Modelle wechseln schneller. Heute kostet eine anständige Hochzeit in den USA durchschnittlich 22 000 Dollar, die Branche setzt jährlich etwa 60 Milliarden Dollar um.[15] Heute besitzen Menschen in Mitteleuropa durchschnittlich 10 000 Dinge, vor einem Jahrhundert waren es noch 180. Das war nicht im Mittelalter, sondern in den wilden 20er-Jahren des 20. Jahrhunderts.[16] Als Konsequenz all dessen wird immer mehr Natur verbraucht.

Dabei ist diese Art des Mittelschichtslebens nicht einmal besonders alt. Sie etablierte sich erst mit dem Ende des Zweiten Weltkriegs. Damals hatten die USA zugleich Überkapazitäten in der Industrie und eine große Zahl unterbeschäftigter Arbeiter. Und so begann die Blütezeit der Werbeindustrie, sie verwandelte das Kaufen endgültig von der Notwendigkeit zum permanenten

Begleiter des Alltags und zum unverzichtbaren Teil der modernen Kultur. »Unsere enorme Produktivität verlangt, dass wir den Konsum zum Lebensstil machen, den Kauf und den Gebrauch neuer Dinge zu Ritualen machen und unsere Egos durch Konsum befriedigen«, schrieb der amerikanische Verkaufsspezialist Victor Lebow bereits 1955.[17] Status, soziale Akzeptanz und Individualität drückten sich heute durch das aus, was jemand trägt, fährt, isst, durch sein Haus, sein Auto und durch die Hobbys, die er oder sie sich leiste. Und deswegen habe eine milliardenschwere Werbeindustrie nichts anderes zu tun, als uns zu erzählen, was für neue Dinge wir unbedingt brauchen.

Kann ein Leben, das den Planeten nicht ruiniert, also tatsächlich nur noch durch materiellen Verzicht möglich sein und müsste Fortschritt damit auch Verzicht bedeutet? Eine Antwort steckt in einer Zahl: Würde die ganze Menschheit auf dem Konsumniveau der Europäer leben, bräuchte es dafür 28 Erden.[18]

Wohlstand ohne Zerstörung ist wie Schwimmen, ohne nass zu werden – also ziemlich unmöglich? Der Schweizer Ökonom Mathias Binswanger hat das vor Jahren schon mit dem sogenannten »Wachstumszwang« begründet.[19] Wachstum! Der zweite große Kampfbegriff neben dem »Kapitalismus«. Auch »Wachstum« weckt Hoffnung oder Verzweiflung – jedenfalls bei denjenigen, die sich noch fragen, in welchem Wirtschaftssystem es den Menschen gut gehen kann. Binswanger hat nicht nur beschrieben, wie der Zwang, immer größer zu werden, Volkswirtschaften in einem permanenten Wettbewerb gegeneinander treibt – und als Nebenwirkung die Zerstörung der Natur in Kauf nimmt. Sondern auch, wie das Ganze von der Politik noch ideologisch aufgeladen wird: Wirtschaftswachstum, so Binswanger, sei mit einem Heilsversprechen auf eine bessere Zukunft verbunden. Und das geht so: Wenn die Wirtschaft nur weiter boomt, dann entstehen Jobs. Dann bekommen die Unternehmen das nötige Kapital, um Innovationen zu finanzieren und Geld zu verdienen. Dann nimmt der Staat mehr Steuern ein, kann seine Kredite bedienen und mehr verteilen. Dann schaffen wir mehr Wohlstand, ergo mehr Lebensqualität und damit die Voraussetzung für mehr Glück und Unbeschwertheit. Dann wird mehr Geld in Forschung gesteckt. Und so entstehen irgendwann neue Produkte und neue Verfahren und die helfen dabei, die Klimakatastrophe zu verhindern. Was bis heute nicht passiert ist.

Diese falsche Geschichte, davon ist Binswanger überzeugt, glauben die Menschen immer weniger. Denn sie spürten die Kehrseiten des Wachstumszwangs: Die ewige Angst davor, selbst zurückzufallen. Die Sorge, dass ihr Land als Wirtschaftsstandort unattraktiv werde, an Innovationskraft einbüße oder Arbeitsplätze verlieren könnte. Und natürlich auch die ökologischen Folgen. Doch die Politik halte weiter an der Illusion fest, dass Wachstum die meisten Probleme löse.

Tatsächlich gibt es weltweit nur wenige Politiker, die gegen Wirtschaftswachstum sind – selbst wenn sie die Naturzerstörung sehen, die es zur Folge hat. Warum das so ist, kann man in Deutschland gut lernen. Denn einmal, ganz kurz, schien sich vor ein paar Jahren in Berlin das Fenster für einen anderen Umgang mit dem Problem zu öffnen, für ein grundsätzlicheres Nachdenken über die Wachstumswirtschaft und darüber, wie ihre fatalen ökologischen Nebenwirkungen beseitigt oder zumindest gelindert werden können. Im Herbst 2010 bekam nämlich eine junge Sozialdemokratin in Berlin plötzlich eine große Chance. Die damals 30-jährige Daniela Kolbe wurde in den Bundestag gewählt, und da die Sozialdemokraten dringend nach neuen Gesichtern suchten, durfte sie gleich Vorsitzende der sogenannten Wohlstands-Enquete werden. Die sollte zu einer Art Fundgrube für progressives Denken werden. Sie sollte prüfen, ob und wie grünes Wachstum möglich ist, und wo sich die Regierung vom Primat des Wachstums zugunsten von mehr Lebensqualität und mehr Naturschutz verabschieden könnte und müsste. Die Idee hatte der grüne Abgeordnete Hermann Ott, er überzeugte erst seine Partei und schließlich auch die Sozialdemokraten. Union und FDP beäugten das Projekt von Anfang an eher argwöhnisch. Um ein Haar stimmten sie der Einrichtung der Kommission deswegen auch nicht zu – die beiden Parteien stellten damals die Regierung. Doch im letzten Augenblick lenkten sie ein, wohl auch durch den sanften Druck des Kanzleramts. Zu groß schien der schwarz-gelben Merkel-Koalition am Ende die Gefahr, für ihre Zögerlichkeit bei Zukunftsfragen der Republik öffentlich gescholten zu werden.

Die Kommission bekam den Titel »Wachstum, Wohlstand, Lebensqualität – Wege zu nachhaltigem Wirtschaften und gesellschaftlichem Fortschritt in der Sozialen Marktwirtschaft«. Sie setzte sich aus 17 Abgeordneten und 17 Expertinnen oder Experten zusammen. Gemeinsam sollten sie prüfen, ob es im Kapitalismus auch anders geht. Ob die Politik weniger auf Wirtschaftswachstum setzen, das Bruttoinlandsprodukt als Zeichen für den Zustand des Landes weniger ernst und andere Zeichen dafür ernst nehmen könnte. Ob es bessere Indikatoren für Lebensqualität gibt: Die Zahl der Vögel beispielsweise oder die der Depressionen. Im Idealfall würde Deutschland so eine Blaupause für zukunftsfähige Politik bekommen.

Gute zwei Jahre diskutierten die Abgeordneten. Sie überlegten, wie sie das Land neu vermessen könnten. Sie luden interessante Gäste zu Anhörungen, und sie bildeten drei Arbeitsgruppen. Eine diskutierte, ob und welches Wirtschaftswachstum das Land künftig braucht. Die zweite, wie sich Wohlstand besser messen lässt. Die dritte sollte neue Erkenntnisse über die ökologischen Grenzen des Wirtschaftens und die Konsequenzen zusammentragen. Eine kurze Weile wurde tatsächlich recht offen und jenseits der klassischen Parteilinien über die Zukunftsfähigkeit des Landes gesprochen. Was auch mit den Zeitläufen zu tun hatte. Der Atom-Reaktorunfall von Fukushima war nicht lange her, die Euro-Krise mitten im Gange. Und der Zusammenbruch der Finanzmärkte hatte nicht nur Milliarden an vermeintlichen Werten und viele Arbeitsplätze zerstört. Er hatte auch den naiven Glauben an die Selbstheilungskräfte des Marktes erschüttert.

Am Ende präsentierte die Kommission dann einen Bericht, 844 Seiten lang und mehrere Zentimeter dick. In dem stand unter vielem anderen: »Angesichts der globalen Überschreitung von kritischen Umweltraumgrenzen bedarf es in den kommenden Jahrzehnten einer absoluten Reduktion der Nutzung dieser Ressourcen.«[20] Kurz: Wir müssen von fast allem weniger verbrauchen. Der Satz war ein Alarmsignal. Er forderte eine Abkehr von der bisherigen Wachstumswirtschaft. Er forderte, dass die Steigerung von Lebensqualität und ökologischer Unversehrtheit eine viel wichtigere Rolle spielen müsse. Doch blieb er weitgehend wirkungslos. Auch weil die Kommission es nicht schaffte, eine neue Zahl zu finden, die das Bruttoinlandsprodukt (BIP), also das Maß für Wirtschaftswachstum, ersetzen oder ergänzen könnte. Und auch die Hoffnung, dass man nun aufhören würde, Fortschritt und Wohlstand und Zukunftsfähigkeit vor allem am BIP zu messen, erfüllte sich nicht.

Die Vertreter von CDU, CSU und FDP verteidigten das Wirtschaftswachstum nach den vielen Wochen Debatte noch vehementer als zu Beginn, so als ob man es in Schutz nehmen musste. Der CSU-Abgeordnete Georg Nüßlein warnte in seinem Blog sogar vor »linken Ideen« und »Argumenten für Öko-Apokalyptiker«. Manch Grüner und manch Sozialdemokrat bekam zwar ein paar Zweifel am Segen der real existierenden bundesdeutschen Wachstumswirtschaft[21], aber die Zweifler setzten sich in ihren jeweiligen Parteien entweder gar nicht oder nur in sehr kleinen Dosen durch. Die Parteiführungen hatten nämlich längst das Interesse an den Ergebnissen der Kommission verloren. Ein kurzer Blick hatte ihnen genügt, um zu wissen: Zu groß sind die Veränderungen, die sie angehen oder überhaupt nur denken müssten – würden sie die Fakten ernst nehmen, die da über die Nebenwirkungen des Kapitalismus zusammengetragen worden waren. Und so zog 2020, also ein paar Jahre später, der SPD-Spitzenkandidat Olaf Scholz mit der klaren Forderung nach »mehr Wachstum« in den Wahlkampf. Sein Konkurrent Armin Laschet wollte die »Wirtschaft entfesseln«[22]. Und die FDP wollte »trotz Krise schnell wieder auf Wachstumskurs kommen«[23]. Nur die Grünen setzten dem W-Wort ein kleines »aber« hinzu. Sie warben für Wohlstand, der »mehr ist als Wachstum«. Ganz ohne Wachstum ging es zwar auch bei ihnen nicht, aber es sollte bitte »grün« sein.[24]

Dabei ist diese Haltung nicht einmal irrational – sie folgt schlicht der Logik des politischen Systems, und die ist eine andere als die der Natur. Bisher nämlich fehlt den Regierungen eine Lösung für folgendes, sehr grundsätzliches Problem: Je mehr die Wirtschaft wächst, desto mehr Steuern nimmt ein Staat ein. Und desto mehr kann ausgegeben werden. Würde eine Regierung plötzlich bewusst das Wirtschaftswachstum ausbremsen, dann hätte sie auch weniger oder gar kein neues Geld mehr zu verteilen, weil die Einnahmen sinken würden. Dann müsste für jede neue Idee, die mit neuen Ausgaben verbunden ist, im Haushalt das Geld an einer anderen Stelle eingespart werden. Oder sie müsste durch neue Schulden oder neue Steuern finanziert werden. Dafür politische Mehrheiten zu finden, ist bekanntlich die schwerste politische Kunst. Außerdem werden Regierungen in Zeiten des ökonomischen Aufschwungs eher wiedergewählt.[25]

Man kann die Geschichte dieser Kommission also als eine der enttäuschten Hoffnung und der Wirkmächtigkeit des wachstumsgetriebenen Kapitalismus erzählen. Beweist sie doch, warum selbst kluge Leute nur schwer aus gewohnten Denkwelten ausbrechen können. Und warum das Wissen um die negativen Folgen der eigenen Politik im Berliner Politikalltag so wenig daran ändert. Man kann aber auch ihre Fortsetzung erzählen, und die geht so: Parallel zur Enquete-Kommission berechnete eine Gruppe rund um den Wissenschaftler Hans Diefenbacher zum ersten Mal den »nationalen Wohlfahrtsindex«, also eine Art »grünes« Bruttoinlandsprodukt (BIP) für Deutschland. Der damalige grüne Oppositionsführer in Schleswig-Holstein, Robert Habeck, erfuhr davon und beauftragte die Forschenden, das doch bitte auch für Schleswig-Holstein zu berechnen.[26]

Und siehe da, schaut man neben dem Wirtschaftswachstum auch auf Themen wie Lebensqualität und Ökologie, wohnt es sich in dem Küstenland offensichtlich ganz gut. Die Zufriedenheit der Menschen ist jedenfalls überdurchschnittlich hoch. Außerdem verfügt in Schleswig-Holstein über reiches Naturkapital und ein gutes Potenzial an mittelständischen Betrieben und damit viel ökonomische Resilienz. Besser noch: In den vergangenen Jahrzehnten hat sich vieles zum Guten verändert – im Gegensatz zu anderen Regionen der Republik – und auch die künftigen Aussichten sind gut. Laut grünem BIP wächst der wahre Wohlstand in Schleswig-Holstein, in anderen Teilen Deutschland sinkt er. Das statistische Bundesamt, das regelmäßig die Lebenszufriedenheit der Menschen in den Bundesländern vergleicht, bestätigt die Ergebnisse. Es kommt Anfang Januar 2024 sogar zu dem Ergebnis: Vergleicht man alle Bundesländer, dann sind die Leute in Schleswig-Holstein am zufriedensten.[27]

»Für Schleswig-Holstein ist das eine gute Nachricht«, sagte Habeck damals stolz. Und er ging noch einen Schritt weiter: »Bisher mussten wir uns immer den Kriterien der traditionellen Ökonomie unterwerfen und beweisen, dass auch grüne Wirtschaftspolitik, erneuerbare Energien oder eine umweltfreundliche Landwirtschaft das BIP erhöhen. Nur dann waren sie akzeptabel. Jetzt können wir kontern. Damit können wir endlich die Spielregeln ändern, nach denen gute Wirtschaftspolitik beurteilt wird. Jetzt können wir klar zwischen gutem und schlechtem Wachstum unterscheiden.«[28]

Habeck vergaß das auch später als Bundeswirtschaftsminister nicht, jedenfalls nicht sofort. Die Idee eines Grünen Wohlfahrtsindex nahm er mit in sein Berliner Ministerium. Zwar ersetzte er dann Anfang 2021, anders als es sich seine Partei und Fraktion[29] wünschten, den sogenannten Jahreswirtschaftsbericht nicht durch einen Jahreswohlstandsbericht. Trotzdem liest sich das Papier, das einmal im Jahr über den ökonomischen Zustand des Landes Auskunft gibt, wie eine Fortsetzung der Arbeit in Schleswig-Holstein. Es trägt den Titel: »Für eine Sozial-ökologische Marktwirtschaft – Transformation innovativ gestalten«[30]. Im Vorwort schreibt Habeck: »Ohne den Schutz der natürlichen Lebensgrundlagen und die Berücksichtigung der planetaren Grenzen entziehen wir uns selbst langfristig unsere wirtschaftliche und gesellschaftliche Basis. Anders ausgedrückt: Die Kosten der Investitionen, die wir jetzt tätigen, werden sich langfristig rentieren. Sie unterschreiten die Kosten eines ›immer weiter so‹«. Habeck fordert einen offenen Diskurs darüber, was Wohlstand und Lebensqualität langfristig wirklich ausmacht, wo sich Nachhaltigkeit und Wachstum ergänzen können und wo Abwägungen getroffen werden müssen. Er wolle »kein Wirtschaften mehr fördern, das zu fossilem Energieverbrauch, Umweltzerstörung und sozialer Ungerechtigkeit beiträgt«. Und er fordert, dass die Wirtschaftsordnung »die Interessen künftiger Generationen und den Schutz globaler Umweltgüter systematischer und deutlich verlässlicher berücksichtigt«.

Doch – und das ist jetzt die letzte Fortsetzung der Geschichte – mit diesen Träumen war leider bald schon Schluss. Schon wenig später wurden die Auswirkungen des russischen Angriffskriegs auf die Ukraine auch in Deutschland spürbar, und die machten viele Vorsätze zunichte. »Ich glaube, dass die Umsetzung von Degrowth zu so großen sozialen Spannungen führen wird, dass man sie nicht handhaben kann. Ich halte sie für ein akademisches Kunstprodukt«, warnte Habeck dann 2022 in einem Podcast der Tageszeitung *taz*[31]. Als dann die Konjunktur in Deutschland immer mehr einbricht, schreibt er ein »Wachstumschancengesetz«. Und bei einem handwerkspolitischen Forum forderte er, was auch konservative Liberale oder sozialdemokratische Minister in solch einer Lage gefordert hätten: »Insgesamt müssen wir in diesem Land wieder mehr investieren und das Wirtschaftswachstum zum Laufen bringen.«[32]

Anfang 2024 klingt der grüne Wirtschaftsminister dann schon so wie seine Vorgänger, wie Peter Altmaier, Sigmar Gabriel oder Michael Glos. Aus den Reihen seiner Vertrauten ist zu hören, dass das kein Zufall sei. Ein Wirtschaftsminister werde in Deutschland nun mal daran gemessen, dass die Wirtschaft wächst. Dagegen sei nicht anzukommen. Außerdem brauche man die Glaubwürdigkeit in Wirtschaftskreisen und bei bürgerlichen Wählenden, also habe Habeck gar keine andere Möglichkeit. Es reiche nicht mehr, nur LNG-Terminals zu bauen und CCS (das Verpressen von CO_2 unter der Erde) gut zu finden. Ein grüner Minister dürfe in der Krise auch nicht mehr so klingen wie ein grüner Idealist. Habeck redet bewusst so, wie er redet.

Was für ein Clash zwischen guten Vorsätzen und schnöder Regierungsrealität! Ohne Wachstum geht es also in der Politik wohl doch nicht, nicht mal bei den Grünen? Was wohl auch am Publikum liegt. In den Wirtschaftsverbänden, in der deutschen Politik, bei vielen Ökonomen und in den meisten Medien ist das BIP nach wie vor das Kriterium für den Erfolg der Wirtschaftspolitik, und zwar ohne Wenn und Aber. Als im Februar 2024 für das gesamte Jahr »nur« noch 0,2 Prozent prognostiziert wird, wird die Kritik am grünen Minister im Besonderen und der Regierung im Allgemeinen immer lauter. »Kaum Wirtschaftswachstum: Die Ampel wird zum Standortnachteil«, kommentiert ntv.[33] Bundesbank-Präsident Joachim Nagel fordert ein höheres Wachstum.[34] Und Finanzminister Christian Lindner tut so, also sei er nicht Finanzminister, sondern Oppositionsführer, und sagt: »Ich finde das nachgerade peinlich und in sozialer Hinsicht gefährlich.«[35]

Peinlich? Diese Behauptung ist gleich aus zwei Gründen interessant. Zum einen wegen der Fakten, die der Finanzminister auslässt. Zeitgleich mit den »niedrigen« Wachstumsraten wird bekannt, dass Deutschland zur drittgrößten Volkswirtschaft der Welt aufsteigt – nach China und den USA. Alle anderen Nationen der Welt haben schon heute weniger Wirtschaftskraft: Frankreich, Südkorea, England, Singapur, Australien – um nur eine kleine Auswahl zu nennen. Nur in zwei Ländern setzt die Wirtschaft also noch mehr um als in Deutschland. Das sind die USA mit 330 Millionen und China mit 1,4 Milliarden Einwohnern. In den USA leben viermal so viel Menschen wie bei uns, in China 18-mal so viele. Wird also erst alles gut, wenn wir auch noch die beiden Supermächte überholt haben? Oder dann immer noch nicht?

Mit dem Hinweis darauf, dass wir wachsen und wettbewerbsfähiger werden müssen, verteidigt die Ampel alle möglichen Maßnahmen, die die Natur weiter zerstören. Der aktuelle Verkehrsminister (FDP) will neue Autobahnen bauen, der Wirtschaftsminister (Grüne) subventioniert LNG-Terminals und damit die Gaswirtschaft, der Landwirtschaftsminister (Grüne) lässt die Bauern wieder auf Flächen wirtschaften, die eigentlich als Brachen der Natur überlassen werden sollten. Der Kanzler forciert das Bauen auf der grünen Wiese. Und die CDU kritisiert das alles nur, weil es ihr nicht schnell genug geht. Immer klingen die Argumente so, als müssten Käfer, Biene und Co. nur ein bisschen Lebensraum opfern, und dann würde alles gut. Die Art, die es dabei final erwischt, hat eben Pech gehabt, ein bisschen Opfer muss sein. Immer klingt es so, als ob wir nur noch einmal eine letzte Ausnahme machen – zugunsten des Fortschritts. Nur dass wir komischerweise nie an einen Punkt kommen, an dem es mal genug ist.

Ohne Wachstum ruinieren wir also die Wirtschaft – und mit ihm die Umwelt? Der Wirtschaftsweise Achim Truger gehört zu den wenigen, die einen differenzierteren Blick auf die Sache haben. Er stutzt am Telefon ein wenig, als er auf den Satz von Finanzminister Lindner von der Peinlichkeit der deutschen Wachstumsraten angesprochen wird. Dann sagt er: Weder sei es sinnvoll, immer das höchstmögliche Wachstum zu erzielen, noch fordere das deutsche Stabilitäts- und Wachstumsgesetz so etwas. Das sei schließlich die Grundlage der deutschen Wirtschaftspolitik. Dieses Gesetz verpflichte Bund und Länder, wirtschafts- und finanzpolitische Maßnahmen zu ergreifen, um das sogenannte »gesamtwirtschaftliche Gleichgewicht« zu erreichen, es soll also dafür sorgen, dass zugleich Vollbeschäftigung, Preisstabilität, außenwirtschaftliches Gleichgewicht und ein angemessenes (!) Wirtschaftswachstum herrscht. Also nicht ein möglichst hohes.

»Vollbeschäftigung haben wir doch fast«, sagt Truger. Statt immer nur auf die Wachstumsraten zu starren, sollten Regierung und Medien deswegen doch bitte mal stärker auf die anderen Probleme des Landes blicken. Man könne beispielsweise viel lauter fragen, was wirklich für Wohlstand und Lebensqualität sorge. Es sei möglicherweise nicht so schlecht, wenn ältere Menschen am Ende ihres Lebens nicht immer länger arbeiten müssten – und stattdessen noch Zeit hätten, um das Leben gesund zu genießen, sich gesellschaftlich zu engagieren oder Zeit mit den Enkelkindern zu verbringen. Es sei doch auch nicht schlecht, wenn sich Eltern mehr Zeit für ihre Kinder nähmen. Das sind ungewöhnliche Worte für einen Wirtschaftsweisen. Aber Truger ist auch ein ungewöhnlicher Mann.

Was bleibt als Erkenntnis? Ein eher düsteres Szenario. Erstens zerstört der Kapitalismus, so wie er derzeit organisiert ist, die natürlichen Grundlagen und damit die Überlebensfähigkeit der Menschheit. Das liegt auch daran, dass er immer weiter wachsen muss, nicht zuletzt, weil das die finanziellen Spielräume der regierenden Parteien erhält, was jede Art von Verteilungspolitik deutlich erleichtert. Zweitens sorgt das Wachstum, so wie es derzeit funktioniert, für eine Umverteilung aus der Zukunft in die Gegenwart – denn die Chance der künftigen Generationen auf ein gutes Leben ohne Klimakrise werden durch den Konsum der jetzt lebenden Menschen brutal reduziert. Und drittens fehlt derzeit der politische Wille oder die Kraft, über wirklich wirksame Veränderungen nachzudenken. Das alles klingt also recht aussichtslos. Hilft also doch nur das »Ende des Kapitalismus«[36]? Wer das suggeriert und damit indirekt eine bessere Alternative in Aussicht stellt, macht es sich dann doch zu einfach. Denn dummerweise garantieren ja Revolutionen nicht, dass es danach automatisch besser wird. Jedenfalls war das in der Geschichte längst nicht immer der Fall. Ganz abgesehen davon, dass angesichts der ökologischen und politischen Zustände auf der Welt dafür schlicht die Zeit fehlt. Und eine überzeugende Systemalternative zudem. Der Soziologe Jens Beckert begründet so, warum er zwar eine Lösung der ökologischen Frage im Kapitalismus für fast nicht denkbar hält, aber dennoch nicht zur Revolution aufruft, sondern zur Neugierde. Man müsse offen bleiben für »das Ungekannte«. Jetzt gehe es darum, »erst einmal Zeit zu gewinnen«, so Beckert. Man müsse alles tun, damit sich Gesellschaften besser auf den Klimawandel einstellen können. Man müsse die Defossilisierung der Energiegewinnung beschleunigen, die Ressourcennutzung reduzieren. Und so die Möglichkeit erhalten, dass Unerwartetes der Menschheit helfe. Auch im Kapitalismus.

Man kann das die Kapitulation des Intellektuellen vor den Zuständen nennen. Man kann es aber auch, mit mehr Milde, die Demut vor der Zukunft nennen. Oder Prinzip Hoffnung, in Anlehnung an Ernst Bloch. Auch der Philosoph hatte schon vor Jahrzehnten auf die Kraft der Utopien gesetzt. Darauf, dass immer die Möglichkeit von positiver Veränderung besteht.[37] Und es stimmt ja. Neben all den Systemzwängen und den großen, düsteren Trends gibt es eben auch die Menschen mit ihrer überraschenden Kreativität. Es gibt eben nicht nur das System, dessen Regeln die Menschen wie Roboter folgen müssen. Oder, um den alten Marx noch einmal zu bemühen: »Die Menschen machen ihre eigene Geschichte.« Der Philosoph setzt zu diesem Postulat allerdings einschränkend hinzu: »Sie machen sie nicht aus freien Stücken, nicht unter selbst gewählten, sondern unter unmittelbar vorgefundenen, gegebenen und überlieferten Umständen.«[38] Marx sah also beide Kräfte: Die Menschen und die Umstände, in die sie geboren werden, die aber verändert werden können.

Genau das haben Menschen immer wieder getan, sie haben die Mechanismen des Kapitalismus in die eine oder andere Richtung verschoben und so für sozialen Fortschritt gesorgt. Deswegen gibt es heute zwar die Globalisierung, aber auch viele verschiedene Spielarten des Kapitalismus.[39] Und in den einzelnen Ländern gibt es deswegen immer wieder ganz unterschiedliche Versuche, den Markt menschenfreundlicher zu machen, und zwar ganz praktisch. Aus Österreich kommt beispielsweise eine Reformbewegung, die wirtschaftliche Aktivitäten mehr auf das Gemeinwohl ausrichten will. Dahinter steckt der Publizist Christian Felber, der erklärt die Gemeinwohl-Ökonomie so: Sie ist ein »Wirtschaftsmodell«, das »die Extreme Kapitalismus und Sozialismus« hinter sich lasse und eine ethische Marktwirtschaft zum Ziel habe. Sie beruhe weiter überwiegend auf privaten Unternehmen. Diese aber »streben nicht in Konkurrenz zueinander nach Finanzgewinn, sondern sie kooperieren mit dem Ziel des größtmöglichen Gemeinwohls.«[40]

Weltweit gibt es bereits viele Tausende Unternehmen, die eine positive Wirkung für die Gesellschaft haben wollen. Man findet sie unter den Stichworten: Impact Investment, Purpose Economy oder auch B Corporation, sie vernetzen sich und lernen voneinander. Bekannte Vorreiter dieser Bewegung im deutschsprachigen Raum sind zum Beispiel Sonnentor, Vaude, Sparda Bank München, Elobau, Voelkel oder die Stadtwerke München.[41] In Deutschland kämpft zudem eine wachsende Gemeinwohl-Szene für eine Rechtsreform. Sie will, dass die Regierung auch die rechtlichen Grundlagen für diese Unternehmensformen schafft. Sven Giegold, Staatssekretär im Bundeswirtschaftsministerium und einstiger Mitbegründer des globalisierungskritischen Netzwerks Attac hat die Idee in die Ampel-Regierung hineingetragen.

Gemeinwohlorientierte Unternehmen sollen leichter an Kredite kommen, besser gefördert und beraten werden.[42] Noch ist da allerdings viel von »sollen« und »wollen« die Rede. Dabei fordern die innovativeren Teile der Wirtschaft genau das selbst.[43]

Überhaupt ist die Genossenschaftsbewegung wahrscheinlich eine der am meisten unterschätzten Reformideen. Und der Beweis, dass Marktwirtschaft und Solidarität kein Widerspruch sein müssen. Genossenschaften bieten bezahlbare Mieten in Städten, in denen die Immobilienpreise explodieren. Zu ihnen gehören Unternehmen, die nicht nur den Gewinn, sondern auch das Gemeinwohl maximieren wollen. Weltweit gibt es mehr als eine Milliarde Mitglieder, allein in Deutschland gibt es rund 8000 Genossenschaften mit 23 Millionen Mitgliedern. Genossenschaften schaffen global über 100 Millionen Arbeitsplätze, das sind circa 20 Prozent mehr als multinationale Konzerne. In der öffentlichen Debatte, geschweige denn in der politischen, spielen sie als Modell für die Zukunft jedoch kaum eine Rolle – obwohl sie einen Teil des Wachstumsdrucks aus der Wirtschaft nehmen. Und noch ein letztes Beispiel: Die Deutsche Gesetzliche Unfallversicherung (DGUV) ist so ziemlich das Unmodernste, das man sich vorstellen kann. Doch diese Organisation, die so eine Art Zwitter zwischen staatlicher Behörde und privatem Unternehmen ist, kümmert sich um Millionen Berufstätige nach Unfällen oder bei Berufskrankheiten und hat dabei weltweit die höchsten Standards – auch weil sie anders als privatwirtschaftlich organisierte Versicherungen keine Gewinne erzielen muss.

All diese Ideen – und das hier ist nur eine kleine Auswahl – eint eines: Die Hoffnung, dass der Kapitalismus gezähmt, gebremst und verwandelt werden kann. Verweilen wir also besser noch einen Moment in diesem System, nicht als Kapitulation, sondern auf der Suche danach, ob es sich nicht durch seine eigenen Mittel noch weiter zivilisieren lässt. Welche Hebel des Marktes sollte man also besser nutzen als bisher, damit er positive Zukünfte der Gesellschaft unterstützt?

6

Den Markt nutzen

Über die systemverändernde Macht von Effizienz, Kreisläufen und Preisen

Wie kann der Kapitalismus zum Teil der Lösung werden? Lösung bedeutet: Seine Regeln sorgen dafür, dass Menschen die Natur zwar weiter nutzen, aber nicht mehr zerstören. Sein Wachstum müsste grün werden, und mehr Wohlstand müsste mit einem immer geringeren Verbrauch an Rohstoffen geschaffen werden. Die Mechanismen, die der Markt da bietet, klingen im ersten Moment wahrlich nicht nach Revolution, nicht mal nach mächtigen Veränderungen, sondern eher trocken und technisch. Und dennoch stecken hinter ihnen nicht nur ungenutzte Möglichkeiten. Sondern auch gute Geschichten.

Eine der Ideen, die so vermeintlich profan daherkommt, den Kapitalismus aber in Zukunft deutlich verändern könnte, steht in einem Buch, das bereits vor einem Vierteljahrhundert erschienen ist: *Faktor 4, ein Bericht an den Club of Rome*. Geschrieben hatte es gemeinsam mit anderen Wissenschaftlern der deutsche Ökonom Ernst Ulrich von Weizsäcker. Er war damals Chef des Wuppertal Instituts, eines der ersten Forschungseinrichtungen, die sich mit der Umwelt und der Wirtschaft beschäftigten. Weizsäcker hatte damals erkannt, dass viele Menschen zu verschwenderisch mit den natürlichen Ressourcen umgingen. Es gebe aber ein Mittel, so argumentierte er, das dieses Problem lösen könne. Es brauche eine Effizienzrevolution.[1] Die werde die Wirtschaft dauerhaft in die Lage versetzen, die Bedürfnisse von Menschen und Natur künftig gleichermaßen zu befriedigen.

Effizienz? Tatsächlich könnte sie, richtig eingesetzt, eines der der drei entscheidenden Schlüssel für eine Evolution des Kapitalismus werden. Die beiden anderen lauten »Preis« und »Kreislauf«, und alle drei zusammen könnten eine Tür zu einem modernen Wirtschaftssystem öffnen, einem, das die Grenzen des Planeten achtet.

Zunächst zur Effizienz. Zum ersten Mal tauchte der Begriff in den 60er-Jahren auf. Damals gründen Forschende, die sich über den ökologischen Zustand der Welt sorgen, den Club of Rome Mithilfe von Computersimulationen berechneten dann einige von ihnen die Ressourcen der Erde und wie lange die noch reichen. 1972 veröffentlichen sie ihren ersten »Bericht an den Club of Rome«, in dem sie dokumentieren, wie lange die Erde noch ausgebeutet werden kann. Sie nennen ihr Ergebnis: *Die Grenzen des Wachstums*[2]. Nicht alle Rechnungen sind korrekt, von manchen Rohstoffen, so wird sich zeigen, gab und gibt es viel mehr, als in dem Bericht angenommen wird. Für diesen Fehler ernten die Wissenschaftler dann später auch viel Häme – vor allem von denen, die mit der Vorstellung einer begrenzten Erde grundsätzlich fremdeln und auch die Existenz möglicher Wachstumsgrenzen für eine verrückte Idee halten. Die falsche Schätzung gibt ihnen die Möglichkeit, die ganze These in Zweifel zu ziehen. Das ist eine durchschaubare Taktik, aber sie sorgt mit dafür, die Warnungen des Club of Rome stark zu neutralisieren. Der hat zwar medial eine große, realpolitisch aber nur eine begrenzte Wirkung.

Es braucht noch einmal ein gutes Vierteljahrhundert, bis in die Mitte der 80er-Jahre, damit die Naturzerstörung und ihre Folgen bei einer größeren Zahl Menschen wirklich ins Bewusstsein dringen und dann auch die Politik weltweit stärker verändern. 1986 zeigt der *Spiegel* auf seinem Titelbild den Kölner Dom, der im Wasser untergeht.[3] 1990 findet dann die sogenannte Rio-Konferenz statt, das erste globale Umwelttreffen aller UN-Mitgliedsstaaten. Die Regierungen aus aller Welt ziehen unter Beobachtung der Öffentlichkeit eine Bilanz des ökologischen Zustands der Erde, und die fällt nicht gut aus. 1990 ist jedoch noch in anderer Hinsicht ein wichtiges Datum: Kurz zuvor war die Mauer gefallen. Der Sozialismus hat damit als vermeintliche Systemalternative erst einmal ausgedient. Das Buch von Weizäcker, das 1995 erscheint, passt nun perfekt. Denn es schlägt vor, einfach die Marktwirtschaft grün zu machen. Man müsse nur bei der Produktion genügend Rohstoffe einsparen und weniger Abfall produzieren. Durch technischen Fortschritt sei dann die Verdopplung des Wohlstandes bei gleichzeitiger Halbierung des Rohstoffverbrauchs möglich. Faktor vier eben. Voraussetzung dafür sei allerdings ein fairer Wettbewerb – um mehr Effizienz. Deren Effekt dürfte nicht durch immer mehr Konsum aufgebraucht werden. Deswegen dürfe der Staat Vergeudung und Umweltzerstörung nicht mehr subventionieren, und statt immer mehr Energie zu produzieren, müsse die verfügbare Energie effizienter eingesetzt werden. »Negawatt statt Megawatt« lautet der Slogan der Autoren.

Heute klingt das zugleich trivial und ambitioniert. Natürlich ist der sparsame Einsatz von Material sinnvoll, schon weil er Kosten spart. Natürlich sollte die Naturzerstörung nicht staatlich gefördert werden. Und natürlich muss Energie effizient eingesetzt werden. Nur, zwischen Wunsch und Wirklichkeit klafft bis heute ein riesiger Spalt. Die Zerstörung von Natur wird immer noch massiv subventioniert, und nicht der sparsame Umgang damit. Von einer ökologischen Steuerreform, die das ändern könnte, existiert nicht mal ein Konzept. Und ein wirklich effizientes Effizienzgesetz gibt es bis heute nicht. Die Ampel hat zwar im Herbst 2023 eines verabschiedet, aber das fordert von der Industrie nur sehr zaghafte Veränderungen.[4] Weizsäcker hat aus seinem Faktor 4 inzwischen den Faktor 5 gemacht, er forderte heute noch mehr Tempo beim Umbau des Kapitalismus.[5]

Dass der kein Selbstläufer ist, hat sicher mit den Beharrungskräften der Politik und dem erfolgreichen Lobbying der Teile der Industrie zu tun, die vom Status quo profitiert. Aber auch damit, dass andere wirkmächtige Wissenschaftler nach wie vor suggerieren, dass die Sache mit dem Markt und der Natur eigentlich ganz leicht sei. Andrew Paul McAfee vom Massachusetts Institute of Technology (MIT) beispielsweise. Der Ökonom und Digitalisierungsexperte schrieb 2019 ein Buch mit dem Titel *More from*

Less.[6] Darin bescheinigte er dem Kapitalismus, dass der in Zukunft immer umweltfreundlicher werde. Zwar habe die Menschheit in ihrer Geschichte viele Wälder gerodet, Luft und Wasser verschmutzt und endlos Rohstoffe ausgegraben. Doch sei das kein Grund, politisch etwas radikal zu verändern. Die Menschheit solle grundsätzlich weiter das tun, was sie bisher schon getan habe: Die Wirtschaften wachsen lassen und in Technologie investieren. Diese These begeistert bis heute von allem die Liberalen, die schon immer davon überzeugt waren, dass ein möglichst regelloser Kapitalismus, gepaart mit der Innovationskraft der Unternehmen, die meisten Probleme schon lösen wird. Was sich historisch leider nicht belegen lässt – auch nicht durch McAfee.

McAfee begründete sein Plädoyer nämlich mit dem Beispiel der USA: Deren moderne Hightechindustrie mache bereits ein Viertel der globalen Ökonomie aus, und trotzdem verbrauche das Land jedes Jahr weniger Ressourcen. Es gebe zudem noch andere Länder, die sich auf ähnliche Weise zum Guten veränderten. Würden Technologie und Kapitalismus also nur richtig zusammengebracht, begänne für die Menschheit eine grüne Zukunft. Das wichtigste Argument des Digitalexperten lautet: Dematerialisierung des Verbrauchs. Oder konkret: Die Ökonomie oder wenigstens deren Wachstum werde sich einfach ins Virtuelle verlagern. Neue Milliardengeschäfte würden künftig immer mehr mit digitalen Angeboten gemacht: Mit Computerspielen, Programmen, ChatGPT-Anwendungen oder Finanzdienstleistungen.

Tatsächlich wachsen all diese Branchen heute stark, nur haben auch sie ihre dunklen Seiten. Welche Folgen es haben kann, wenn die Finanzwirtschaft immer weniger Bezug zur realen Wirtschaft hat, zeigte die Finanzkrise 2008. Damals wurde immer mehr Geld mit Geld verdient. Computer handelten mit Computern, der Boom der Hedgefonds und die Blase an den Immobilienmärkten basierten immer mehr auf irrealen Werten – bis die schließlich in sich zusammenfielen. Mit den bekannten Folgen auch für die reale Wirtschaft. Unternehmen gingen bankrott, viele Tausende Menschen verloren ihre Jobs und ihre Häuser. Staaten mussten Milliarden für die Rettung der Banken ausgeben.

Danach verschärften sie dann ihren Regeln für den Finanzsektor ein wenig, was allerdings nicht bedeutet, dass sich solche Crashs nicht wiederholen könnten.

Doch es gibt noch eine andere, mindestens so gefährliche Facette der Digitalisierung. Bei vielen digitalen Anwendungen war die Hoffnung zu Beginn groß, dass sie nicht nur den Rest der Wirtschaft effizienter und umweltfreundlicher machen, sondern auch selbst nachhaltig arbeiten würden. Dass also die Digitalisierung nicht nur in Unternehmen viel Energie und Material sparen, sondern auch die Programme, die Apps, die KI, die Clouds und die Streamingdienste selbst nachhaltig sein würden. Der Haken an der Sache wurde erst nach und nach klar und der lautet: Digitalisierung braucht Strom. Und zwar viel Strom. Immer mehr Strom. Je mehr die Menschen die digitalen Angebote konsumieren, und das tun sie dank billiger Flatrates, desto mehr Energie wird verbraucht. Und die wird heute und auch in den kommenden Jahren oft nicht umweltfreundlich produziert. Wäre die IT-Branche ein Land, so stünde es auf Platz sechs der Liste der CO_2-Emittenten, noch vor Deutschland.[7]

Das hat Folgen in der sehr realen Energiebranche. Im US-amerikanischen Bundesstaat Montana beispielsweise schienen vor wenigen Jahren die Tage des Kohlekraftwerks Hardin gezählt. Dann aber baute die Bitcoin-Mining-Company Marathon ganz in der Nähe ein Datencenter, installierte Spezial-Computer, die nichts anderes tun, als Bitcoins zu berechnen. Damit hatte das alte Kraftwerk einen neuen Kunden. Zwar nur einen einzigen, aber der reichte für den Weiterbetrieb.[8] Die alte Kohleregion erlebte einen Aufschwung. Vermeintlich fortschrittliche Technik sorgte also für einen Rückschritt ins fossile Zeitalter. Nicht Bits und Bytes, sondern Bytes und Kohle: Was für eine Kombination! Auch in anderen Regionen der Welt passiert Ähnliches. In China, wo es nach wie vor an Energie mangelt, hat die Regierung das sehr energieintensive Mining von Kryptowährungen in großem Stil zwar mittlerweile verboten. Das aber treibt die Unternehmen nur weiter, in andere Länder. Heute nutzen viele von denen, die einst in China standen, in Kasachstan den Strom – aus Kohlekraftwerken.[9]

Der Energiebedarf und damit die globalen Klimafolgen der digitalen Währung sind inzwischen so gewaltig, dass Wissenschaftler der Universität Cambridge sie im sogenannten Bitcoin Electricity Consumption Index[10] festhalten. Danach macht der Strom- und Energieverbrauch der erfolgreichsten Kryptowährung Bitcoin allein schon 0,6 Prozent des globalen Strombedarfs aus. Einen ähnlichen Trend gibt es beim Einsatz der künstlichen Intelligenz.[11] Auch die braucht riesige Mengen an Rechenleistung. Und damit riesige Mengen an Energie. Neuere Studien, die eine Suche bei ChatGPT mit der bei Google vergleichen, kommen zu erschreckenden Ergebnissen: Danach kostet eine Anfrage bei der künstlichen Intelligenz zwischen fünfzig- und neunzigmal so viel Energie wie die bei Google.[12] Bis die dafür nötigen Windräder und Solarpanels gebaut und aufgestellt sind, wird noch viel Zeit vergehen. Also dauert auch die Dematerialisierung des virtuellen Konsums.

Was wiederum zum Denkfehler McAfees führt. Der Wissenschaftler hatte schlicht und einfach vergessen, dass große Länder wie die USA oder auch Deutschland längst Teile ihrer schmutzigen Produktion, wie beispielsweise das Mining von Kryptowährungen, in ärmere Länder verlagert haben. Weil dort die Kosten niedriger sind, nicht zuletzt wegen deren lascheren Umweltgesetze. Also werden Flüsse, Luft und Land in den USA auch deswegen sauberer, weil andere den dreckigen Teil der Wirtschaft übernehmen und dann die Produkte in die USA exportieren. Oder weil sie die Energie billig und dreckig erzeugen. Hätte McAfee das in seiner Bilanz berücksichtigt, sähe das Ergebnis längst nicht mehr so gut aus. Und nähme er statt der amerikanischen Zahlen die der gesamten Weltwirtschaft, funktionierte seine Erzählung vom Ergrünen durch Wachstum und Technologie gar nicht mehr.[13]

Spricht all das nun doch gegen die These von der systemverändernden Wirkung der Effizienz? Nein, zwar hat sie in der Vergangenheit nur begrenzt funktioniert, doch wurde ihr Potenzial bisher nie wirklich ausgespielt. Eine globale Energiewende könnte beispielsweise dafür sorgen, dass der Strom für die Digitalisierung weltweit grün produziert wird. Die Digitalisierung selbst kann die Produktion viel effizienter machen. Und bessere Steuersysteme könnten den Einsatz von Rohstoffen teurer und den von wiederverwerteten Stoffen billiger machen. Dadurch würden umweltschonende Produktion und Innovationen lohnender. Wie genau Letzteres funktioniert?

Danach suchen Tüftlerinnen, Forscher, Unternehmerinnen und Politiker – in Wuppertal. In der bergischen Stadt will man die Wirkung der Effizienz und damit das Ergrünen des Kapitalismus durch ein zweites Mittel verstärken: Durch die Kreislaufwirtschaft.

»Mich inspiriert es immer sehr, hier auf Gleichgesinnte zu treffen«, sagt die junge Gründerin Perine Fleury vom Start-up Biosphere Solar. »Das Circular Valley und das Silicon Valley sind emotional sehr eng verbunden«, sagt Professor Channing Robertson aus Stanford, USA. Und Jürgen Hingsen, der Olympia-Silbermedaillengewinner im Zehnkampf, ist froh, »dass das alles in Wuppertal passiert«. Gemeinsam mit rund 1 000 anderen Menschen sind die drei im November 2023 zum Circular Valley Forum[14] in die historische Stadthalle gekommen. Alle hier verbindet eines: Sie wollen die Kreislaufwirtschaft ausbuchstabieren. Die Wirtschaft soll nicht länger funktioniert wie ein Fließband, und damit nach dem System: Vorne die Rohstoffe rein, hinten das Produkt raus und am Ende damit auf den Müll. Stattdessen soll sie im Kreis arbeiten oder besser noch: Wie die Natur. Alle Stoffe sollen immer wieder neu verwertbar sein und verwertet werden – und zwar immer weniger davon. »Reduce, reuse, recycle« lautet das Motto.

Funktioniert das in großem Stil, hätte es mächtige Folgen. Dieser Fortschritt würde den Kapitalismus radikal verändern. Deutschland müsste weniger Rohstoffe importieren und würde unabhängiger von den Rohstoffmächten. Es gäbe mehr ökonomischen Spielraum und mehr politische Unabhängigkeit, die Regierung wäre deutlich weniger erpressbar. Kein Minister müsste mehr in China um seltene Erden betteln, zum Gaseinkauf nach Katar reisen oder aus ökonomischen Gründen den Waffenlieferungen an die Saudis zustimmen. Und zusätzlich würde auch noch massiv CO2 eingespart: Über ein Drittel der Industrieemissionen könnte bis 2050 allein durch die Wiederverwertung von Rohstoffen reduziert werden.[15] Die Kreislaufwirtschaft würde also ganz nebenbei nicht nur die Warenströme verändern – sondern auch die globalen Machverhältnisse und damit die Resilienz der Wirtschaft stärken.

Übertrieben? Untertrieben! Würden Produkte erstens viel langlebiger, würden zweitens viel mehr Dinge repariert und wieder benutzt und zirkulierten drittens die Rohstoffe im Kreislauf, müssten also nicht mehr aus anderen Ländern immer neu herangeschafft werden, dann entstünden ganz andere Geschäftsmodelle. Dann würde die Wirtschaft automatisch regionaler, die Lieferketten kürzer, und es blieben Wertschöpfung und Jobs im Land.

Nicht nur in Wuppertal begeistert die Kreislaufwirtschaft. Es gibt Circular Economy in Berlin, in Großbritannien und in den USA wird damit experimentiert.[16] In Brüssel wurde in den vergangenen Jahren viel über die nötigen politischen Rahmenbedingungen nachgedacht. Auch wenn man es kaum glauben mag: Der mit Abstand umfassendste Versuch, nicht nur die Kreislaufwirtschaft zu stärken, sondern gleich den Kapitalismus durch ein ganzes Set an politischen Regeln umweltfreundlicher zu machen, kam aus der EU-Kommission. Die hat unter ihrer Präsidentin Ursula von der Leyen den sogenannten Green Deal entworfen – und Teile auch schon umgesetzt.[17] Er soll nicht nur dafür sorgen, dass der Kontinent bis 2050 klimaneutral wird, er soll die Wirtschaft insgesamt naturverträglicher machen, und zwar durch ein großes Paket politischer Initiativen, Richtlinien und Maßnahmen: Da soll Land renaturiert werden, Regionen bekommen finanzielle Hilfe für den grünen Umbau ihrer Industrie. Es soll sich mehr lohnen, Rohstoffe wiederzuverwerten als neue zu kaufen: Eine Batterieverordnung wird beispielsweise die Quote an wiederverwerteten Batterien deutlich steigern. Die Liste der Projekte und Richtlinien ist noch länger, und interessant ist die konzeptionelle Idee dahinter. Es soll nicht mal hier und mal da etwas repariert werden, es geht darum, Ökologie und Ökonomie zu versöhnen.

»Diese positiven Ansätze reichen noch nicht für einen umfassenden Wandel, sie sind aber ein Anfang«, urteilt Izabela Kosińska-Terrade, Projektleiterin am Öko-Institut.[18] Tatsächlich könnten viele der Richtlinien härter formuliert, Quoten höher und Ziele ambitionierter sein. Doch die mangelnde Ambition liegt in diesem Fall eher an den Regierungen und am EU-Parlament, vieles wurde dort weichgespült. Weil in Deutschland und den meisten anderen Mitgliedstaaten die Macht der alten Lobbys groß ist. Weil es den Regierungen an der intellektuellen Kraft fehlt, die ökologische Reform der Marktwirtschaft groß zu denken. Oder weil das Gefühl von Dringlichkeit immer noch nicht da ist. Berlin, Warschau und Budapest haben daher jüngst immer wieder einzelne Maßnahmen ausgebremst: Als es um mehr Klimafreundlichkeit von Motoren ging, um strengere Regeln fürs Heizen, um Vorschriften für mehr Effizienz. Die permanenten Widerstände aus den Hauptstädten sorgten dafür, dass es in der EU beim Heizen und im Verkehr nach wie vor viel zu wenig Fortschritt gibt. Und auch die Natur wird weiter zerstört werden, weil wichtige Regeln wie die zur Wiederherstellung der Natur am Widerspruch von Regierungen scheitern.[19]

Mitunter führt das zu peinlichen Geständnissen, wenn die Bundesregierung mal Bilanz ihrer Politik ziehen muss. So rühmt sich Deutschland beispielsweise, viel Hausmüll zu recyceln, 2019 etwa 70 Prozent. Doch der Schein trügt. Hinter der Quote verbirgt sich auch das sogenannte »thermische Recycling« – und das bedeutet: Der Müll wird einfach verbrannt. Verhindern könnte so etwas beispielsweise ein Rohstoffgesetz. Das könnte den Verbrauch von Rohstoffen verteuern. Auch der Import von Mineralien und Rohstoffen würde dann unattraktiver. Dadurch hätten Unternehmen, die neue Rohstoffe importieren, einen Kostennachteil und die, die bereits benutzte Stoffe wiederverwerten, einen Wettbewerbsvorteil. Was die grüne Wirtschaft fördern würde.

Doch so etwas schreibt sich leicht. Es umzusetzen, bräuchte viel politischen Mut, denn der Aufschrei aus der Industrie wäre garantiert. Die Umstellung auf ressourcenschonendere Produktion würde kurzfristig erst einmal Gewinne reduzieren – selbst wenn sie langfristig zu höheren Einnahmen und zu einer größeren Unabhängigkeit vom Weltmarkt führte. Zudem braucht ja auch die Energiewende derzeit noch viele seltene Erden, Kupfer und andere Materialien – damit Solarpanels, Windräder, Batterien und E-Autos gebaut werden können. Auch das würde durch eine Importsteuer teurer. Ein neues »Ressourcenschutzgesetz«, das ähnlich wie das Klimaschutzgesetz verbindliche Ziele für das Reduzieren des Rohstoffkonsums festlegt, wünschen sich daher zwar Umweltverbände.[20] Doch für solche systemverändernden Ideen fehlen ihnen in der Bundespolitik die Verbündeten.

Die Bundesregierung tut jedenfalls viel dafür, dass deutsche Unternehmen billig an Rohstoffe aus aller Welt kommen, egal wofür sie dann genutzt werden. Reinhard Schneider, der Chef des Reinigungsmittelherstellers Frosch, findet das ungeheuerlich. Sein Unternehmen verwendet für die Flaschen nur recyceltes Plastik, und er hat einmal versucht, auch alle andere großen Reinigungsmittel-Hersteller davon zu überzeugen, auf neues Plastik, für das Öl gebraucht wird, zu verzichten. Dabei war sein Kalkül, dass das wiederverwertete Material sicher schnell billiger würde, würden alle großen Unternehmen in Produktions- und Entwicklungskapazitäten investieren.[21] Doch Schneider hatte keinen Erfolg. Solange die Flaschen aus neuem Plastik immer noch ein klein wenig billiger sind, wollen große Teile der Konkurrenz darauf nicht verzichten. Obwohl es in diesem Sektor nun wirklich leicht ginge.

Der Widerstand gegen die Umstellung auf eine grüne Produktion liegt nicht nur an der Ignoranz mancher CEOs. Börsennotierte Unternehmen können sich den Verzicht auf heutige Rendite zugunsten der Natur oft nicht leisten. Aktionäre könnten sie dafür verklagen – weil die Gesetze des Kapitalismus so sind, wie sie sind. Jedenfalls solange die Politik sie nicht ändert. Deswegen arbeiten nicht wenige Unternehmen zweigleisig: Die BASF beispielsweise ist bei der Wuppertaler Circular-Valley-Konferenz vertreten, um den grünen Trend nicht zu verpassen, und weil sie selbst längst mit Stoffkreisläufen arbeitet. Doch großes Geld investiert sie in fossile Betriebe. Erst unlängst hat sie zehn Milliarden Euro in ein riesiges neues Plastikwerk in China gesteckt und nicht in eine Recyclinganlage in Deutschland.

Die Circular Valley Foundation hofft trotzdem darauf, dass sich die Kreislaufwirtschaft weiter durchsetzt. Weil sie gleich drei Effekte hat: »Sie spart Emissionen, Rohstoffe und Geld«. Nichts weniger als das »Weltzentrum der Kreislaufwirtschaft« will man werden. Klingt verwegen, aber die Zahl der Gäste beim jährlichen »Circular Valley Forum«[23] wächst von Jahr zu Jahr. Sie kommen inzwischen aus großen Unternehmen, von Hochschulen und aus der Politik. In Workshops und Podiumsveranstaltungen wird dann diskutiert, wie die Lebensdauer von Dingen verlängert werden kann. Wie sich der Materialeinsatz reduzieren lässt und welche Stoffe überhaupt in Kreisläufen genutzt werden können: Beim Bauen, in Elektrogeräten oder Windrädern. Auch der NRW-Ministerpräsident Hendrik Wüst hat das Thema inzwischen für sich entdeckt, gemeinsam mit dem flämischen Ministerpräsidenten Jan Jambon vereinbarte er 2023 die Förderung von Pilotprojekten und die wissenschaftliche Zusammenarbeit.[24]

Mehr noch als Pilotprojekte würde allerdings etwas anderes helfen, das bekannteste marktwirtschaftliche Mittel zur Rettung des Planeten: der Preis. Denn Effizienz und Kreislaufwirtschaft haben es leichter, wenn der Preis die richtigen Signale setzt. Wenn die Wiederverwertung von Material (durch Steuern oder Auflagen) billiger wird als die Ausbeutung der Natur. Wenn Klimaschutz billiger ist als Klimaveränderung. Wenn sich also die Investitionen in grüne Technologien lohnen. Wie aber kann der Preis klüger genutzt werden, um die Wirtschaft schnell und nachhaltig zu verändern? Wie kann sich der Kapitalismus mit seiner Hilfe vor unangenehmen Nebenwirkungen schützen?

Preise sind die einfachsten und härtesten Hebel der Marktwirtschaft, denn ihre Logik ist bestechend. Alles, was einen Preis hat, lässt sich kalkulieren und wird damit für die Wirtschaft handhabbar. Durch einen CO_2-Preis wird die Zerstörung des Klimas in die Sprache der Bilanzbuchhalter übersetzt. Sie taucht als Kostenfaktor in den Produktionskosten und Investitionsrechnungen auf, es kann mit ihr kalkuliert werden und sie verändert Investitionsentscheidungen. Je teurer die Verschmutzung der Atmosphäre wird, desto schneller werden die Verschmutzer in nachhaltige Technologien investieren.

Leider ist das Klima aber nur eine der Umweltveränderungen, die uns plagen. Es gibt auch das nicht minder dramatische Problem mit dem Artensterben, das nicht zuletzt unsere Nahrungsgrundlage gefährdet. Wenn es nämlich keine Bestäuber mehr gibt, dann werden Früchte und Gemüse knapp. Deswegen ist die entscheidende Frage: Wo sollten Preise zur Rettung der Natur stärker eingesetzt werden, wo sind deren Grenzen und wie funktionieren sie ganz praktisch? Oder ganz konkret: Kann man damit die aussterbenden Wildbienen ebenso retten wie das Klima?

Die Ökonomie hat es versucht. Es gibt Wirtschaftswissenschaftler, die am liebsten der ganzen Welt einen Preis geben würde. Sie wünschen sich sogenannte Property Rights, jedes Tier, jede Pflanze und jedes Stück Land soll jemandem gehören. Das bekannteste Konzept stammt von dem britischen Ökonomen und Nobelpreisträger Ronald Coase.[25] Dessen Überlegung ging so: Die Natur wird auch deswegen zerstört, weil sie keine klaren Eigentümer hat. Wären die Eigentumsrechte hingegen klar verteilt, dann könnten die Betroffenen über die Nutzung verhandeln, und ein für alle gutes Ergebnis erzielen. Das klingt sehr theoretisch, man kann den Gedankengang jedoch am Beispiel des Spitzmaulnashorn sehr praktisch erklären. Das Tier wurde stark bejagt und steht deswegen auf der roten Liste der bedrohten Arten. Könnte nun eine Eigentümerin sagen: »Das ist mein Nashorn!«, dann hätte sie auch ein Interesse an seinem Schutz. Sie könnte mit den Jägern einen Preis für das Töten des Tieres aushandeln. Je weniger Nashörner es noch gibt, desto mehr steigen deren Preise. In der Coase'schen Logik würden dann die letzten Nashörner überleben und sich sogar vermehren – einfach, weil es sich lohnt. Er war überzeugt, dass mehr Kapitalismus die sogenannte »Tragik der Allmende« verhindern könne.

Allmenden, also gemeinschaftliches Eigentum, gibt es schon seit Jahrhunderten. Im Mittelalter existieren in vielen Gegenden dörfliche Allmenden, also Wiesen und Wälder, die von allen genutzt werden durften. Luft und Seen oder Meere gehören zu diesen Gemeingütern, auch öffentliche Parks – was das Problem direkt klarmacht: Oft wird die Allmende tatsächlich schlechter geschützt als das, was einzelnen Menschen gehört. Wer seinen Müll in den Park wirft, schadet damit zwar allen, kann aber auch nur von allen zur Rechenschaft gezogen werden, was nicht immer ganz einfach ist. Wer hingegen seinen Müll in den Nachbargarten wirft, der bekommt schnell Ärger. Weil er das Eigentum des anderen beschädigt hat.

Sollte man also – zum Schutze der Natur – am besten alles auf dem Planeten privatisieren? Wer jetzt denkt, das sei wieder so eine verrückte, weltfremde Ökonomen-Idee, hat sich getäuscht. Tatsächlich hat die Privatisierung der Natur in ein paar Ländern funktioniert, es gibt ein paar Erfolgsgeschichten. Vor allem in Afrika hat die Idee von Coase positiv gewirkt. Dort wurden einige Nationalparks an private Stiftungen übergeben, die den Tourismus professionalisierten. Ausländische Gäste müssen seither hohe Eintrittsgelder zahlen, und das rettete die Löwen, Elefanten und Zebras. Viele von ihnen gibt es nur noch, weil Touristen für ihren Besuch viel Geld bezahlen, und damit unter anderem Jobs schaffen. Es lohnt sich also schlicht mehr, die Tiere zu schützen, als sie zu töten.[26]

Leider hat sich aber auch gezeigt, dass die Idee nur einer kleinen Minderheit von Menschen und nur wenigen Tieren und Landschaften nutzt. Nicht mal jedem Nashorn. Vom berühmten Breitmaulnashorn gibt es heute nur noch eine Mutter und eine Tochter und ein paar eingefrorene Spermien. Aus denen versuchen Wissenschaftlerinnen und Umweltschützer jetzt erneut Nachkommen zu züchten – und zwar nicht, weil das Tier für sie und ihre gemeinnützigen Sponsoren einen Preis hat. Es hat einen nicht mit Geld aufzuwiegenden Wert an sich.

Auch für Menschen hat die Privatisierung der Natur oft genug negative Auswirkungen. Ein Beispiel, das sogar für einen internationalen Rechtsstreit sorgte, ist die Nutzung des Neem-Baumes. Dieser Baum wächst in weiten Teilen Indiens, seine lichte Krone spendet Schatten, seine Früchte, Blätter und Rinde heilen. Seit Tausenden Jahren ist er eine der wertvollsten und beliebtesten Pflanzen der traditionellen indischen Heilkunde, dem Ayurveda. Der Name Neem stammt vom Sanskrit-Wort »Nimbu« ab, was übersetzt so viel bedeutet wie »der Krankheitserleichterer«. Neem gilt als stark entgiftend, antibakteriell und wird zur Behandlung von Entzündungen, Infektionen, Fieber, Haut- und Zahnerkrankungen verwendet. Das Öl des Baumes nutzen indische Bauern seit Jahrtausenden gegen Pflanzenschädlinge. Diese nützliche Eigenschaft entdeckten 1995 auch das US-amerikanischen Unternehmen »Grace« und das US-Landwirtschaftsministerium. Die beiden sicherten sich daraufhin ein internationales Patent auf dieses Öl und damit auch die Rechte der Nutzung in Europa. Plötzlich sahen sich die indischen Bauern ihres alten Wissens enteignet und wehrten sich gegen die Privatisierung. Sie argumentierten, die Firma habe doch gar nichts Neues geschaffen, sondern nur altes Wissen und damit Gemeineigentum gestohlen. Am Ende löschte das Europäische Patentamt in München das Patent. Das dauerte allerdings Jahre.

Für Shalini Randeria ist der Protest der Bauern auch eine richtige Antwort auf den »Verlust der Artenvielfalt«.[27] Die Sozialanthropologin hat die Versuche der Multis, sich die Rechte an der Natur durch Patente zu sichern, am Beispiel des Saatguts beschrieben – und auch die Proteste dagegen. Saatgut (und damit ein wichtiger Teil der Natur) würde zunehmend privatisiert und geriete so immer mehr in die Verfügungsgewalt weniger multinationaler Unternehmen. Statt vieler unterschiedlicher Sorten würden als Folge weltweit immer weniger und immer die gleichen Nutzpflanzen vermehrt und verkauft. Dagegen protestierten die Bauern zu Recht, weil sie zunehmend von den Konzernen abhängig würden, und so die Vielfalt der Natur massiv bedroht werde.

Was ein interessantes Schlaglicht auf die Frage nach dem richtigen Fortschritt wirft: Ist es gut für die Menschheit, dass Multis durch die Züchtung von immer weniger Pflanzen für immer mehr Erträge sorgen? Oder wäre es besser und sicherer, doch weiter mehr unterschiedliche Arten zu kultivieren? Schließlich werden durch die Monokulturen heute ja ganze Ökosysteme bedroht. Und die wiederum lassen sich durch Preise nur sehr schwer schützen: Wie will man schon einer wilden Wiese und all den Tausenden Käfern und Pflanzen, deren Zusammenwirken man kaum versteht, den richtigen Preis geben und dann noch einen, der höher liegt als das, was ein Immobilienprojekt abwirft? Wie will man den Schaden, den die intensive Landwirtschaft anrichtet, fair berechnen und dann auch noch die Verursacher zur Kasse bitten – und zwar so, dass sie weniger Natur zerstören? In den Niederlanden verlangt die Regierung von den Bauern beispielsweise eine Stickstoffabgabe, wenn die ihre Felder düngen. So soll der Einsatz von Dünger reduziert und das Grundwasser besser geschützt werden. Das aber hat zu massiven Protesten geführt.[28]

Preise, so das Zwischenfazit, könnten beim Schutz der Biodiversität begrenzt helfen. Oft sind sie allerdings nicht sehr zielgenau und politisch nur schwer durchsetzbar. Dann wirken Verbote (beispielsweise von chemischen Mitteln, der Verschmutzung von Wasser und Luft) schneller und effektiver. Einfacher ist die Bepreisung von Rohstoffen: Bei Kupfer, seltenen Erden oder Plastik könnten Steuern und damit Preise dazu führen, dass sich das Wiederverwerten mehr lohnt. In einem entscheidenden Bereich aber ist die Bilanz dieses Mechanismus richtig gut: beim Klimaschutz. Der Preis, richtig eingesetzt und klug durch andere Mittel flankiert, ist das entscheidende Mittel im Kampf gegen die Klimakrise.

In Deutschland, in der Europäischen Union und auch weltweit in immer mehr Ländern ist heute weitgehend Konsens, dass ein Preis für das Treibhausgas CO_2 sehr sinnvoll ist. Er kann durch eine Steuer oder durch den sogenannten Emissionshandel entstehen. Dabei funktioniert der Handel grob so: Ein Staat (oder in der EU die Kommission) legt für jedes Jahr ein CO_2-Budget fest. Unternehmen und Kraftwerke, die CO_2 emittieren, müssen für jede Tonne, die bei der Produktion oder Energieerzeugung frei wird, sogenannte Zertifikate erwerben. Das ist in der EU seit 2005 so. Seit 2021 gibt es zusätzlich eine nationale CO_2-Steuer, die auf Kohle, Öl und Gas erhoben wird, und die dann auch Autofahrerinnen und Gasheizungsbesitzer zahlen müssen.[29] Diese CO_2-Preise haben zu einer deutlichen Reduzierung des Treibhausgas-Ausstoßes geführt.

Dennoch schafft Deutschland sein Klimaziel bisher nicht, wie auch viele andere Länder.[30] Um zu verstehen, was da schiefläuft und warum das Mittel trotzdem sinnvoll ist, springen wir kurz in die Vergangenheit und dann in die Zukunft: 1975 schrieb der US-Ökonom William D. Nordhaus ein Papier, in dem er nicht nur die ökonomischen Kosten der Klimaerwärmung berechnete. Er suchte auch nach einem Weg, um die Klimaerwärmung zu begrenzen, ohne die Wirtschaft abzuwürgen. Damit nicht zu viele Treibhausgase in die Atmosphäre gelangten, müsse CO_2 einen Preis bekommen, der immer weiter steige.

Nordhaus wird später den Nobelpreis bekommen, dabei hat sein Papier einen großen Fehler. Der Ökonom hatte auch überlegt, wie viel Grad Erwärmung ökonomisch erträglich wären. Er kam auf eine Welt, in der die Durchschnittstemperatur um vier Grad über der der vorindustriellen Zeit liegt. Ökonomischer Nutzen und ökologischer Schaden würden sich dann die Waage halten. Vier Grad als ideale Erderwärmung? Das klingt aus heutiger Sicht absurd. Heute weiß man, dass die Folgen und damit auch die ökonomischen Folgeschäden nicht mehr seriös kalkulierbar sind, steigt die durchschnittliche Erderwärmung über 1,5 Grad. Nordhausens Annahme, dass eine vier Grad höhere Durchschnittstemperatur doch ganz in Ordnung sei, nahm dem Klimaschutz die Dringlichkeit – jedenfalls in der Wirtschaftswissenschaft. Und so ignorierten die meisten Ökonomen die Umweltfragen viel zu lang. Das Thema wurde viele Jahre nur in einem Nebenfach gelehrt, in der sogenannten Umweltökonomie. Wer etwas werden wollte, beschäftigte sich besser mit Wachstum, Konjunktur und Inflation.

Erst 2019 – also fast ein Vierteljahrhundert nach der ersten Klimakonferenz – schrieben die Wirtschaftsweisen, die ökonomischen Beraterinnen und Berater der Bundesregierung, dann doch ein Sondergutachten mit dem programmatischen Titel »Aufbruch zu einer neuen Klimapolitik«[31]. In dem steht: »Wirksamer

Klimaschutz erfordert eine *drastische Rückführung der globalen Treibhausgasemissionen* und mithin eine *umfassende Transformation* der Systeme der Energieversorgung, weg von den bislang dominierenden fossilen Energieträgern. […] Ein einheitlicher Preis für den Ausstoß von Kohlenstoffdioxid (CO_2)« würde sicherstellen, dass Emissionen immer dann unterlassen werden, wenn ihre Vermeidung günstiger ist als der Preis.«

Drastische CO_2-Reduzierung? Transformation? Weg von fossilen Energieträgern? CO_2-Preis? All das zu einem Zeitpunkt zu fordern, an dem sich viele Länder bereits auf diesen Weg gemacht haben und in Deutschland längst eine von der Regierung eingesetzte Kohlekommission den Ausstieg aus diesem Brennstoff empfohlen hat, ist nun nicht gerade Avantgarde. Das Gutachten der Ökonomen ist also weniger wegen der Erkenntnisse interessant. Es zeigt vielmehr, wie groß der Konsens in der Klimapolitik zu Beginn der 2020er-Jahre in Deutschland mittlerweile war. Die Forderung nach mehr Klimaschutz wurde von den Fridays-for-Future-Kindern in viele Familien getragen, sie reichte von den Umweltaktivisten bis tief hinein in eine traditionell eher konservative Ökonomen-Zunft. Alle fanden: Es muss etwas passieren. Und die meisten Organisationen und Parteien stimmten auch zu, dass der Preis das Mittel der Wahl war. Verschiedene Regierungen aus CDU, SPD, CSU, Grünen oder FDP fanden und finden ihn richtig. Sie haben die Bepreisung entweder eingeführt, angehoben, ausgeweitet oder auch abgesenkt. Abschaffen wollen ihn das Bündnis von Sarah Wagenknecht und die AfD, beide haben bisher allerdings keine anderen tragenden Konzepte für den Klimaschutz.[32]

Alle deutschen Parteien scheuen sich bis heute, den Preis so hochzusetzen, dass er zu den Klimazielen passt, also so stark wirkt, dass wirklich genügend Treibhausgase eingespart werden. Unmöglich wäre das nicht, Schweden beweist das seit Jahren. Dort rütteln auch konservative Parteien nicht an einem CO_2-Preis von 180 Euro pro Tonne, und er weckt auch keinen lauten Protest. In Deutschland – mit einem Preis für Benzin, Heizöl und Gas von 45 Euro – tut sich die Politik damit schwer, auch weil sie die Wirkung bisher nicht gut flankiert hat, und die Verteuerung von Fahren, Heizen und Essen die ärmeren Menschen überdurchschnittlich trifft. Denn Markt und Preise sind zwar effizient, aber nicht automatisch fair. Deswegen muss fortschrittliche Politik in einer grünen Marktwirtschaft die Gerechtigkeitsfrage neu beantworten. Doch dazu später mehr.

An dieser Stelle gilt es festzuhalten: Neben den wichtigsten Mechanismen des Kapitalismus – Effizienz, Kreislaufwirtschaft und Preise – gibt es zwar noch viele andere Ideen, die den Kapitalismus so zivilisieren, dass er das Leben auf diesem Planeten nicht zerstört, sondern dauerhaft verbessert: Wettbewerb gehört sicher dazu und Eigentumsrechte, die auch verpflichten. Sicher braucht ein moderner Staat auch Verbote, beispielsweise von gefährlichen Stoffen oder Verfahren, also Ordnungspolitik. Und ohne Verzicht auf den Verbrauch von Natur wird es auch nicht gehen. Doch all das würde ein eigenes Buch füllen. Mit dem Trio hat man jedenfalls drei entscheidende marktwirtschaftliche Mechanismen beisammen. Alle drei haben auf die ein oder andere Weise bereits bewiesen, wie machtvoll sie sein könnten. Alle drei würden, richtig eingesetzt, eine Variante des Kapitalismus formen, die mit der aktuellen nur noch wenig zu tun hat. Oder anders formuliert: Sie könnten den Markt zum Teil der Lösung machen.

Trotzdem wächst bei vielen Menschen verständlicherweise die Angst, dass wir die Wende trotz all der Ideen und Mechanismen nicht schnell genug schaffen, dass sich die großen Umweltkrisen und alle damit verwandten nicht aufhalten lassen. Deswegen ist die nächste Frage, wie die existierenden Lösungen in die Praxis umgesetzt werden können. Um so die Widerstände gegen nachhaltigeren Fortschritt in der Politik und Gesellschaft in Deutschland zu senken.

7

Was ist moderne Wirtschaftspolitik?

Über marode Brücken, Stahlkocher und echte Generationengerechtigkeit

B isher hatte jeder bundesdeutsche Wirtschaftsminister einen Hausökonomen. Von dem hat er sich inspirieren lassen, mit dessen Ideen wollte er in der Wirklichkeit verändern. Der erste grüne Wirtschaftsminister Robert Habeck hat eine Hausökonomin: Mariana Mazzucato. Sie sei eine von sieben Frauen, die sein Leben verändert hätten, sagte Habeck einmal der Frauenzeitschrift *Myself*. Beim Weltwirtschaftsforum in Davos hatte sie ihm erklärt, warum seine Vorgänger in den vergangenen Jahren oft nicht das erreicht hatten, was er sich wünscht: Die Wirtschaft schneller grün und das Land resilienter zu machen: gegen Umweltkrisen, Wirtschaftskriege, die Unwägbarkeiten der globalen Konjunktur.

Für Mazzucato, die am University College in London lehrt, ist der Staat nicht nur ein Schiedsrichter, der die Leitplanken für den Markt setzt, sondern ein »Pionier, der vorangeht«. Er soll sogenannte Missionen definieren, die Wirtschaft dann in die richtige Richtung stupsen und so für den richtigen Fortschritt sorgen. »Um die grüne Revolution zu starten und gegen den Klimawandel anzugehen, brauchen wir wieder einen aktiven Staat«[1], schreibt sie in ihrem Buch *Das Kapital des Staates*: Der Staat müsse die wirtschaftlichen Prozesse so gestalten, dass sie in die Lebenswelt der Menschen passen. Denn die Wirtschaft sei dazu da, den Menschen zu dienen – und nicht umgekehrt. Organisiere man das alles richtig, entstehe auch Fortschritt.

Eine fortschrittliche Wirtschaftspolitik ist eine, bei der die Regierung aktiv in die Wirtschaft eingreift. Für viele deutsche

Ökonomen ist diese Behauptung fast Häresie, denn hierzulande lehren – anders als in vielen anderen Ländern – in den meisten Fakultäten immer noch vorwiegend Marktliberale wie Lars Feld. Der ist Professor für Wirtschaftspolitik und persönlicher Berater von Finanzminister Christian Lindner. Und er kommentierte die Idee, dass der Staat der Wirtschaft beim ökologischen Umbau finanziell helfen solle, in der Talkshow von Markus Lanz trocken so: »Am Ende werden wir uns fragen müssen: ›Wie viel Geld haben wir da eigentlich versenkt?‹«[2] Was mitten hinein in den Grundsatzstreit führt, der nicht nur die Ökonomie entzweit – sondern auch die Politik. Kann und sollte der Staat den Fortschritt mithilfe von Förderprogrammen, Subventionen und Steuerpolitik beschleunigen und in die richtige Richtung lenken, oder führt das nur in eine teure Sackgasse?

Eng damit verbunden ist eine zweite Frage: Steckt Deutschland durch die Klimakrise in einer ganz besonderen historischen Situation, die es rechtfertigt, mehr als je zuvor in der Vergangenheit staatliches Geld in die Infrastruktur zu investieren, auch wenn dafür Schulden aufgenommen werden müssen? Um beispielsweise Brücken und Schienen zu renovieren, Schulen und Universitäten, die Infrastruktur für die E-Mobilität auszubauen und für eine grüne Energieversorgung. Um die grüne Transformation des Landes und der Wirtschaft in eine klimaneutrale Zukunft voranzutreiben. Um dafür zu sorgen, dass das Land die Krise nicht noch verstärkt, indem es weiter zu viel Treibhausgase emittiert. Um durch Windräder und Solarpanels die Abhängigkeit von Gasimporten zu senken und durch die Förderung von strategischen Unternehmen die Abhängigkeit von der Weltwirtschaft. Was dann automatisch zu der Debatte darüber führt, ob Deutschland für all diese Aufgaben die Schuldenbremse reformieren und den Umbau also durch die Aufnahme von Milliarden Euro an Schulden finanzieren sollte. Weil der Verzicht darauf künftig doppelt teuer werden wird.

Doch zunächst zur Frage, wie aktiv eine fortschrittliche Regierung mit Unternehmen kooperieren und sie sogar in bestimmte Richtungen lenken sollte. Historische Fakten belegen inzwischen eher die These von Mazzucato, die für eine enge Kooperation plädiert. Südkorea beispielsweise war nach dem Zweiten Weltkrieg ein armes Entwicklungsland. Noch zu Beginn der Sechzigerjahre lag das südkoreanische Durchschnittseinkommen auf dem Niveau von Ghana, es exportierte vor allem Fisch und Echthaarperücken. Die wechselnden Regierungen förderten dann über Jahrzehnte hinweg junge Unternehmen durch Exportsubventionen und hohe Zölle, bis sie auf dem Weltmarkt konkurrenzfähig waren. (Dann allerdings schaffte die Regierung die Hilfen wieder ab, um nicht in eine dauerhaft teure Subventionierung zu rutschen.) Auch mit den Patentrechten nahm man es in Südkorea nicht sehr ernst, wie übrigens zu Beginn der Industrialisierung auch Großbritannien: Dahinter steckt die Erkenntnis, dass lange Patentrechte vor allem denen nützen, die einen ökonomischen und technologischen Vorsprung haben und die anderen noch weiter abhängen wollen. Es gab und gibt daher weltweit immer wieder heftigen internationalen Streit, welche Dauer beispielsweise Patente auf Medikamente haben sollten und wann arme Länder sie für die Rettung ihrer Bevölkerung einfach ohne Lizenz kopieren dürfen. Zuletzt war das bei Corona so. Südkorea jedenfalls hat die historisch sehr unkonventionelle Wirtschaftspolitik schnell aus der Gruppe der Entwicklungsländer herauskatapultiert. Heute gehört das Land in die Riege der Industrieländer, es steht bei den Patentanmeldungen auf dem fünften Platz.[3] Und es beheimatet Weltkonzerne wie Samsung oder Hyundai.

Großbritannien hingegen hat die Entwicklung seiner Wirtschaft in den vergangenen Jahrzehnten weitgehend dem Markt überlassen – und nicht nur spielt die Industrie heute eine deutlich geringere Rolle als beispielsweise in Deutschland, es gingen auch viele Jobs verloren und der Lebensstandard ist heute deutlich niedriger.[4] Der südkoreanische Ökonom Ha-Joon Chang schreibt über diese und andere Beispiele in seinem Buch *23 Lügen, die sie uns über den Kapitalismus erzählen*. Immer wieder belegt der Wissenschaftler, der an der Cambridge University lehrt, wie der herrschende Glaube, dass die Selbstregulierung von Unternehmen und Kapital automatisch auch der Wirtschaft eines Landes nützt, in die Irre führte.

Chang argumentiert, dass das Gegenteil richtig sei: Kluge Staatseingriffe in die Wirtschaft hätten immer wieder für Innovation und dann auch für mehr Lebensqualität der Bevölkerung gesorgt: Die Abschaffung der Sklaverei oder die der Kinderarbeit beispielsweise, der Zwang, Kinder in die Schule zu schicken und so eine besser gebildete Bevölkerung zu bekommen. Aber auch die Förderung bestimmter Industrien. Deswegen kann sich Chang staatliche Vorschriften auch in der Wirtschaftspolitik eines Landes nicht nur vorstellen, er hält sie sogar für zwingend nötig.[5]

Mazzucato geht noch einen Schritt weiter. Sie findet das ganze Schubladendenken – auf der einen Seite der Staat, und auf der anderen die Wirtschaft – überholt. Unternehmen, Gesellschaft und Regierung sollten gemeinsame Ziele ins Auge fassen. Und sich dann Risiko, Verlust und Belohnung teilen.

Ausgerechnet die USA sind nie ganz von diesem Weg abgewichen, selbst wenn das Image des Landes ganz anders ist. Die US-Regierungen haben mithilfe militärischer Forschungsförderung immer wieder auch innovative zivile Unternehmen querfinanziert, und damit einige der heutigen Silicon-Valley-Stars. Sogar Rennen für selbstfahrende Wagen und E-Autos wurden mit staatlichen Mitteln finanziert. Heute gibt der amerikanische Staat für die Innovationsförderung mehr Geld aus denn je: Bis zu 1 200 Milliarden Dollar wird die Regierung für die Bekämpfung der Klimakrise und die ökologische Transformation durch den sogenannten Inflation Reduction Act (IRA) von Präsident Joe Biden zur Verfügung stellen.[6] Die Wirtschaft wird so durch Zuschüsse, Steuergutschriften und Darlehen massiv in Richtung Klimaneutralität gelenkt: Wer beispielsweise grünen Wasserstoff produziert, bekommt dafür Subventionen. Privatleute können den Kauf von E-Autos und Investitionen in Wind- und Solarenergie von der eigenen Steuerlast abziehen.[7] Die Republikaner stänkern zwar öffentlich gegen das Programm. Allerdings würden auch sie wohl nur einen Teil abschaffen, denn die erneuerbaren Unternehmen wachsen längst auch in republikanischen Bundesstaaten stark.

Die EU und vor allem Deutschland wurden durch den IRA kalt erwischt. Lange konnte man sich hier in dem Gefühl sonnen, dass der Fortschritt bei Klimatechnologien und Umweltschutz in Europa wohnt. Hier wird dessen Tempo bestimmt. Und nun das. Gerade innovative grüne Unternehmen haben seither die Wahl, sie können in Europa oder den USA investieren.[8] In den USA locken zusätzlich noch die Energiepreise, die deutlich günstiger sind als in den meisten EU-Mitgliedsstaaten. In den Genuss der amerikanischen Steuervorteile kommen zudem nur die Unternehmen, die ihre Güter weitgehend in den USA produzieren. Ähnlich agiert China, auch dort wird der Umbau der Wirtschaft stark subventioniert und gelenkt. Zusätzlich sind die Umweltauflagen deutlich niedriger als in Europa und die Löhne auch, was dazu geführt hat, dass die Solarindustrie bereits zu großen Teilen aus Europa nach China ausgewandert ist, ebenso große Teile der Windenergie. Die in Deutschland verbleibenden Unternehmen haben es schwer, der Konkurrenz zu trotzen.

Wichtige andere Industrieländer machen also missionsorientierte Wirtschaftspolitik: Für Habeck ist das ein weiterer Grund, seiner Hausökonomin zu folgen. Zumal die Zahl der Ökonomen wächst, die es für effizient halten, den Umbau der Industrie direkt in großem Stil zu subventionieren und so die fossilen Infrastrukturen zu modernisieren.[9] Habeck finanziert deswegen inzwischen den Umbau des Stahlproduzenten Thyssenkrupp in Duisburg mit rund zwei Milliarden Euro, der Stahlkonzern ArcelorMittal bekommt für seine Produktion in Eisenhüttenstadt und Bremen staatliche Förderzusagen. Und ebenso die Stahl-Holding-Saar (SHS), die im Saarland Stahl produziert.[10] Habeck hat einen Teil von Mazzucatos Ideen in Wirklichkeit verwandelt – und sie lobt ihn dafür öffentlich.[11]

Geht es nach dem Wirtschaftsminister, ist das nur einer von vielen weiteren Schritten. Im sogenannten Klima- und Transformationsfonds (KTF) stehen für solche Projekte im Jahr 2024 rund 49 Milliarden Euro zur Verfügung.[12] Das klingt nach sehr viel Geld. Schaut man sich jedoch die einzelnen Projekte an, die Habeck bezuschusst, sieht man schnell, dass sein Topf nicht sehr weit reicht: Da sind nicht nur die vielen Milliarden Euro für den Umbau der Stahlindustrie. Das schwedische Unternehmen Northvolt, das beim Bau einer Batteriefabrik zwischen unterschiedlichen Standorten hin- und hergeschwankt hatte, erhält rund 700 Millionen Euro für die Ansiedlung im schleswig-holsteinischen Heide. Hinzu kommen Garantien über weitere 202 Millionen Euro.[13] Und der US-amerikanische Chip-Hersteller Intel bekommt für ein Werk in Magdeburg sogar rund zehn Milliarden Euro.[14] Denn auch die heimische Produktion von Chips ist für Habeck eine Frage der klugen Zukunftsplanung. Immer wieder taucht beim Wirtschaftsminister dieses Motiv auf: Jetzt ist der Moment, in dem die Weichen für die Wirtschaft der Zukunft gestellt werden. Die zukunftsfähigen Fabriken stehen entweder hier – oder in den USA und China.

Besonders für die Förderung von Intel musste Habeck viel Kritik einstecken. Muss so viel Geld für ein Unternehmen sein? Und ist es wirklich ein Fortschritt, wenn der Staat definiert, welche Unternehmen zukunftsfähig sind und sie dann aus Steuermitteln subventioniert? Das ist in der Vergangenheit schon hin und wieder schiefgegangen. Fraglich ist auch, ob energieintensive Unternehmen wie die Stahlindustrie in Deutschland überhaupt jemals ohne staatliche Subventionen werden überleben können. Schließlich wird grüne Energie hier sehr wahrscheinlich immer teurer bleiben als in anderen wind- und sonnenreichen Ländern. Ein abschließendes Urteil wird wohl erst in ein paar Jahren gesprochen werden können. Habeck jedenfalls will sich nicht vorwerfen lassen, dem Exodus von Schlüsselindustrien tatenlos zugesehen zu haben. Er ist überzeugt, dass Deutschland eine stärkere Unabhängigkeit vom Weltmarkt erreichen müsse, durch heimische Produktion und die Diversifizierung der Lieferländer. Nur so werde das Land resilienter gegen Krisen der globalen Ökonomie und Lieferengpässe – selbst wenn das manche Produkte teurer mache. Für den Minister ist das auch eine der Lehren aus der Coronazeit. Damals fehlten hierzulande wegen des Produktionseinbruchs in Asien zeitweise die Chips, und so konnte die Produktion nach der Sommerpause 2021 in manch einer Autofabrik nicht wie geplant wieder hochfahren. Auch bei wichtigen Medikamenten kam es zu Lieferengpässen. Das soll nicht wieder passieren.

Und noch eine weitere Idee von Mazzucato hat Habeck umgesetzt: Damit sich Unternehmen auf das Risiko einlassen, klimafreundlich zu produzieren, obwohl sich das heute noch nicht lohnt, subventioniert der Staat auch den Verkauf der Produkte. Der Minister hat dafür ein spezielles Programm entwickeln lassen, das sogenannte Contracts for Difference anbietet.[15] Auch das ist Mazzucato pur: Unternehmen, die statt Kohle oder Gas den (noch) teureren klimafreundlichen Wasserstoff beispielsweise bei ihrer Stahlproduktion einsetzen, bekommen die Kostendifferenz ersetzt. Machen sie später ein gutes Geschäft, fließt ein Teil der Einnahmen an den Staat zurück. Ganz wie die Ökonomin es sich gedacht hat. Gewinne und Risiken werden geteilt.

Während also in so manchem Unternehmen vorsichtig optimistisch der klimafreundliche Umbau beginnt, herrschen in der FDP und im Finanzministerium eine grundsätzlich andere Stimmung. Dort hält man wenig von dieser Art der staatlichen Lenkung. »Der Staat ist ein teurer Schwächling, der sich immer mehr Einfluss anmaßt«, hat Christian Lindner einst in einem Interview mit dem Berliner *Tagesspiegel* gesagt.[16] Er sieht die ökonomische Zukunft des Landes immer noch am besten dadurch garantiert, dass sich die Politik weitgehend aus der Wirtschaft heraushält.

Die Rolle des Staates bei der Gestaltung der Zukunft? Von Anfang an schwelte in der Koalition der Meinungsunterschied darüber, wo Politik eine aktivere Rolle als in der Vergangenheit spielen und wie das finanziert werden sollte. Die ersten zwei Jahre lang konnte die Ampel diesen Konflikt noch unter der Decke halten und regieren, ohne dass er sie brutal auseinandertrieb. Doch im November 2023 legte das Bundesverfassungsgericht durch ein spektakuläres Urteil zur Schuldenbremse für alle sichtbar offen, was die Ampelspitzen längst wussten: Diese Koalition war überhaupt nur durch einen fundamentalen Selbstbetrug möglich geworden.

Und der ging so: Die Ampel hatte das grundsätzliche Gespräch über die Finanzen von Anfang an vermieden und damit auch die Diskussion darüber, was der Staat sich in den vier Jahren ihrer Amtszeit leisten soll. Denn da wären von Anfang an sehr gegensätzliche Meinungen aufeinandergeprallt. Das funktionierte auch leidlich, durch eine Mogelei. Die Ampel-Regierung hatte einfach Kredite in Milliardenhöhe in spezielle Fonds verschoben, beispielsweise in einen Klima- und Transformationsfonds (KTF). So konnte sie Geld ausgeben, ohne dass das dem Bundeshaushalt zugerechnet wurde. Dieser Buchungstrick erlaubte viele Extraausgaben für die Transformation, etwa den Umbau der maroden Infrastruktur. Und er ermöglichte jeder der drei Parteien, so zu tun, als ob sie sich bei den Koalitionsverhandlungen durchgesetzt habe. Die FDP konnte sich rühmen, dass sie die Schuldenbremse und damit die berühmte schwarze Null schütze und keine neuen Steuern erhoben werden. Markenkern: Freiheit durch Sparsamkeit. Die Grünen durften die ökologische Transformation des Landes mithilfe der Milliarden aus dem Fonds vorantreiben. Markenkern: Klimaschutz durch grüne Investitionen. Und die SPD konnte sich freuen, dass die ökologische Transformation erst einmal nicht von den Bürgern, sondern über den Fonds und damit über neue Verschuldung bezahlt wird. Markenkern: Soziale Gerechtigkeit.

Dass diese Illusion zerplatzte, lag an der CDU. Die hatte zwar, als sie noch selbst regierte, solchen Fonds munter zugestimmt. Der Vorgänger des KTF, der Wiederaufbaufonds, wurde beispielsweise vom damaligen Finanzminister Scholz noch in Zeiten der Merkel-Regierung eingerichtet, und auch konservativ geführte Landesregierungen haben ähnliche Konstrukte. Doch seit die Christdemokraten im Bund in die Opposition mussten, nennen sie so etwas eine »Umgehung« des Haushaltsrechtes.[17] Sie hatten dagegen sogar vor dem Verfassungsgericht geklagt, und das Gericht gab ihnen tatsächlich im Dezember 2023 recht: Eine Bundesregierung muss zwar Krisenmaßnahmen nicht aus dem laufenden Haushalt zahlen. Sie darf also grundsätzlich spezielle Fonds einrichten und dafür Schulden auf dem Kapitalmarkt machen – die nicht im regulären Haushalt auftauchen. Bleibt dann aber in einem dieser Fonds Geld übrig, darf sie es in den Folgejahren nicht für andere Zwecke weiterverwenden. Genau das aber hatte die Ampel getan, sie hatte ungenutztes Geld aus dem Corona-Fonds genutzt, um unter anderem die ökologische Transformation zu finanzieren. Das Urteil machte so etwas nun über Nacht unmöglich. Was wiederum der Ampel den Boden unter den Füßen wegzog. Plötzlich musste sie fast alle Ausgaben aus dem laufenden Haushalt und damit durch die laufenden Einnahmen finanzieren. Finanzieren. Das schreibt die sogenannte Schuldenbremse vor, dieser Paragraf des Grundgesetzes erlaubt seit 2009 die Kreditaufnahme nur bis zu einer Höhe von 0,35 Prozent des Bruttoinlandsproduktes, also in geringem Maß.

Durch das Urteil begann das, was sich bis zum Ende ihrer Regierung hinziehen wird: ein Hauen und Stechen ums Geld. Plötzlich mussten die Ausgaben, die bisher durch die Fonds finanziert wurden, aus dem laufenden Haushalt bezahlt werden: beispielsweise Teile der ökologischen Transformation. Oder auch die Milliarden, die den Wiederaufbau nach der Umweltkatastrophe an der Ahr finanzieren. Plötzlich klafften im Haushalt des Jahres 2024 riesige Milliarden-Löcher, von dem für das Jahr 2025 ganz zu schweigen. Finanzminister Christian Lindner nutzt seither die Gunst der Stunde und versucht den Staat über die Sparpolitik so stark wie nur möglich zu beschränken. Er verteidigt den Rotstift bei Programmen gegen den Rechtsradikalismus, beim klimafreundlichen Umbau des Landes und in der Entwicklungspolitik.[18] Nachhaltigkeit hat für ihn vor allem mit Finanzen zu tun und Generationengerechtigkeit bedeutet für ihn, der nächsten Generation keine finanziellen Schulden zu hinterlassen. Ökologische Schulden spielen da keine Rolle.

Die Grünen und Teile der SPD sehen das Land hingegen in eine existenzielle Krise rutschen – wird die Infrastruktur nicht schleunigst modernisiert und für die Klimakrise fit gemacht. Sie wollen der kommenden Generation auch keine verfallenden Bahnhöfe, Brücken und Universitäten vererben, und beim Wettlauf mit anderen Wirtschaftsnationen um die Technologieführerschaft beim Klimaschutz mithalten. »Mit der Schuldenbremse haben wir uns freiwillig die Hände auf den Rücken gefesselt und ziehen in einem Boxkampf. So wollen wir den gewinnen?«, sagt Wirtschaftsminister Habeck und fügt mit Blick auf die massiven

Investitionsprogramme in den USA und in China hinzu: »Die anderen haben sich Hufeisen um die Hände gewickelt und wir haben nicht einmal die Hände frei. Es ist klar, wie das ausgeht.«[19] Jetzt sind die entscheidenden Jahre für massive Investitionen? Zu dieser Erkenntnis kommen inzwischen immer mehr Ökonomen. Ende Mai 2024 erst forderten gemeinsam mit Mariana Mazzucato eine ganze Reihe anderer internationaler bekannter Wissenschaftler auf dem *Berlin Summit*, »die selbstzerstörerische Austerität zu beenden und in einen effektiven und innovativen Staat zu investieren«.[20] Auch der Internationale Währungsfonds, der auf solide Staatsfinanzen großen Wert legt, empfahl der Bundesregierung jüngst, endlich mehr Geld in seine Infrastruktur zu investieren, um die Weichen für die Zukunft richtig zu stellen. Der Kreditrahmen dafür solle um etwa ein Prozent der jährlichen Wirtschaftsleistung ausgeweitet werden, das wären derzeit 40 Milliarden Euro.[21] Die Wirtschaftsberatung McKinsey kam zuletzt sogar auf einen Investitionsbedarf von 240 Milliarden Euro – pro Jahr.[22] So viel würde es kosten, das Land bis 2045 klimaneutral zu machen, wobei hier private Ausgaben mitgerechnet sind. Mehr Geld müsste also längst nicht nur auf Bundesebene investiert werden, sondern auch durch die Länder, die Kommunen, Unternehmen und Privatleute.

Hinter all diesen Forderungen nach mehr Ausgaben steckt immer wieder derselbe Gedanke: Wenn jetzt nicht investiert wird, wird die Sache in Zukunft um so teurer. Es geht Deutschland dann so wie dem Haus, dessen undichtes Dach aus Sparsamkeit nicht neu gedeckt wurde. Irgendwann werden die Wände feucht, und die Beseitigung des Schimmels wird dann richtig teuer.

Immer mehr Ökonomen sind daher der Ansicht, dass eine Reform der Schuldenbremse dringend nötig wäre. Das arbeitgebernahe Institut der deutschen Wirtschaft (IW) argumentiert so, auch die gewerkschaftsnahe Hans-Böckler-Stiftung.[23] Sie haben jüngst erst gefordert, dass der Staat in den kommenden zehn Jahren rund 60 Milliarden Euro ausgeben müsse – um die »öffentliche Infrastruktur und Wirtschaft zukunftsfähig« zu machen.[24] Sie sind überzeugt, dass Deutschland ob der historischen Ausnahmesituation, die durch die Klimakrise entsteht, mehr Geld aufnehmen sollte. Einfach weil diese Generation nicht nur wie üblich die Rente für die Älteren aufbringen muss, sondern das Land auch für die kommende Generation klimakrisenfest machen muss. Der Ökonom Jens Südekum bringt das folgendermaßen auf den Punkt: »Eine grüne Null ist wichtiger als eine schwarze.«[25] Zwar wäre es sicher auch falsch, nun eine massive Staatsverschuldung zu betreiben, denn ab einer gewissen Höhe schränkt die Zinslast den politischen Spielraum jeder Regierung massiv ein. Doch davon ist Deutschland noch deutlich entfernt, das Land liegt mit der Verschuldung im europäischen Mittelfeld.[26]

Noch sieht das nicht nur die FDP, sondern auch CDU-Chef Merz anders. Gut möglich ist jedoch, dass die CDU ihre Sicht ändert, wenn sie wieder regiert und Geld für die Modernisierung des Landes braucht. Sie könnte dann ihrerseits im Bundestag darum werben, die Schuldenbremse so zu reformieren, dass die Regierung mehr finanziellen Spielraum bekommt. Wobei sie dafür, genau wie die Ampel, eine Zweidrittelmehrheit brauchen wird. Aber vielleicht trifft sie ja auf eine konstruktivere Opposition. Doch selbst wenn das passieren sollte, werden bis dahin viele wertvolle Monate ins Land gehen.

Sind also mehr staatliche Verschuldung und eine aktive Wirtschaftspolitik automatisch gleichzusetzen mit Fortschritt? Sicher nicht. Es gibt durchaus Bereiche, in denen es modern wäre, wenn sich der Staat eher zurückziehen oder wenigstens schneller werden würde: bei der Bürokratie beispielsweise. Zwar hat die Ampel hier ein paar Weichen richtiggestellt, durch sogenannte »Praxischecks« will Habecks Wirtschaftsministerium den Problemen auf die Spur kommen – um sie dann auszuräumen.[27] Doch da ist noch deutlich Luft nach oben, gerade auf Länder und Kommunalebene. Helfen könnte in vielen Behörden, wenn endlich mit der Digitalisierung ernst gemacht würde. Erst dann werden Behörden und Unternehmen schnell und effektiv zusammenarbeiten, und die Politik wird auf ökonomische Veränderungen schneller reagieren können. Als positive Nachricht der jüngeren Zeit kann man immerhin eines festhalten: Seit das Wirtschaftsministerium die Ausbaupfade und Ausschreibungsmengen für erneuerbare Energien deutlich angehoben hat, boomt es bei der Wind- und der Solarenergie. Auch weil Genehmigungen dafür inzwischen etwas schneller erteilt werden.[28] Ohne aktive Wirtschaftspolitik würde die Energiewende weiter vor sich hindümpeln, so wie in den Zeiten der großen Koalition. Und das wäre angesichts der Zeitläufte nun wirklich fahrlässig, nicht nur aus klimapolitischen, sondern auch aus wirtschaftspolitischen Gründen.

Auch bei den Staatsausgaben ist »mehr« nicht automatisch besser, und die Reform der Schuldenbremse ist nicht die Lösung aller künftigen Finanzierungsprobleme. Ein Argument für einen höheren Verschuldungsspielraum der Regierung und damit für eine Reform der Schuldenbremse wiegt jedoch so schwer, dass es noch einmal betont werden muss: die Geschichtlichkeit des Augenblicks. Seit der ersten industriellen Revolution hat es keinen Moment wie den jetzigen mehr gegeben, und damit eine Zeit, in der die lebende Generation zugleich für die Rentner sorgen und für die Kinder das Land umbauen muss. Will sie beides schaffen, trägt sie also eine doppelte Last. Deswegen kann man durchaus rechtfertigen, einen Teil der Modernisierung über Kredite zu finanzieren: so, wie das eben auch Menschen tun, die das Dach ihres Hauses rechtzeitig in Ordnung bringen wollen.

Wobei dann sich dann immer noch die Frage stellt: Wie kommen die richtigen Innovationen eigentlich in die Welt? Was muss die Regierung konkret für eine Politik machen, damit zukunftsweisende Ideen entstehen – und zu Produkten werden, die Wirklichkeit verändern? Und zwar hierzulande, und nicht in den USA oder sonst wo.

8
Innovationspolitik praktisch

Wie kommt das Neue in die Welt – und nach Deutschland?

A rmory Lovins züchtet Bananen – in den Rocky Mountains, dort, wo er wohnt, kann es schon mal minus 40 Grad kalt werden. Trotzdem hat er ein Gewächshaus, in dem inzwischen fast 100 verschiedene Pflanzen wachsen, auch Papayas, Mangos und Zitronen. Zwischendrin verstecken sich Eidechsen. »Wir essen Bananen, frieren sie ein, backen daraus Brot, wir verschenken sie – und wir verstecken sie sogar in den Autos von Gästen«, erzählt Lovins gern.[1] Kostengünstig und klimafreundlich ist das, weil der Amerikaner schon vor mehreren Jahrzehnten ein Passivhaus gebaut hat und besonders dämmende Fenster erfand. Lange bevor das andere für möglich hielten.

Lovins ist jedoch kein professioneller Häuslebauer oder Gemüsegärtner. Er ist einer der Erfinder der Energiewende, und nebenbei ein Tüftler. 2009 zählte ihn das *Time Magazine* zu den 100 einflussreichsten Menschen der Welt. Vor Jahrzehnten schon hat er das Rocky Mountain Institute gegründet, um die Energiewende zu beschleunigen. Seither macht er immer wieder mit neuen Ideen von sich reden. Er hat die Automobilindustrie bei der Konstruktion von E-Autos beraten und die Chinesen beim ökologischen Umbau ihres Energiesystems. Auf die Frage, warum es nicht längst viel mehr Passivhäuser auf dieser Welt gebe und mehr Technik, die uns beim Kampf gegen die Klimakrise helfe, sagte er vor ein paar Jahren bereits: »Viele Menschen wissen noch nicht, was möglich ist. Wir sind weiter und schneller, als viele es noch vor wenigen Jahren für möglich gehalten haben.« Das aber ändere sich rasant. Hält Lovins einen Vortrag, erzählt er mit Vorliebe folgende Geschichte:»Um 1900 hat man bei der Osterparade auf der Fifth Avenue in New York fast kein Auto gesehen. Nur 13 Jahre später musste man lange nach den letzten Pferdefuhrwerken suchen. Dabei haben deren Besitzer sicher fest geglaubt, dass sie noch Jahrzehnte gute Geschäfte machen würden. Das Tempo des Wandels geben Neulinge vor, nicht etablierte Unternehmen.«

Lovins ist fest davon überzeugt, dass es zur Lösung der großen Probleme der Menschheit neue Dinge, neue Technik und neue Verfahren braucht, ein großer Teil des Fortschritts also in technologischen Innovationen liegt. Doch ist das so? Die meisten Regierungen der Welt sind immerhin überzeugt, dass neue Dinge und Verfahren unbedingt wünschenswert und nötig sind, damit es ihrem Land auch künftig gut geht. Sie alle haben sogenannte Forschungs- und Entwicklungsbudgets, finanzieren staatliche Institute, Universitäten und fördern forschungsintensive Unternehmen. Im globalen Ranking liegt Israel dabei mit 5,6 Prozent des Bruttoinlandsproduktes einsam an der Spitze, gefolgt von Südkorea, den USA und Japan. Deutschland liegt nur auf Platz neun.[2] Die reinen Ausgaben sagen jedoch noch nichts darüber aus, ob das Geld sinnvoll ausgegeben wird. Wer es ausgibt. Und auch nicht darüber, was »sinnvoll« überhaupt bedeutet, und ob das Urteil darüber besser eine Privatsache bleibt oder etwas ist, über das der Staat entscheiden sollte. Was für eine Politik sollte eine Regierung also machen, wenn sie die richtigen Innovationen ermöglichen will?

Warum die Antwort auf diese Frage nicht einfach ist, lässt sich gut mithilfe der Geschichte der Fleischindustrie erzählen. Und mit der des Fließbandes. Das erste Fließband stand nicht, wie allgemein angenommen, in einer Autofabrik. Die Technik wurde zwar durch den Einsatz in den Autofabriken von Ford berühmt und half mit, das zu entwickeln, was später Fordismus genannt werden sollte, also das systematische Zerlegen von Arbeitsschritten: Nicht mehr ein Arbeiter baut ein Auto, sondern viele erledigen an ihrem

Platz am Fließband immer den gleichen Handgriff. Ursprünglich entwickelt wurde die Technik aber bereits in den 1870er-Jahren in den Schlachthöfen in Cincinnati. Dort zerlegte nicht mehr nur ein Metzger ein Schwein, sondern verschiedene Arbeiter schnitten immer nur einen Teil eines Tieres heraus, dann wurde es weitertransportiert. Damit ging die Fleischproduktion viel schneller und billiger. Als dann auch die großen Schlachtfabriken in Chicago dieses Verfahren übernahmen, konnten in den USA billiger große Mengen Fleisch produziert werden. Viele Menschen kannten damals noch Hunger, die mit Steaks und Würsten wohlgefüllten Metzgereien waren für sie unzweifelhaft ein Fortschritt.

Und heute? Boomt die Branche weltweit. Allein in den deutschen Schlachtbetrieben wurden 2022 rund 51,2 Millionen Schweine, Rinder, Schafe, Ziegen und Pferde sowie 701,4 Millionen Hühner, Puten und Enten geschlachtet.[3] Die Exporte gehen in die ganze Welt, in Deutschland werden jedes Jahr noch 50 Kilo Fleisch pro Kopf verspeist – Babys mitgerechnet.[4] In den vergangenen Jahren ist der Konsum gesunken, doch auch diese Menge ist für viele Menschen noch zu viel. Selbst die Deutsche Gesellschaft für Ernährung (DGE), der man sicher keinen Öko-Aktivismus unterstellen kann, empfiehlt einer erwachsenen Person, nicht mehr als 30 Kilo Fleisch pro Jahr zu essen. Alles darüber schade der Gesundheit. Wer täglich verarbeitetes Fleisch isst, steigert sein Sterberisiko um zwanzig Prozent.[5]

Sind die billigen Bratwürste also ein Fortschritt oder ein Rückschritt? Hätte man besser die Erfindung des Fließbandes verhindern sollen? Aus der Sicht der Schweine mit den abgeschnittenen Schwänzen oder der Hühner in den engen Zuchthallen fällt die Antwort sicher leicht. Auch den Naturschutzgebieten und damit vielen bedrohten Pflanzen ginge es besser, gäbe es in Deutschland weniger industrielle Viehzucht. Im Fleischatlas, den die Heinrich-Böll-Stiftung herausgibt,[6] werden all die fatalen Folgen regelmäßig zusammengetragen: Wie schlecht etwa der Fleischkonsum fürs Klima ist. Wie er zur Zerstörung des Urwaldes beiträgt, weil der zugunsten von Soja-Äckern gerodet wird und mit dem Soja dann weltweit Rinder, Kühe und Schweine gefüttert werden.

Und was passiert, wollte die ganze Welt so viel Fleisch essen wie wir. Die Kurzfassung: Dafür reicht der Planet nicht aus. Dieser Fortschritt ist also ein Rückschritt – für die Natur und die Menschen. Was aber ist die Konsequenz?

Sollte man den Forschenden also künftig vorschreiben, dass sie keine Innovationen wie Fließbänder mehr erfinden? Die Frage ist, zugegeben, polemisch. Aber sie trifft den Kern des Unbehagens, den viele mit dem Fortschritt so haben: Oft denken wir erst sehr spät über die Nebenwirkungen einer Erfindung nach. Und müssen dann wieder Neues erfinden, um die Nebenwirkungen halbwegs zu beseitigen. Die Journalistin Elizabeth Kolbert hat in ihrem Buch *Wir Klimawandler*[7] beschrieben, wie die Menschheit immer wieder versucht, die negativen Effekte von Innovationen durch noch mehr Innovation zu bekämpfen – und immer wieder scheitert. Sie erzählt, wie chinesische Karpfen in die USA geholt wurden, damit sie dort in einem Fluss die wuchernden Pflanzen auffressen, und die nicht mehr mit Chemie bekämpft werden müssen. Sie fressen dann auch viel davon, nebenbei aber auch andere Fische. Und sie vermehren sich so rasant, dass sie wieder getötet werden müssen. Genau wie die Schnecke, die Hawaii zur Bekämpfung einer anderen Schneckenart importiert hatte.

Kolbert ist nach all dem, was sie gesehen hat, eher zur Pessimistin geworden – jedenfalls was den Segen der Technik angeht. Tatsächlich könnte man die gesamte Menschheitsgeschichte als eine Folge von Erfindungen beschreiben, deren Nebenwirkungen immer wieder durch weitere Erfindungen bekämpft werden müssen. Die Beherrschung der Atomkraft sorgte für Energie, ihre Abfälle werden die Menschheit noch viele Millionen Jahre plagen, erfindet nicht irgendjemand eine Verwertungsmöglichkeit. Die Beherrschung des Orbits ermöglicht, Satelliten dorthin zu schießen, und das erlaubt uns heute, per GPS jeden Ort der Welt zu finden. Immer mehr wird die Erdumlaufbahn so aber zur Abfallhalde. Das gefährdet die Raumfahrt, weil der Müll wie Geschosse durch das Weltall saust. Oder: Die Erfindung des Otto-Motors ließ die Entfernungen schrumpfen – und sorgte für Abgase und Krach. Um das zu reduzieren, wurden Filter erfunden und elektrische Motoren. Für die wiederum braucht man seltene Erden, deren Abbau die Umwelt zerstört, was wiederum die Artenvielfalt verringert und so weiter und so fort …

Das alles hat auch mit der Kraft des Marktes zu tun. Denn viele Innovationen werden nicht etwa verwirklicht, um der Allgemeinheit oder gar dem Planeten zu dienen, sie sollen den Umsatz eines Unternehmens steigern.[8] Beides muss kein Widerspruch sein. Es gibt lange Regale voller ökonomischer Bücher, die erklären, wie der Markt die vielen eigennützigen Entscheidungen von Menschen koordiniert und daraus Wohlstand entsteht. Nur kann das trotzdem schlecht für die Natur sein und damit langfristig eben auch für viele Menschen. Der Anthropologe Jason Hickel behauptet sogar, dass die meisten Erfindungen an sich naturzerstörend seien, weil sie dafür sorgten, dass mehr kostenlose Natur schneller verbraucht werden könne und so Umsatz und Gewinn wüchsen. Ein Beispiel sei die Kettensäge. Mit der könnten Bäume schneller gefällt werden als mit einer Axt. Die Arbeiter könnten also mehr Arbeit in der gleichen Zeit erledigen und Wälder deutlich schneller zerstören. Hickel findet ähnliche Mechanismen noch an vielen anderen Stellen. Bei Internetfirmen wie Facebook beispielsweise. Viele von denen funktionierten nur, weil Unternehmen auf ihnen Menschen zum Konsum von Produkten animieren, die wiederum den Umweltverbrauch steigern. Ohne Werbung wäre Facebook fast wertlos und bald pleite.[9]

Man muss Hickel in seiner düsteren Analyse nicht völlig folgen. Offensichtlich aber ist: Das Neue macht die Welt nicht zwangsläufig besser. Doch ohne neue Ideen geht es eben auch nicht, schon weil wir sie ja brauchen, um die Fehler der alten Technologien zu beheben oder endlich so manche Geißel der Menschheit auszurotten: Krankheiten beispielsweise oder Hunger. Außerdem ist Neues schlicht interessant, ohne Neugierde säße die Menschheit immer noch in Steinzeithöhlen. Nur, was ist die politische Konsequenz – für eine Regierung, die heute zum Ziel hat, den richtigen Fortschritt für das Land zu fördern? Das Verbot des Fließbandes ist sicher keine gute Lösung. Was aber dann, was sollte eine Regierung heute tun, was lassen?

Einer der einflussreichsten deutschen Innovationsforscher ist Dietmar Harhoff. Der Professor hat sich sein ganzes Berufsleben dafür interessiert, was ein Land fit für die Zukunft macht, und wie man den richtigen Fortschritt am besten fördert. Er hat Maschinenbau und Philosophie studiert und im Silicon Valley erforscht, wieso ausgerechnet dort die Wiege der Internet-Giganten steht. Er hat die Expertenkommission Forschung und Innovation geleitet, die die Bundesregierung berät, und noch so einige andere Gremien. Seit 2013 ist er Direktor am Max-Planck-Institut für Innovationsforschung und Wettbewerb.

Innovation, so sagt Dietmar Harhoff, sei nicht unbedingt gut. Erst einmal sei das ein neutraler Begriff, er beschreibe, dass etwas Neues entstehe. Ob es die Zukunft der Menschen verbessere, könne erst relativ spät entschieden werden, wenn ein neues Produkt oder Verfahren da sei, oder man zumindest wisse, wie es werden könnte. Genau deswegen dürfe man die Suche danach aber nicht einfach sein lassen. Die Welt werde durch Nichtstun nicht gut, viele Probleme bräuchten neue Lösungen: So fehle beispielsweise moderne Technik, um CO_2 umzuwandeln und zu verwerten. Es fehlten wichtige Medikamente gegen schlimme Krankheiten. Harhoff ist jedoch kein blauäugiger Technikfreak, der alles, was möglich wäre, auch verwirklicht sehen will. »Wenn klar ist, wie eine neue Technologie funktioniert und wo die Risiken liegen, müssen Politik und Gesellschaft entscheiden, ob sie reguliert oder überhaupt genutzt werden soll – oder nicht«, sagt er: »Selbstverständlich muss das ein oder andere verboten werden, auch das hat es ja in der Vergangenheit schon gegeben.« Falsch sei eben nur, gleich von Anfang an Neugierde und Forscherdrang zu ersticken. Das lasse nicht nur Chancen ungenutzt. Schlimmer noch, es gebe den technologischen Fortschritt in die Hände anderer Menschen, anderer Unternehmen in anderen Ländern. Dann würden die entscheiden, was passiere. »Ohne Innovationen geht es nicht«, sagt Harhoff sehr überzeugt. Und es passiere auch so viel.

»Die Zeiten sind aufregend wie selten«, so der Professor: »Die Gegenwart erinnert mich an die Zeit zwischen 1850 bis 1870, in der in vielen Wissenschaftsbereichen Durchbrüche passierten. In der Thermodynamik, in der Biologie, in der Chemie. Plötzlich prasselten damals von allen Seiten neue Konzepte auf die Menschen ein.« In der Quantentechnologie, in der künstlichen Intelligenz, der Medizin und bei Big Data passiere heute Ähnliches. Nur leider noch zu selten in Deutschland. Hier überwiege nicht nur oft die Skepsis dem Neuen gegenüber. Wir seien auch lange außergewöhnlich gut damit gefahren, das, was schon da ist, immer ein bisschen besser zu machen. Darauf ruhten wir uns immer noch aus. Die Autoindustrie habe den Dieselmotor beispielsweise so lange »verbessert«, bis das schließlich nur noch mit krimineller Energie möglich war. Mit den bekannten Folgen. Heute sei China dabei, die deutsche Industrie bei den E-Autos zu überholen.

Der Professor ist allerdings keiner, der den Untergang Deutschlands prophezeit. Er sieht nicht Schatten, sondern auch viel Licht im Land. Große Chancen, so sagt er, gebe es in Deutschland bei der Entwicklung von Anwendungen für die künstliche Intelligenz. Anders, als ursprünglich angenommen machten die großen amerikanischen Digitalkonzerne doch nicht das ganze Geschäft. Google, ChatGPT und Co. hätten zwar einen enormen Vorsprung und niemand sonst so viel Rechnerkapazität. Doch entstünden immer mehr spezielle Anwendungen und Apps, die mit der KI arbeiteten, zum Beispiel für die Industrie. Und die würden auch hierzulande programmiert.

Und wie kann die Politik dafür sorgen, dass die Forschenden die wirklich großen Menschheitsprobleme lösen – und nicht nur Computerspiele und schnelle Autos erfinden, Herr Professor? Erstmal, so findet Harhoff, müsse die Politik die Grundlagenforschung finanzieren. Dabei sei Deutschland traditionell gar nicht schlecht. Geforscht würde an den Unis, an den Helmholtz-, den Max-Planck- und Leibniz-Instituten, und das sei oft Weltklasse. Komplizierter werde die Sache allerdings, wenn es um junge, forschungsintensive Unternehmen gehe. Da versage der Markt häufig. Zwischen dem erfolgreichen Forschungsergebnis und der Idee für ein marktfähiges Produkt klaffe deswegen oft eine Lücke, die sich nur durch staatliche Hilfe überbrücken lasse.

Nur durch staatliche Subventionen wird aus Ideen ein Produkt? Das klingt sehr deutsch, sehr staatsgläubig. Doch das große Modell für diese Art öffentlicher Förderung von Start-ups steht in den USA. »Defense Advanced Research Projects Agency« oder kurz »Darpa« heißt eine Agentur, die 1958 gegründet wurde, um militärisch relevante Projekte zu finanzieren und so die »Überlegenheit« des US-Militärs zu garantieren. Wir fördern »Investition in durchschlagende Innovationen, die die nationale Sicherheit stärken«, heißt es auf der Webseite.[10] Viele Projekte unterliegen allerdings nicht strenger Geheimhaltung, denn ihre Erkenntnisse sollen so breit wie möglich ökonomisch genutzt werden, also auch die amerikanische Wirtschaft stärken. Die Darpa hat so den Vorgänger des Internets finanziert, die GPS-Navigation und die Entwicklung autonom fahrender Autos. Viele der Tech-Giganten des Silicon Valley wurden zu Beginn auf die ein oder andere Weise von der staatlichen Agentur bezuschusst. Inzwischen gibt es auch in anderen Ländern ähnliche Programme oder Agenturen. Von denen unterscheidet sich die Darpa nicht zuletzt durch ihre Freiheit beim Geldausgeben. Sie darf Start-ups mit vielen Millionen Dollar fördern, auch auf die Gefahr hin, dass aus deren Produkt nichts wird. Sie darf also ruhig mal ein paar Millionen Dollar in den Sand setzen.

Dahinter steckt folgende Philosophie: Aus vielen Start-ups wird trotz der Förderung wahrscheinlich nichts. Doch sind die Verluste am Ende nicht schlimm, wenn unter den Geförderten ein neues Google oder Apple steckt. Ähnlich verhalten sich auch große private Fonds. »Auch Risikokapitalgeber, die in junge Unternehmen investieren, wissen sehr genau, dass nur ein Bruchteil am Ende erfolgreich sein wird«, sagt Harhoff: Also würden sie ihre Investitionen entsprechend streuen. Allerdings stiegen diese Finanziers oft erst ein, wenn für ein Produkt die Marktreife absehbar sei. Das Problem vieler junger Unternehmen sei daher die Finanzierung bis zu diesem Moment. Um das künftig zu lösen, sei der Staat gefragt. Und zwar einer, der moderne Förderkonzepte habe und nicht in Bürokratie ertrinke. Dann sagt der Professor noch: »Wir versuchen das in Deutschland neuerdings auch. Fahren Sie mal nach Leipzig zur Sprind.«

»Sprind« – das ist die Abkürzung für die »Bundesagentur für Sprunginnovationen«. »Bundesagentur« ist nicht unbedingt ein Wort, das elektrisiert. Aber diese Agentur soll das deutsche Pendant der amerikanischen Darpa werden. »SPRIND schafft Räume, in denen Innovator:innen Risiken eingehen und radikal anders denken können«[11] steht auf der Webseite und: »Scheitern gehört dazu«. Noch ist es zu früh, um zu beurteilen, wie gut diese Idee in der deutschen Realität funktioniert. So richtig gestartet ist die Agentur nämlich erst 2020. Eines ist allerdings schon jetzt sicher: Ungewöhnlich ist er, dieser Laden. Auch weil ihr Direktor, Rafael Laguna de la Vera, so ganz und gar nicht in das Klischee eines Behördenchefs passt. Er war in seinem vorherigen Leben selbst ein erfolgreicher Software-Unternehmer. Längst hätte er sich zur Ruhe setzen können. Doch als er den Chefsessel bei Sprind angeboten bekam, tat er das Gegenteil, er sattelte nochmal um. Laguna verkaufte die Anteile an seinem Unternehmen, um nicht in einen Interessenkonflikt zu geraten und wurde Behördenchef.

Die Sprind-Agentur selbst verdankt ihre Existenz einem – je nach Perspektive – glücklichen oder unglücklichen Zufall. Der passierte so: Noch zu Zeiten der Großen Koalition vergab das Forschungsministerium eine mit 500 Millionen Euro geförderte Batteriefabrik nach Münster, ausgerechnet in den Wahlkreis der damaligen Ministerin Anja Karliczek (CDU). Das war 2019 ein mittelgroßer Skandal, er kostete die Politikerin nicht ihr Amt, ruinierte aber ihr Image. Und er sorgte dafür, dass sich das Ministerium bei der Vergabe der nächsten neuen Behörde auf keinen Fall einen weiteren Fauxpas erlauben durfte. Als dann in der Wissenschafts-Community die Forderung immer lauter wurde, dass auch Deutschland mehr für innovative Unternehmen tun müsse, berief die Ministerin eine unabhängige Gründungskommission. Die sollte eine neue Organisation dafür erfinden. Damit nicht wieder der Vorwurf der Mauschelei erhoben werden konnte, ließ sie den Mitgliedern sehr freie Hand. So entstand Sprind.

Heute darf diese Agentur nicht nur unbürokratisch und schnell Geld an Leute mit guten Ideen auszahlen, sie kann sie beraten, ihnen unkompliziert helfen und sich an Start-ups beteiligen. »Das sah zwischendrin schon mal ganz anders aus, aber ich kann penetrant sein wie eine Schmeißfliege«, sagt Rafael Laguna und lacht. Man kann sich sofort vorstellen, wie er sich mit freundlichem, aber beständigem Druck durchsetzt. Er sitzt in einem Kaffee am Kölner Hansaring, seine Agentur führt er mal von hier, mal aus Leipzig, oder aus dem Zug, irgendwo zwischen Köln, Berlin und Leipzig. In einem Crashkurs hat er gelernt, mit dem deutschen Vergaberecht umzugehen, und dann den Bundestag dazu gebracht, dessen Vorschriften für Sprind zum Teil wieder außer Kraft zu setzen. Forschungsministerin Bettina Stark-Watzinger (FDP) ließ extra für diese Agentur ein »Freiheitsgesetz« schreiben, das der Bundestag auch noch schnell verabschiedete. Was an sich schon eine kleine Sensation ist.

Rund 1 800 Bewerbungen sind seither eingetrudelt, Laguna und sein Team haben etwa acht Prozent davon ausgewählt, und die werden nun gefördert. Laguna sagt gern: »Wir«, wenn er von den Projekten erzählt, als ob die Start-ups ein wenig auch seine Babys sind. »Wir haben drei tolle Teams, die Priorität-Origami machen«, sagt er, und dass man damit künftig vielleicht Blut analysieren oder Krebszellen erkennen könne. »Wir entwickeln auch ein antivirales Breitbandmedikament.« Und: »Wir haben ein Start-up, das CO_2-freien Beton herstellen kann, was angeblich gar nicht geht. Geht aber doch. Die nutzen nicht Kies, sondern das Mineral Olivin. Deswegen brauchen sie auch bei der Produktion viel weniger Energie als für herkömmlichen Beton. Sie produzieren nämlich nicht bei 1 400 Grad, sondern nur bei 400 Grad.« Laguna kommt schnell ins Schwärmen, wenn er von den jungen Unternehmen erzählt. Eines plant gerade in Brandenburg das größte Windrad der Welt.

Ernst wird Laguna, geht es um den Sinn der Sache. Sein Verständnis von Innovation ist nämlich, mehr als nur Neues in die Welt zu bringen. Es soll schon sinnvolles Neues sein. »Wir sind im besten Sinne utilitaristisch«, sagt Laguna. Er halte es für völlig selbstverständlich, dass die Start-ups auch einen Mehrwert für die Gesellschaft produzieren müssen. Schließlich würden sie mit öffentlichen Geldern gefördert. »Wir haben in unseren Auswahl-kriterien alle SDGs dabei«, sagt er, also die Entwicklungsziele der Vereinten Nationen. Das ein Ex-Unternehmen und Behördenchef die SDGs überhaupt kennt, ist schon erstaunlich genug. Laguna aber füllt sie auch noch mit Leben: »Sie helfen bei der Auswahl.« Weil es um Entwicklung geht, fördert Sprind nicht nur junge Unternehmen, die neue Dinge produzieren, sondern auch sogenannte Social Entrepreneurs, die nicht in erster Linie den Profit, sondern das Wohlergehen der Gesellschaft oder die ökologische Nachhaltigkeit zum Ziel haben. Und dann sagt Laguna mit viel Begeisterung in der Stimme: »Es kommen immer mehr gute Ideen.«

Doch reicht das, um das Land, die Wirtschaft und die Gesellschaft krisenresistenter zu machen? Oder muss der Fortschritt dafür politisch stärker gelenkt werden? Fragt man andere Kundige nach der richtigen Technologiepolitik, ist die Antwort eindeutig zweideutig: Für nötig halten die meisten drei Arten der Forschungspolitik: Erstens die Förderung der komplett freien Wissenschaft, bei der Menschen einfach geniale Ideen entwickeln dürfen, ohne sich gleich darum kümmern zu müssen, was daraus wird. Zweitens die von Produkten und Verfahren, die sich patentieren lassen. Da steht Deutschland bei den meisten Rankings ziemlich weit oben. Bei den Anmeldungen beim Europäischen Patentamt gleich hinter den USA auf Platz zwei, erst danach kommen China und Japan.[12] Wenn es also um Erfindungen geht, sieht Deutschland nicht so schlecht aus. Drittens aber braucht es dann auch Forschungsfelder, in denen der Staat sich Ziele setzt, dafür Geld auslobt – um so die Fantasie und Schaffenskraft in eine Richtung zu lenken – und Geld für die ersten Entwicklungsschritte bereitstellt.

Tatsächlich hat das Bundesforschungsministerium Ziele für seine eigenen Förderprogramme formuliert, es nennt sie Missionen. Insgesamt gibt es davon sechs: Kreislaufwirtschaft, Klimaschutz, Gesundheit für alle, Digitalisierung, Raumfahrt, gesellschaftliche Resilienz, Vielfalt und Zusammenhalt stärken.[13] Und dann will das Ministerium auch noch den »Forschungstransfer« und die »Technologieoffenheit« voranbringen und die deutsche »Technologieführerschaft« anstreben oder ausbauen. Damit ist der Katalog an Zielen allerdings so groß, dass das Ministerium alles und nichts fördern kann, und er klingt nach einer Politik, die alles richtig machen und jeder Kritik an einer möglichen Auslassung zuvorkommen will. Wer jedoch alles zugleich will, erreicht am Ende wahrscheinlich sehr wenig. Genau das hat die Organisation für wirtschaftliche Zusammenarbeit und Entwicklung (OECD) an der deutschen Forschungspolitik zuletzt sehr grundsätzlich kritisiert.[14] Die Organisation, die regelmäßig verschiedene Politikfelder ihrer Mitgliedsstaaten auf Schwachstellen untersucht, kommt zu dem Ergebnis: »Die digitale und ökologische Transformation und der dadurch in der Weltwirtschaft verursachte Strukturwandel erschüttern mehrere Grundpfeiler, auf denen die wirtschaftliche Wettbewerbsfähigkeit Deutschlands beruht. Für eine Zukunft, in der Deutschland sowohl in seinen Kernbranchen – Autoindustrie, Maschinenbau sowie chemische und pharmazeutische Industrie – als auch in neuen Sektoren eine Führungsrolle einnimmt, muss die Regierung einen risikotoleranteren und kreativeren Ansatz in der WTI-Politik verfolgen.«

Internationale Organisationen dürfen die Regierungen ihrer Mitgliedsstaaten meist nur in sehr diplomatischer Sprache kritisieren. Frei in Klartext übersetzt sagt die OECD also nichts weniger als: Die deutsche Forschungspolitik ist altmodisch und ängstlich! Nun muss man einschränkend hinzufügen, dass der kritische Bericht aus dem Jahr 2022 stammt, er bezieht sich also auf die Zeit vor der Ampel. Doch bis auf das Freiheitsgesetz für die Sprind-Agentur, das wirklich mutig war, hat das Ministerium sonst nicht viel Neues geschaffen. Und auch künftig dürfte das schwierig werden, weil dafür schlicht das Geld fehlt. Der BMBF-Etat sank bereits im Haushaltsjahr 2024, und der für 2025 könnte noch weiter sinken.[15] Statt also künftig mehr Geld für Innovationsförderung und Bildung auszugeben, gibt die Regierung weniger aus. Und das trotz der wachsenden globalen Konkurrenz und der umwälzenden Veränderungen.

Könnte das wenige staatliche Geld wenigstens besser ausgegeben werden? Was müsste passieren, damit Deutschland schneller einen umweltverträglicheren Fortschritt bekommt – und möglichst viele Leute dabei mitmachen?»Das Ministerium könnte beispielsweise einen Wettbewerb organisieren und finanzieren, der 100 klimaneutrale Städte zum Ziel hat«, schlägt Dieter Harhoff vor. So ein Projekt wäre gleichzeitig konkret und breit genug, um Platz für neue Ideen zu lassen und trotzdem ein wichtiges Ziel zu erreichen. Rafael Laguna denkt in eine ähnliche Richtung, seine Agentur schreibt deswegen sogenannte Challenges aus, an denen sich junge Unternehmen mit einer innovativen Idee beteiligen können. Eine ist beispielsweise die »Carbon to Value«-Challenge. In der geht es darum, wie das bei der Produktion aufgefangene CO_2 weiterverwendet wird, damit es nicht irgendwo unter der Erde oder dem Meer gespeichert werden muss.

Das alles ist wichtig. Aber damit der Fortschritt das Überleben auf dem Planeten künftig besser sichert, ist noch mehr nötig. Und zwar sogenannte »soziale Innovationen«. Das hat das Umweltbundesamt (UBA) unlängst in einer breit angelegten Studie festgestellt. Es wollte wissen: Wann sorgen Innovationen für einen anderen, schonenden Umgang mit der Natur, wie entstehen sie und wie setzen sie sich durch? Das Ergebnis ist so überraschend wie eindeutig: Danach haben technische Lösungen in den letzten Jahrzehnten zwar Fortschritte gebracht und sind auch weiterhin erforderlich. »Damit allein werden aber ambitionierte Nachhaltigkeitsziele nicht erreicht.«[16] Allein tolle neue Erfindungen oder Verfahren helfen uns also nicht aus dem Schlamassel? Zwei Gründe nennen die Autoren dafür: Erstens hätten die neuen Technologien die umwelt- und ressourcenintensiven Wirtschaftssysteme bisher nichts grundsätzlich geändert. Und zweitens sei durch sie der generell hohe Pro-Kopf-Konsum nicht kleiner geworden. Die Menschheit verbraucht also trotz all ihrer tollen neuen Erfindungen weiterhin zu viel Erde. Da ist es es schon wieder, das Problem mit dem Reboundeffekt.

Die Autoren der Studie wünschen sich die »Weiterung des Innovationsbegriffes«. Technologische Innovationen müssten durch soziale ergänzt oder gleich von Anfang an mit ihnen kombiniert werden. Die Politik solle dafür sorgen, dass solche »Pioniere des

Wandels« in der Nische entstehen könnten – und sie dann skalieren. Das klingt arg theoretisch, doch es gibt zahlreiche sehr konkrete Beispiele, wie so etwas in der Vergangenheit funktioniert hat. Ein Beispiel ist die Antiatomkraftbewegung der 1980er-Jahre. Egal was man von der Forderung nach dem Atomausstieg heute hält: Damals entstand, quasi als Nebenwirkung, auch die Idee einer anderen, nachhaltigeren Energieversorgung: Erst träumen ein paar Idealisten von einer Welt ohne Kernkraft, aber voller billiger Energie aus Sonne und Wind. Dann erfinden Tüftler Solarmodule und Windräder und entwickeln sie weiter. Diese neue Technik wird von Unternehmen in immer billigere Produkte verwandelt. Ein paar Pioniere um den verstorbenen SPD-Politiker Hermann Scheer setzen im Bund eine innovative Gesetzgebung durch: das Erneuerbare-Energien-Gesetz (EEG). Das fördert den grünen Strom und zwingt die Netzbetreiber, ihn auch zu den Kundinnen und Kunden zu bringen. So wird nach und nach die Macht der großen Energiekonzerne gebrochen. Die Idee wird weltweit kopiert und so die globale Energiewende und eine Wirtschaft, die keine Treibhausgase mehr ausstößt, überhaupt erst denkbar. Nach und nach werden dann Solarpanels und Windräder immer billiger und heute ist der mit ihnen erzeugte Strom konkurrenzlos billig.[17] Der kleine Aufkleber mit einer strahlenden Sonne und dem Slogan »Atomkraft? Nein danke« hatte große Folgen.

Für den richtigen Fortschritt brauchen wir also Visionäre, Tüftlerinnen und Unternehmer – und den Staat. Schon in den 90er-Jahren hatte die Wissenschaft zum ersten Mal bewiesen, dass der ökologische Umbau mit einem Staat, der die richtigen Rahmenbedingungen schafft, deutlich schneller geht. Damals hatte der US-Ökonom Michael Porter untersucht, wo die Unternehmen mit den meisten Patenten auf Technologien zur Luftreinhaltung angesiedelt waren.[18] Und siehe da: in Deutschland. Der entscheidende Grund dafür war der strenge deutsche Umweltschutz. In den USA wurden viele Regeln zum Schutz der Natur erst später durchgesetzt und dann auch oft nur in einzelnen Bundesstaaten. Zu jenem Zeitpunkt gab es dann bereits große Teile der nötigen

Luftreinhaltungstechnologien in Deutschland. Die konnten dann einfach in die USA exportiert werden, erst nach und nach holte die US-Industrie dann wieder auf. Wer zu spät reguliert, den bestraft der Markt! Viele Länder nutzen aufgrund dieser Erkenntnis heute Verbote und Regeln in der Wirtschaftspolitik. China beispielsweise hat durch seine strenge Luftreinhaltungspolitik für einen Aufschwung der E-Autos gesorgt. In Kalifornien, wo es einen Emissionshandel gibt, sind die Patente von Unternehmen für Umweltschutztechnologien um 22 Prozent gestiegen. »Besonders Verbote, die der Umwelt zugutekommen sollen, regen Innovationen an und können so einen positiven Effekt auf die Umwelt haben«[19], schreibt das Wirtschaftsmagazin *Capital,* das normalerweise nicht gerade ein Fan von staatlichen Eingriffen in die Wirtschaft ist. Und die Wirtschaftsweise und Innovationsexpertin Monika Schnitzer sagt ganz klar: »Natürlich muss der Staat die richtigen Rahmenbedingungen setzen. Dass beispielsweise moderne Autos heute weniger Benzin verbrauchen als früher, liegt an staatlichen Vorgaben. Ohne die wäre da wenig passiert.«

Die Sache mit den Rahmenbedingungen und der staatlichen Lenkung kann allerdings auch ordentlich schiefgehen. Wie das folgende Beispiel aus der jüngsten bundesdeutschen Vergangenheit zeigt.

9

Wie Zukunftspolitik (nicht) funktioniert

Ein Lehrstück

Heizungsgesetz!? Bei keinem anderen politischen Projekt der jüngeren Vergangenheit haben sich so viele Menschen so schnell und wütend eine Meinung gebildet. Gibt es dazu also noch etwas Neues zu sagen? Ja, allerdings nicht zu den Einzelheiten des Gesetzes. Interessant ist das Drama heute aus einem anderen Grund. Es ist ein einmaliges Lehrstück darüber, wie Modernisierungspolitik künftig nicht mehr organisiert werden darf. Es lohnt sich also nicht nur für die Mitglieder der kommenden Regierungen, noch einmal genauer hinzuschauen, warum die Sache so aus dem Ruder laufen konnte. Sondern auch für all diejenigen, die in diesem Land etwas verändern wollen.

Das Heizungsgesetz – oder wie es richtig heißt, das Gebäudeenergiegesetz (GEG) – ist wie eine Wunde, die nicht richtig heilen will. Die immer aufbricht, wenn jemand einen umweltpolitischen Vorschlag macht, der die Bevölkerung oder auch nur bestimmte Gruppen etwas kosten könnte. Es dokumentiert, wie gereizt die Stimmung im Land inzwischen ist und wie leicht sie sich hochpeitschen lässt, wenn es um die Modernisierung der Infrastruktur des Landes geht. Oder ganz konkret: darum, eine umweltfreundliche Heizung in die deutschen Keller zu bekommen. Darum, dass Deutschland auch beim Heizen endlich im 21. Jahrhundert ankommt und Wohnungen und Häuser warm werden, ohne dabei viel zu viel Treibhausgase durch den Schornstein zu jagen. So wie seit dem Mittelalter. Darum, statt mit Gas oder

Öl lieber mit einer Wärmepumpe zu heizen – wie sie in Schweden längst viele haben.[1] Übrigens ohne große Proteste und unter durchaus konservativen Regierungen.

Kein anderer Konflikt hat deutlicher offengelegt, wie unterschiedlich die deutschen Parteien ticken, wenn es um die Frage geht, was umweltpolitischer Fortschritt in der Praxis bedeutet. Bei keiner anderen Auseinandersetzung haben sie bis heute so unterschiedliche Lehren gezogen. Dabei urteilen die Spitzen von SPD, Grünen, FDP und auch die Opposition nicht nur über die Dringlichkeit einer Wärmewende unterschiedlich. Auch die Frage, wie viel der ökologischen Modernisierung vom Staat organisiert werden sollte und was der Markt leisten kann, ist nach wie vor umstritten. Für die einen ist der »Heizhammer« daher das Paradebeispiel für den übergriffigen Staat, für die anderen das »Gebäudeenergiegesetz« eine längst überfällige Innovation. Leuchten wir also kurz hinein in die dunklen Monate, in denen das wichtigste Klimaprojekt der Ampel zerlegt wurde, und schauen wir, was wann schiefgelaufen ist.

Das Heizungsgesetz, das nur kurz zur Erinnerung, ist keine Idee der Grünen. Das Gebäudeenergiegesetz (GEG) ist eine alte Idee aus den Zeiten der Großen Koalition. CDU, CSU und SPD kauten einst drei Jahre darauf herum, dann beschloss das Kabinett von Angela Merkel im Oktober 2019 den Gesetzesentwurf, im folgenden Jahr stimmten auch Bundesrat und Bundestag zu. Der damalige Wirtschaftsminister Peter Altmaier (CDU) und Bauminister Horst Seehofer (CSU) versprachen, dass es damit »Entbürokratisierung und Vereinfachung« geben würde.[2] Und mehr Klimaschutz. Denn beiden konservativen Politikern war damals durchaus klar: Es kommt zu viel CO_2 aus den deutschen Schornsteinen, und deswegen muss Deutschland in Zukunft anders heizen als bisher. Ihr Gesetz verbot daher den Einbau von Ölheizungen ab 2026 (also nur zwei Jahre später, als es die Ampel nun beschlossen hat). Kaum jemand schimpfte damals darüber. Weder der CDU-Chef Friedrich Merz, der das heutige Gesetz immer noch »stoppen« will, noch CSU-Chef Markus Söder, der es gleich ganz »streichen« würde.[3]

Dass sich die Ampel erneut das Gesetz vornehmen musste, hat einen einfachen Grund: Es war zu zaghaft. Deutschland hätte seine Einsparziele in der Klimapolitik damit nie erreicht. Während der Koalitionsverhandlungen einigten sich die Fachleute aus SPD, FDP und Grünen daher auf die sogenannte Wärmewende. Doch im März 2022, noch mitten in der Hochphase des russischen Angriffskrieges und der damit verbundenen Gasknappheit wurde es dann in einem Koalitionsausschuss ernst. Dabei waren Spitzenpolitikerinnen und Politiker von SPD, Grünen, den Liberalen – und der Kanzler. Niemand ahnte damals, was für ein Streit bald schon durchs Land toben wird. Im Gegenteil, Robert Habeck erinnert sich später, wie sehr alle von dem Gefühl getragen waren, dass das Land möglichst schnell vom russischen Gas unabhängig werden müsse. »Im Winter grassierte die Angst, nicht genug Gas zum Heizen zu haben«, erinnert er sich.[4] Und daran, wie fest er in jenen Tagen überzeugt war, dass die meisten Leute froh sein würden, beim Heizen bald nicht mehr von fossilen Brennstoffen und damit der unsicheren Weltwirtschaftslage abhängig zu sein. »Wir werden jetzt gesetzlich festschreiben, dass ab dem 1. Januar 2024 möglichst jede neu eingebaute Heizung zu 65 Prozent mit erneuerbaren Energien betrieben werden soll«, lautete der Beschluss der Koalitionäre. Grünenchefin Ricarda Lang freute sich anschließend über »unsere fossile Unabhängigkeitserklärung«.[5]

Der Gesetzentwurf, der dann im Wirtschaftsministerium geschrieben wurde, sah ab Januar 2024 ein De-facto-Aus für neue Gasheizungen vor. Der Entwurf ging Anfang 2023 an das Kanzleramt, das Finanzministerium – und Auszüge zitierte dann am 28.2.2023 die *Bild*-Zeitung. Von wem die Boulevardzeitung den Text hatte, ist bis heute unklar. Klar war hingegen der Spin, mit dem sie ihn veröffentlichte: Der Titel »Heizhammer« setzte danach den Ton, der die öffentliche Debatte monatelang prägte. Das Gesetz, so der Tenor, sei irrsinnig, unnötig und unsozial. Es folgten Wochen, in denen Politiker von FDP und CDU in Interviews Ähnliches behaupteten. Bald schon kursierten im Netz alle möglichen Lügen über den vermeintlichen Zwang zum Umtausch von Heizungen, über die Explosion der Kosten, über die

Nutzlosigkeit von Wärmepumpen. Habecks Beliebtheit ging in den Keller.

Die Kampagne wirkte auch deswegen so gut, weil vielen Bürgern zu jenem Zeitpunkt die Dringlichkeit der Wärmewende völlig unklar war. Die Mehrheit unterstützt zwar seit Langem die Klimaziele, die aber waren zu jenem Zeitpunkt für die meisten etwas Abstraktes, etwas, das mit der Politik, der Wirtschaft und den Kohlekraftwerken zusammenhing – und nichts, was im eigenen Keller etwas zu suchen hatte. Die Ampel hatte bis dahin kaum öffentlich über die Notwendigkeit, die Heizungen aus Klimaschutzgründen zu modernisieren, gesprochen, es gab kaum Infomaterial und auf viele praktische Fragen nur wenige Antworten. Das Thema war – vorsichtig formuliert – untererzählt. Das Wirtschaftsministerium hatte im Gegenteil darauf gesetzt, das Gesetz schnell durch den Bundestag zu lotsen, deswegen auf das Gespräch mit der Öffentlichkeit verzichtet und bei den Wirtschaftsverbänden nicht um Verbündete geworben. Auch weil man glaubte, dass viele Leute ihre alte Heizung wegen der explodierenden Gaspreise am liebsten sofort rauswerfen würden. Und weil man die Macht der fossilen Industrie schlicht unterschätzte. Was ein großer Irrtum – und ein riesiger strategischer Fehler war.

Jede Politik, die die Energiepolitik wirklich klimafreundlich machen will, schadet den Interessen der alten fossilen Wirtschaft massiv. So auch das GEG. Und so wurde die Gasbranche zur mächtigen Gegnerin der Grünen. Sie war die letzte fossile Industrie, die bis dahin durch das Geschäft mit den Gasheizungen auf sichere Gewinne setzen konnte – und zwar noch für viele Jahre. Der Verlust dieses Marktes kostete sie Milliarden Euro. Der Gasverband lobbyierte daher viel und geschickt, schließlich protestierten auch die Handwerker, die Industrieverbände und sogar viele Stadtwerke gegen das Gesetz. Letztere hatten Gaskraftwerke gebaut und wollten sie noch viele Jahre abschreiben, sie sahen plötzlich ihre Kalkulation in die roten Zahlen rutschen, was wiederum die Haushalte von Kommunen belasten würde. Es warnte der Mieterverband vor »sozialen Verwerfungen«, der Vorsitzende des Eigentümervereins Haus und Grund nannte es ein »Gesetz aus der grünen Märchenwelt«.[6]

Lobbyisten, die vor zu viel Klimaschutz und einer zu schnellen ökologischen Transformation warnen, weil sie »der« Wirtschaft schade und damit auch »dem« Land, gibt es seit Langem. Es ist auch nicht neu, dass sie versuchen, entsprechende Gesetze, Steuern und Preise auszubremsen und in der Öffentlichkeit immer wieder Zweifel säen, ob Umweltschutz gut für den Standort ist. Die Lobbyisten der alten Energiewirtschaft sind bis heute besonders erfolgreich darin, grundsätzlich infrage zu stellen, ob schneller Klimaschutz wirklich ein Fortschritt ist.

Können wir uns höhere CO_2-Preise wirklich leisten? Ist es wirklich möglich, die Energie für das ganze Land klimaneutral zu erzeugen? Natürlich muss man solche Fragen stellen. Nur sollten die Antworten dann schon auf Fakten basieren. Und genau das ist oft nicht der Fall. Die beiden Journalistinnen Susanne Götze und Annika Joeres belegen in ihrem Buch über *Die Klimaschmutzlobby*[7], wie erfolgreich diese Branche den Wandel immer und immer wieder verzögert, auch weil die Klimapolitik eben »nicht von Fakten, sondern von Ideologien« beherrscht werde. Was unter anderem dafür sorgt, dass auch Sie wahrscheinlich den Fortschritt bei den erneuerbaren Energien unterschätzen. Ein kleiner Test?

Christian Stöcker, Professor an der Hochschule für Angewandte Wissenschaften Hamburg, demonstriert die Macht der Desinformation gern mit den folgenden drei Fragen, die er bei Vorträgen immer wieder dem Publikum stellt und um eine Schätzung bittet:

1. Wie viel Gewinn – nicht Umsatz – in US-Dollar wird seit 1970 im Durchschnitt pro Tag mit Öl und Gas gemacht?

2. Wie viele Subventionen flossen 2022 weltweit in fossile Brennstoffe?

3. Wie viel Prozent der weltweit zugebauten Kapazität zur Erzeugung von Strom ist erneuerbar?

Fast alle Leute antworten falsch. Sie unterschätzen den Gewinn, der heute noch mit der fossilen Energie gemacht wird. Sie unterschätzen den Ausbau der Erneuerbaren. Und ihre Potenziale. Hier die richtigen Antworten:

1. Drei Milliarden Dollar Gewinn pro Tag (!) wurden mit Öl und Gas erzielt, und zwar an 365 Tagen im Jahr, seit 50 Jahren.

2. Laut Internationalem Währungsfonds (IWF) flossen 2022 sieben Billionen US-Dollar an staatlichen Subventionen in die Förderung fossiler Brennstoffe.

3. Von den weltweit neu zugebauten Kapazitäten zur Stromerzeugung waren bereits 2020 weltweit rund 80 Prozent erneuerbar: Es wurden also Windräder, Solarpanels, Wasserkraftwerke und Ähnliches gebaut.[8]

Doch noch einmal zurück ins Frühjahr 2023. Als das Heizungsgesetz damals bekannt wurde, war die Angst vor kalten Wohnungen und weiter explodierenden Preisen schon wieder weitgehend verflogen. Menschen haben ein kurzes Gedächtnis. Und so überwog das Gefühl, dass es doch noch mal gut gegangen ist, die Sache mit dem Gas. Warum also ein altbewährtes Heizsystem gegen ein Neues austauschen? Und wer weiß, vielleicht wird die neue Heizung nicht funktionieren oder zu teuer sein? Womit wir bei einem weiteren großen Fehler der Regierung sind: Nicht nur hatte sie die Dringlichkeit einer Wärmewende kaum begründet – sie brauchte auch viele Wochen, bis sie ein Konzept, das die Lasten einigermaßen fair verteilte, nachschob. Und so verfestigte sich bei vielen Menschen der Verdacht, dass Klimapolitik nicht nur sehr teuer ist, sondern auch noch die Armen überproportional belastet. Und das Fortschrittsprojekt der Grünen, das mehr Energiesicherheit und mehr Umweltschutz verbinden sollte, verwandelte sich in ein vermeintlich irres Projekt.

Im Rückblick mutet das um so verrückter an, denn im Frühsommer 2023 passierte zeitgleich noch etwas anderes: Die Klimakrise wurde immer fühlbarer, und zwar weltweit. Alle könnten sehen, warum die Wärmewende schnell kommen muss. Nicht nur war der Juni wärmer als die entsprechenden Monate in den Vorjahren. Noch nie in der Geschichte der Wetteraufzeichnungen war es so heiß wie am 6. Juli 2023. Es gab keinen Kontinent, der nicht von starken Waldbränden betroffen war. In der kanadischen Provinz Québec brannte es im Juni so schlimm, dass gelber Rauch über die Grenze nach Süden zog und New York in einen orangefarbenen Schleier hüllte. In Afrika brannte es, in Teilen Asiens und Lateinamerikas. In Europa loderten die Flammen auf der griechischen Insel Rhodos so schlimm, dass Naturschutzgebiete und Ferienanlagen zerstört wurden und 20 000 Menschen in Sicherheit gebracht werden mussten, darunter viele deutsche Touristen. Wo kein Feuer loderte, tötete Wasser. Die extremen Regenfälle des Sturms Daniel ließen in Libyen zwei Dämme brechen, die Überschwemmungen kosteten Tausende Menschen das Leben und machten Daniel zum bislang tödlichsten Sturm in Afrika.

Die Liste ließe sich problemlos verlängern. Über diese Ereignisse wurde zwar auch berichtet, doch der Zusammenhang mit dem CO_2 und den Heizungen stellten nur wenige Artikel sehr sporadisch her.

Das Heizungsgesetz hingegen wurde immer mehr zum Triggerpunkt.[9] So nennen die Soziologen Steffen Mau, Thomas Lux und Linus Westheuser die Themen, bei denen die Politik extreme Standpunkte einnimmt, die wiederum durch die sozialen Medien verstärkt werden, und es am Ende scheinbar nur noch ein Dafür oder ein Dagegen gibt. Im Habeck-Ministerium war man über diese Polarisierung bei einem vermeintlich technischen Thema schlicht fassungslos – und ohne Strategie. Die FDP nutzte hingegen die Gelegenheit, um sich vom gemeinsamen Kabinettsbeschluss der Ampel möglichst weit zu distanzieren. Womit wir beim grundsätzlich unterschiedlichen Dringlichkeitsempfinden der Koalitionspartner wären, und bei Wolfgang Kubicki. Dieser FDP-Bundestagsabgeordnete ist interessant, weil er der Prototyp des deutschen Zukunfts-Ignoranten ist. Er ist viel zu intelligent, um das Problem mit dem Klima zu leugnen. Es interessiert ihn nur nicht, wie so viele in seiner Partei. Kubicki war einmal Fraktionsvorsitzender in Schleswig-Holstein, damals regierten die Liberalen als Teil einer gut funktionierenden Jamaikakoalition mit, und er lobte höchstselbst den konstruktiven Umgang miteinander. Seit er jedoch wieder ein Mandat für den Bundestag hat, setzt er lieber auf Krawall. Er sorgte mit dafür, dass der Gesetzentwurf wochenlang nicht im Bundestag beraten und damit verbessert werden konnte, schickte aber schon mal vorab Fragen an den Minister. Durch das traute Zusammenspiel von Kubicki, *Bild*, CDU und CSU entstand dann auch eine Strategie zur Neutralisierung der Grünen, die noch heute nachwirkt: Sie sind plötzlich die Ideologen.

Dabei gibt es kaum etwas Unideologischeres als das Klima. Dessen Veränderung ist schlicht Physik. Natürlich kann und muss über die besten Wege hin zu mehr Klimaschutz trotzdem heftig streiten. Nur darum ging und geht es Kubicki und den meisten anderen Kritikern nicht. Sie überschlugen sich in den heißen Wochen des GEG nicht etwa mit konstruktiven Vorschlägen für eine andere, realistische Variante einer schnellen Wärmewende. Ihnen geht es offensichtlich darum, den Grünen eins auszuwischen. Und weil das beim GEG so gut geklappt hat, bekämpfen sie seither auch anderen Umweltschutz – immer mit den gleichen Argumenten: zu viel, zu schnell, zu ideologisch. Die FDP bremste beim Solarpaket. Beim Ausbau der Bahn. Bei dem Versuch, den Naturschutz zu stärken. Beim EU-Verbot von Verbrennern. Bei strengeren Grenzwerten für die Abgase von Lkws.

Rückblickend lässt sich das Verhalten der FDP nur so interpretieren: Sie ist bis heute eine zutiefst materialistische Partei. Ihre Spitze ignoriert ökologische Probleme immer noch weitgehend und kann daher demagogisch agieren. Weil es ihr gar nicht um Lösungen für effektiveren Klimaschutz geht. Bitter ist das für diejenigen aus der liberalen Bundestagsfraktion, die sich inhaltlich eingearbeitet haben und Kompromisse mittragen würden. Die werden oft im letzten Augenblick von der Parteiführung kaltgestellt, zugunsten eines öffentlichen Krachs. Was wiederum eine ökologische Lernkurve der Liberalen verhindert – und auch eine bessere Ampelpolitik, eine, die hinter den Kulissen grüne Vorschläge verbessert. Dabei wäre genau das beim GEG dringend nötig gewesen: Das Gesetz hätte nicht halb so viel Ärger gemacht, hätte eine der anderen Parteien frühzeitig Förderprogramme und Hilfen für die Betroffenen vorgeschlagen. Oder der Kanzler. Doch auch die SPD hat in diesem Fall keine rühmliche Rolle gespielt. Viel zu oft hat ihre Führung nur mit stiller Freude den offenen Streit der beiden Kleinen beobachtet. So wie man eben denkt, wenn man die Welt vor allem unter parteitaktischen Gesichtspunkten betrachtet.

Um nicht falsch verstanden zu werden: Streit an sich ist in einer Regierung und den dazugehörigen Bundestagsfraktionen nichts Ungewöhnliches oder gar schlecht. Auch öffentlicher Streit nicht, er gehört in der Politik dazu. Die Ampel ist auch beileibe nicht die erste Koalition, bei der sich die Parteien mal blockieren, oder Gesetze anders aus dem Bundestag herauskommen, als sie hineingehen. Das Ausmaß ihrer Kräche ist allerdings schon ungewöhnlich. Zwar behaupten viele Ampelaner in vertraulichen Gesprächen, dass sie Konflikte still abräumen, beispielsweise im informellen Teil der Kabinettssitzung, und gar nicht an die Öffentlichkeit kommen lassen. Dennoch sorgt der erstaunlich große Rest, der über die Medien ausgetragen wird, immer wieder dafür, dass sie als heillos zerstritten gelten. Auch weil der Stil so destruktiv ist und die Debatte oft ganz offensichtlich nicht auf eine gute sachliche Lösung zielt.

Das Desaster um das Heizungsgesetz ist noch aus einem weiteren Grund so bitter: wegen der Lehren, die die Spitzen der Ampel ziehen. Seither sind sie überzeugt, dass die Politik »den Menschen« nicht zu viel Fortschritt und Veränderung zumuten darf. Jedenfalls nicht, wenn das Ganze etwas kosten könnte. Bundeskanzler Olaf Scholz fühlt sich durch den Vorgang noch einmal besonders bestätigt. Er hält seit jeher jede Politik, die von Verzicht und Zumutung spricht, für einen Spleen der wohlsituierten, grünen Mittelschicht. »Mir geht es nicht um Verzicht, sondern um neues Wachstum«, sagt Scholz.[10] Er sei »überzeugt, dass wir es mit technologischer Modernisierung schaffen werden, CO_2-

neutral zu wirtschaften, das Klima und unsere Ressourcen zu schonen und unseren Wohlstand zu erhalten.«[11] Auch Christian Lindner sagt:»Ich will nicht verzichten, und ich will auch nicht, dass andere verzichten müssen. Ich will durch Technik erreichen, dass die Menschen frei leben, sich frei bewegen können.«[12] Und sogar Robert Habeck hofft inzwischen auf»steigenden Konsum«, der die Konjunktur ankurbeln soll, in der Hoffnung, dass auch vieles andere gut wird. Große Veränderungen, die den Konsum in irgendeiner Form einschränken könnten, planen auch die Grünen vorerst nicht mehr.[13]

Wo aber nimmt Scholz, woher nehmen seine Koalitionspartner die Überzeugung, dass das Leben mehr oder weniger so bleiben kann, wie es ist? Wie soll materieller Konsum immer noch weiter steigen können? Wie wollen sie für noch mehr Wohnraum, mehr Autobahnen und mehr Steaks in einem räumlich begrenzten Land (auf einem räumlich begrenzten Planeten) sorgen? Erst kürzlich mahnte der Sachverständigenrat für Umweltfragen, ein Beratungsgremium der Bundesregierung, eine»Strategie des Genug« an. Sonst seien die Folgen der Umweltzerstörung bald nicht mehr in den Griff zu bekommen.[14] Und der vom Kanzler höchstselbst berufene Rat für nachhaltige Entwicklung (RNE) fordert mehr politische»Rahmenbedingungen, die ein gutes und gleichzeitig ressourcenleichtes Leben im Alltag überhaupt erst möglich machen.«[15] Übersetzt bedeutet das: Die Politik muss dafür sorgen, dass das Heizen, Fahren, Essen und Leben künftig umweltfreundlicher möglich ist.

Sie muss allerdings auch dafür sorgen, dass die Lasten der Veränderung fair verteilt werden. Denn eines ist nach dem Desaster um das GEG doch allen klar geworden: Denkt die Politik künftig bei substanziellen Veränderungen die Verteilungsfragen nicht stärker mit, werden die sehr schwer oder sogar unmöglich. Fairness und Fortschritt hängen zusammen. Nur wie genau?

10

Wie Ungleichheit den Fortschritt hemmt

Und die Demokratie bedroht

C atherine Austin Fitts misst Lebensqualität an einem Kinder-
lächeln. Ein warmer Sommertag, ein Gesicht mit strahlenden Augen, die Zunge leckt am Eis. Man braucht nicht lange nach
Klischees vom Glück zu suchen: Dieses Bild ist eines. Für die
amerikanische Investmentbankerin aber ist es noch mehr, sie hat
daraus den Popsicle-Index entwickelt, benannt nach dem in den
USA so beliebten Wassereis. Sie stellt Menschen in verschiedenen
Stadtvierteln folgende Frage: Glauben Sie, dass ein Kind gefahr-
los allein ein Eis kaufen kann? Je mehr Menschen das bejahen,
desto höher ist der Index – und desto lebenswerter die Gegend.

Der Popsicle-Index ist eine Spielerei, und doch hat er einen
ernsten Kern. Damit Kinder allein zur Eisdiele spazieren können,
muss vieles stimmen. Es muss einen Laden in der Nähe geben.
Man muss zu Fuß hinlaufen können, ohne überfahren zu werden. Es darf keine Kriminalität geben, keine Banden. Die Kinder
sollen durch die Gegend laufen können, ohne Angst haben zu
müssen, dass ihnen Taschengeld oder Handy geklaut wird. Und
es muss bezahlbaren Wohnraum für Familien geben, sie müssen
sich das Wohnen überhaupt leisten können. Ein kleines Eis lässt
also erstaunliche Rückschlüsse auf die Lebensqualität zu. Und
das Gefühl, ein gutes Leben führen zu können, ist wiederum für
die Stabilität und damit die Zukunftsfähigkeit von Demokratien
von großer Bedeutung. Deswegen lohnt sich ein zweiter Blick, ein
etwas seriöserer als der von Frau Fitts auf das Thema, verbunden

mit der Frage: Welchen Zusammenhang gibt es zwischen Lebensqualität und Fortschritt?

So wie es gute und schlechte Wohnviertel gibt, gibt es auch Nationen, in denen es sich gut oder schlecht leben lässt, die Leute also zufriedener sind mit sich, der Gesellschaft und der Politik. Rankings wie der World Happiness Report[1] vergleichen das jedes Jahr weltweit. Eines eint die meisten dieser Statistiken: Die Erkenntnis, dass das, was schon die alten Griechen als »gutes Leben« verstanden, ist immer ein wenig vom Zufall abhängig. Davon, wo das Land liegt, in das man geboren wurde, was man von den Vorfahren geerbt hat und in welcher Familie man großgezogen wird. Es braucht einen gewissen Wohlstand – allerdings viel weniger, als man meinen könnte. Und es kommt auf die Verteilung an, von Macht, Wohlstand, Bildung, Chancen und einer gesunden Umwelt. Weniger bekannt ist: Gleichere Gesellschaften sind glücklicher als ungleiche! Klingt verrückt. Doch die Briten Richard Wilkinson und Kate Pickett, die nach den Zusammenhängen von Wohlstand, Gleichheit und Glück forschen, haben dies schon vor einer ganzen Weile herausgefunden: In sehr ungleichen Gesellschaften sind mehr Menschen mit ihrem Leben deutlich unzufriedener als dort, wo das Vermögen gleicher verteilt ist.[2]

Ungleichheit und Lebensqualität haben also schon mal viel miteinander zu tun. Dabei belastet starke Ungleichheit die Armen nicht nur dadurch, dass sie wenig haben. Arm zu sein oder reich ist immer auch etwas Relatives. Mindestens so entscheidend ist, dass sie so viel weniger haben als die anderen. Eine kleinere Wohnung, schlechtere Gesundheit, weniger Bildung und damit das Gefühl, nicht dazuzugehören. Und dass sie früher sterben als Menschen mit mehr Geld.[3]

Der Zusammenhang mit dem Fortschritt ist schon etwas komplizierter. So um die Jahrtausendwende herrschte die Meinung, dass zu viel Umverteilung der Dynamik einer Gesellschaft eher schade und damit auch deren Innovationskraft. Vor allem von neoliberalen Ökonomen wurde das gern behauptet. Ungleichheit galt ihnen als richtig und wichtig. Nur wenn es genügend materielle Unterschiede gebe, seien auch die nötigen Anreize da, damit die da unten auch nach Oben wollten. Nur dann hätten die Leute noch Biss, statt sich auf die faule Haut zu legen. Und nur dann werde genügend gearbeitet, um den Wohlstand zu erhalten. Nur dann werde Fortschritt als etwas Lohnenswertes begrüßt. Der Wirtschaftswissenschaftler Gregory Mankiw, der einst den US-amerikanischen Präsidenten George W. Bush beriet, behauptete sogar noch kürzlich:»Wenn der Staat Maßnahmen ergreift, um die Einkommensverteilung gerechter zu gestalten, verzerrt er Anreize, verändert Verhaltensweisen und bewirkt eine weniger effiziente Ressourcenallokation.« Was so viel bedeutet wie: Nimmt ein Staat den Reichen etwas und gibt es den Armen, dann schadet das seiner Produktivität. Und dann gibt es am Ende insgesamt weniger zu verteilen.

Inzwischen ist diese Sicht auf die Welt vielfach widerlegt, sogar durch Studien des Internationalen Währungsfonds (IWF)[4] und der OECD[5] und damit von Institutionen, die grundsätzlich nicht in Verdacht stehen, ideologisch der Linken nahezustehen. Richtig ist das Gegenteil. Mehr ökonomische Gleichheit durch mehr Umverteilung kann gut für die Gesellschaft sein, und für die Innovationskraft der Wirtschaft obendrein. Die Erklärung ist so einfach wie logisch: Ist eine Gesellschaft sehr ungleich, dann gibt sie meist auch wenig Geld für die Bildung ärmerer Kinder aus, also bleiben viele Menschen ungebildet. Der Staat verweigert dadurch vielen seiner Bürgerinnen und Bürger gleich zu Beginn ihres Lebens entscheidende Chancen. Bildung ist schließlich nach wie vor ein wichtiger Türöffner für einen guten Job, ein gutes Gehalt, ein gutes Leben. Er lässt – technisch formuliert – auch einen wichtigen Teil seiner Ressourcen ungenutzt: Nämlich viele potenziell kluge Köpfe. Vielleicht sogar so manchen Nobelpreis – der wiederum der Innovationsfähigkeit und damit dem Fortschritt des gesamten Landes zugutekommen könnte.

Doch die Folgen von zu viel Ungleichheit können noch drastischer sein. Ungleichen Gesellschaften drohen in Pandemiezeiten eher soziale Unruhen, sie sind also in Krisen weniger resistent, warnt der IWF.[6] Der Wissenschaftler Peter Turchin geht sogar noch einen Schritt weiter und prognostiziert: Werden Gesellschaften zu ungleich, droht ihnen der Zusammenbruch – früher oder später. Turchin kann seine These inzwischen mit vielen Daten belegen, denn der Wissenschaftler ist einer der beiden Chefs des Complexity Science Hub (CSH) in Wien. »Wir sind Europas Forschungszentrum, das Daten in Lösungen für eine bessere Welt übersetzt«, steht auf der Webseite des Instituts.[7] 60 Leute arbeiten mittlerweile im CSH, dabei ist das Institut gerade mal fünf Jahre alt. Die Forschenden kommen aus unterschiedlichen Fachrichtungen, es gibt Historikerinnen, Physiker, Psychologinnen und Mathematiker, Interdisziplinarität wird großgeschrieben. Eines aber verbindet alle Projekte: Sie sind datenbasiert. Seit vielen Jahren speisen Turchin und seine Leute Daten über Gesellschaften und deren soziale Ordnung in die »Seshat«[8], eine gemeinnützige globale Geschichtsdatenbank, ein und werten sie aus. Dabei stellen sie immer wieder die eine Frage: Was lässt eine Gesellschaft implodieren und nimmt ihr so die Zukunft?

Sie sind dabei, wieder und wieder, auf die gleiche Antwort gekommen: Ungleichheit! Turchin erklärt das so: Wenn Gesellschaften ökonomisch zu sehr auseinanderfallen, dann verlieren sie den sozialen Zusammenhalt und damit ihre Widerstandsfähigkeit. Gesellschaften, in denen Chancen, Macht und Vermögen sehr ungleich verteilt sind, können daher schlechter mit Krisen und externen Schocks umgehen als die gerechteren. Weil es ihnen in solchen Situationen am nötigen Zusammenhalt fehlt. Im schlimmsten Fall brechen sie sogar zusammen, wenn sie von einer Umweltkatastrophe oder einer Seuche getroffen werden oder einem militärischen Angriff standhalten müssen. Oder auch einfach nur so, weil soziale Unruhen zunehmen. Und dann ist es mit der Zukunftsfähigkeit erst einmal vorbei.

Mittlerweile kann der Forscher seine These anhand von 200 Gesellschaften aus über 10 000 Jahren belegen. »Wir haben die Ungleichheit in alten Gesellschaften an vielen Indikatoren gemessen: an Menschenopfern, am Gesundheitszustand. Oder auch an Größenunterschieden«, sagt Turchin und fügt hinzu: »In Gesellschaften, die lange sehr ungleich sind, schrumpfen die Mitglieder

der weniger privilegierten Gruppen.« Menschen schrumpfen? Während man noch über den verblüffenden Fakt nachdenkt, ist der Mann schon elegant aus der Vergangenheit mitten ins heutige Amerika gesprungen, und sagt beiläufig: »In den USA werden schwarze Männer immer kleiner. Und das liegt an der seit vielen Jahren wachsenden Ungleichheit.«

Schwarze Männer in den USA werden kleiner? Tatsächlich bestätigt später eine kurze Recherche diesen Fakt[9] – verblüffend bleibt er dennoch. Ebenso wie die Schlussfolgerung, die Turchin aus den amerikanischen Daten zieht: Er warnt vor dem Kollaps der USA. Mit 50-prozentiger Wahrscheinlichkeit drohe in den kommenden Jahren ein Zusammenbruch der USA. »Das ist keine Prophezeiung. Die Aussage resultiert aus der Datenanalyse«, sagt Turchin nüchtern. In seinem Buch *End Times*[10] erklärt er, wie die Voraussage solcher Ereignisse möglich ist – und was die heutigen USA mit dem alten Rom verbindet.

Nun ist die Aussage, dass die US-Demokratie wanken könnte, heute nicht mehr ganz überraschend. Auch andere warnen davor. Interessant ist jedoch die Erklärung Turchins: Die sogenannte »Wealth Pump« (Reichtumspumpe) verteile Chancen und Reichtum immer ungerechter von unten nach oben um. Zugleich kapsele sich die Oberschicht immer weiter ab und sorge dafür, dass vor allem ihre Kinder die gleichen Privilegien genössen. Andere ehrgeizige junge Leute kämen trotz einer guten Ausbildung nur noch schwer an Posten mit Macht. So habe die USA heute beispielsweise einen deutlichen Überhang an Juristinnen und Juristen, von denen viele keine adäquaten Jobs mehr bekämen. Die geringen Aufstiegschancen speisten das Gefühl von Ungerechtigkeit zusätzlich, und deswegen werde die amerikanische Gesellschaft immer instabiler. Als Folge hätten sich bereits starke Gegeneliten gebildet, die nun das System immer offensiver infrage stellen würden.

Bei Gegeneliten denkt man automatisch an Donald Trump und Elon Musk. Für den Wissenschaftler war der Aufstieg solcher Leute anhand von Daten ablesbar: Bereits 2010 hatte er in einem Artikel in der Zeitschrift *Nature* gewarnt, dass die USA spätestens ab dem Jahr 2020 auf einen Moment zusteuern, an dem es soziale Unruhen geben werde. Tatsächlich kam es dann am 6. Januar 2021 zum Sturm auf das Kapitol. Die Thesen des Komplexitätsforschers bleiben dennoch verstörend und man sucht unwillkürlich nach Gegenargumenten. Doch die Daten über die Vermögensverteilung lassen sich nicht wegdiskutieren, tatsächlich wächst die Ungleichheit weltweit massiv. Die fünf reichsten Männer der Welt haben ihr Vermögen seit 2020 verdoppelt, fast fünf Milliarden Menschen sind ärmer geworden.[11] Besonders in den USA ist die Einkommensschere im vergangenen Jahrzehnt rasant auseinandergegangen, das Einkommen der oberen fünf Prozent ist explodiert, sie heben sich von der Mittelschicht und der Unterschicht immer mehr ab.[12] Die Top-Universitäten wie Harvard oder Yale bilden mit Vorliebe die Nachkommen der Oberschicht aus, Kinder von Reichen bleiben in der Regel reich. Auch die vierjährige Amtszeit von Joe Biden hat daran nicht sehr viel geändert. Deswegen können Anführer der Gegenelite wie Trump oder Musk, die zwar oft selbst zur Oberschicht gehören und vor allem die eigene Macht und den eigenen Reichtum mehren wollen, für ihren Angriff auf die Demokratie auch immer wieder geschickt die Erzählung von den »korrupten Eliten in Washington« nutzen – und sich selbst als Außenseiter gerieren.

Stellt man sich nun vor, dass die USA wie so viele andere Länder künftig große Probleme werden lösen müssen – Unwetter, Flüchtlingsströme, Seuchen – dann kann einem schon angst und bange werden. Zumal Musk und andere Silicon-Valley-Tycoons das Denken des Landes längst auf vielerlei Arten beeinflussen – die alle ein Ziel haben: Umverteilung zu verhindern. Sie finanzieren (oft über Umwege) die Wahlkämpfe bestimmter US-Politiker. Und sie spenden regelmäßig riesige Summen an Stiftungen. Sie bezahlen Lehrstühle und Forschungseinrichtungen und unterstützen gemeinnützige Projekte. Die verbreiten dann diese Art des Denkens nicht nur in den USA, sondern auch weit in der Welt. Was Menschen wie Elon Musk, der PayPal-Gründer Peter Thiel oder Jaan Tallin, der Mitgründer von Skype, für interessant halten, was sie glauben und was nicht, wie sie die Gesellschaft verändern, fortschrittlicher und zukunftsfähiger machen wollen, wirkt also längst indirekt auch bei uns.

Womit der Longtermism ins Spiel kommt, und damit eine ganz besondere Art, um über den Fortschritt der Menschheit zu urteilen. Dieser Begriff präge nicht nur den »Zeitgeist« in der Philanthropie, schreibt das Magazin *Chronicle of Philanthropy*.[13] Das Denken, das sich dahinter verberge, werde auch auf »zunehmend schmuddelige Art« vom Tech- und Finanzsektor in die Politik und die Gesellschaft getragen. Wichtigste Vordenker dieser Theorie sind die Oxford-Philosophen William MacAskill, Hilary Greaves und Nick Bostrom. Unterstützt wurde die Bewegung unter anderem von Elon Musk und vom Kryptowährung-Unternehmer Sam Bankman-Fried, der jüngst in den USA wegen eines viele Milliarden schweren Betruges jüngst zu 25 Jahren Haft verurteilt wurde.[14]

Für Longtermisten bedeutet »Fortschritt« nicht automatisch, die Lebensqualität der jetzigen oder der kommenden Generationen zu verbessern. Für sie hat die ferne Zukunft »eine moralische Priorität«. Hinter der tritt die ethische Verantwortung gegenüber den jetzt Lebenden zurück. Das klingt erst einmal bizarr, ist aber in sich schlüssig. Für Longtermisten ist jedes Leben gleich viel wert. Das Leben, das übermorgen gelebt wird, zählt daher genauso viel wie das der heute Lebendigen. Greaves and MacAskill[15] gehen nun von der Annahme aus, dass in der Zukunft viel mehr Menschen geboren werden, als heute leben. Wenn aber deren Leben genauso viel wert sind wie unsere, ist deren Schicksal von viel größerer Bedeutung als das der Menschen der Gegenwart.

Die Konsequenzen dieser Logik für das moralisch richtige Verhalten und das politische System sind gravierend – auch wenn über Geld entschieden wird. Dann wird es viel wichtiger, in Forschung zu investieren, die das Überleben der Menschheit an sich garantiert. Weniger wichtig wird hingegen ein würdevolles Leben von Millionen Menschen, die heute hungern. Auch der Kampf gegen die Klimakrise spielt für viele Longtermisten deswegen eine eher nebensächliche Rolle, denn es reicht ja, wenn ein paar kluge Menschen überleben. Deutlich mehr Sorge bereitet ihnen der mögliche Einschlag eines Meteoriten, der die gesamte Menschheit auslöschen könnte. Weswegen sie mehr Geld in die Abwehrtechnik gegen solche Himmelskörper investieren würden. Und in die Entdeckung und Besiedlung ferner Welten.

Man könnte das alles als verrückte Gedankenspielerei etwas abgedrehter Philosophen abtun, gäbe es nicht reiche Anhänger wie eben Elon Musk. Auch er ist überzeugt, dass die Menschheit nur dann eine Zukunft habe, wenn sie andere Planeten besiedele. Und das wiederum gehe nur mit – bisher noch nicht entwickelter – Technik. Deswegen sei eine der wichtigsten Gegenwartsaufgaben das Investieren und Erfinden neuer Technologien. Also investiert Musk in die Weltraumforschung und träumt davon, den Mars zu besiedeln.[16] So kann er dann auch entschuldigen, dass ihm nur wenig Geld für andere gute Zwecke, beispielsweise die Bekämpfung des Welthungers bleibt. »Die Klimakrise wird sehenden Auges in Kauf genommen, Kriege werden kleingerechnet, gegenwärtiges Leid wegrationalisiert, alles im Namen eines optimierten Morgens«, kritisiert Lia Nordmann im *Philosophie Magazin* die Wirkung der Longtermisten: Sie verkörpern »jenen gefühlskalten Fortschrittsglauben, vor dem Walter Benjamin schon vor rund hundert Jahren gewarnt hat«.[17] Tatsächlich schreiben die Venture-Kapitalisten Marc Andreessen und Ben Horowitz gern Manifeste dieser Art: »Es ist wieder einmal an der Zeit, die Technologieflagge zu hissen. Es ist Zeit, Techno-Optimisten zu sein. Wir glauben, dass unsere Nachkommen in den Sternen leben werden. Wir glauben, dass es kein materielles Problem gibt, das nicht mit mehr Technologie gelöst werden kann.[18]

Die fatale Wirkung dieses Denkens beschreibt der US-amerikanische Soziologe und Historiker Mike Davis so: Setze es sich durch, werde bei der Klimapolitik »eine globale Schadensbegrenzung stillschweigend aufgegeben«. Investitionen flössen dann nur noch in eine selektive Anpassung für die »First-Class-Passagiere der Erde«. Die würden in »grünen, eingezäunten Oasen des permanenten Wohlstands auf einem ansonsten leidgeprüften Planeten« überleben.[19] Der Rest hat das Nachsehen. In der Tat stehen inzwischen Grundstücke in Neuseeland oben auf der Einkaufsliste von Superreichen, auch weil das Land im Falle von atomaren Kriegen oder Klimakrisen als vergleichsweise guter Ort zum Überleben gilt. Inzwischen ist die Nachfrage so hoch, dass die neuseeländische Regierung den Verkauf von Häusern an ausländische Käufer verboten hat. Was Musk wohl kaum daran hindern wird, im Krisenfall dort oder anderswo ein sicheres Fleckchen zu finden. Millionen andere Menschen aber schon.

Will man diese Entwicklung nicht, wäre es nicht schlecht, doch stärker über gesellschaftliche Alternativen nachzudenken. Darüber, wie die Früchte des Fortschritts gerechter verteilt werden können, damit das Auswandern nach Neuseeland nicht nötig wird. Über mehr Gerechtigkeit, und ja, auch Umverteilung. Vielleicht könnten die USA da sogar etwas von Deutschland lernen.

11

Und in Deutschland?

Was eine Straße über Fortschritt und Fairness in Deutschland erzählt

D as Problem, das Deutschland mit dem Fortschritt und der Fairness hat, kann man am Beispiel einer Straße erzählen. Thomas Losse-Müller tut das gern, und er erzählt dann von seinem Haus. In dem wohnt er mit Familie, Elektroauto vor der Tür und Wärmepumpe im Keller und überzeugt davon, dass das gut für die Geldbörse, das Klima und die Zukunft des Landes ist. Es gehen dort auch noch andere Familien die private Energiewende an. Es gibt aber eine ganze Reihe anderer Leute, die prinzipiell gar nichts gegen mehr Umweltschutz haben. Denen fehlt aber schlicht und einfach das Geld für den Umbau ihres Hauses oder ein E-Auto. Darüber aber, so sagt er, werde in Berlin immer noch zu wenig geredet. »Menschen mit geringem Einkommen und deren Probleme«, so sagt Losse-Müller, »spielen in der politischen Debatte eine viel zu kleine Rolle.« Und deswegen drohe die Gefahr, dass sie sich aktiv gegen den Wandel stellten und weiter alte Technologien nutzten: Die Gasheizung beispielsweise oder den Verbrenner. Und das nicht, weil sie das unbedingt so toll fänden. Sondern weil sie sich die modernen Alternativen nicht leisten könnten.

Nun ist die Klimaneutralität nur eine der großen Veränderungen, die es braucht, um das Land krisenfester zu machen. Doch das Problem zeigt beispielhaft, wie beim Fortschritt hierzulande die Frage der Gerechtigkeit grundsätzlicher mitgedacht werden könnte – oder auch nicht.

Es ist verrückt. Da kennt die Ökonomie mit dem CO_2-Preis seit Jahren eine elegante Lösung, um Länder klimaneutral zu machen. Die meisten Unternehmen haben auch die nötige Technologie, um ihre Produktion umzustellen. Die Politik weiß schon seit Jahrzehnten, dass sie den Umbau stärker forcieren müsste. Alle Parteien, die in der Regierung sind oder die kommende Regierung wahrscheinlich stellen werden (also CDU/CSU, SPD, Grüne und FDP) befürworten die ökologische Modernisierung. Und dennoch tut sich das Land so unendlich schwer. Dennoch kennt man weder in der breiteren Öffentlichkeit noch in der Berliner Politik die Wirkungen, die eine energische Klimapolitik auf die monetäre Situation der verschiedenen Bevölkerungsgruppen hat. Kennen Sie sie?

Damit die richtigen Antworten bekannter werden, hat Losse-Müller, der einst SPD-Oppositionsführer in Schleswig-Holstein war, gemeinsam mit Vertretern aus Wohlfahrts- und Umweltverbänden eine Organisation gegründet, die sich Sozial-Klimarat[1] nennt. Die soll die Leute mit den kleinen Einkommen künftig besser vertreten, dafür sorgen, dass der Fortschritt in der Klimapolitik fair organisiert wird. Und dass die sozialen Folgen bekannter werden. Um das Ausmaß des Problems zu verdeutlichen, hat sie dafür gerade ein Postkartenset erfunden, das von »Deutschlands Lebensrealität« erzählt. Die Daten basieren auf einer Analyse von 19,4 Millionen Gebäuden und 23,5 Millionen Adressen. Dazu kommen Informationen über Einkommen von Haushalten, über deren Entfernung zur nächsten ÖPNV-Haltestelle und andere Merkmale. Herausgekommen sind so 16 typische Menschen, die sich in Kaufkraft, Wohnsituation, Energiebedarf, Alter und Mobilitätsverhalten deutlich unterscheiden. Eine Politik, die die Infrastruktur des Landes modernisieren will, trifft sie sehr unterschiedlich. In Deutschland geht es also auch im Großen so zu, wie in der Straße von Losse-Müller. Die einen können sich neue Technik leisten und finden sie toll. Anderen fehlt das Geld oder Wissen oder der Veränderungswille. Oder alles zusammen. Und man muss schon genauer hinschauen, um herauszufinden, hinter welchen Gardinen sich die wirklichen Probleme verstecken.

Ursprünglich hatte die Ampel in ihrem Koalitionsvertrag angedeutet, selbst Klimaschutzpolitik und Sozialpolitik zusammenzudenken: Der CO_2-Preis sollte weiter steigen, zugleich aber ein Klimageld zumindest geprüft werden. Dadurch könnten die Einnahmen aus dem CO_2-Preis wieder an alle Bürgerinnen und Bürger ausgezahlt werden. Doch dann kam im Dezember 2023 das Urteil des Bundesverfassungsgerichtes zur Schuldenbremse – und seither ist vieles anders. Seither muss die Regierung jeden Euro siebenmal umdrehen. Wirtschaftsminister Habeck will nun lieber Geld für den umweltfreundlichen Umbau der Industrie ausgeben. Die FDP will nur noch sparen. Und die SPD distanziert sich zunehmend von der Idee, den Klimaschutz vor allem über den Preis zu beschleunigen und diesen durch ein Klimageld zu kompensieren.[2]

Inzwischen ist zudem klar: Es gibt zwar gute Argumente für ein Klimageld. So einfach, wie ursprünglich gedacht, ist die Sache allerdings nicht. Denn es stellen sich ein paar komplizierte Gerechtigkeitsfragen: Wie kann die Auszahlung dafür sorgen, dass Menschen mit kleinem Einkommen nicht überdurchschnittlich draufzahlen?[3] Wie kann man berücksichtigen, dass manche von ihnen auf dem Land wohnen, sich ein E-Auto noch nicht leisten können, aber weite Wege zum Job mit einem alten Verbrenner fahren müssen – und daher immer mehr CO_2-Steuer zahlen werden? Wie berücksichtigt man, dass sie häufig in unsanierten Wohnungen wohnen und keine Alternative dazu haben? Wie kann ein Klimageld also gerecht sein und trotzdem nicht zu kompliziert? Von Monat zu Monat scheint es mehr Fragen zu geben als Antworten.[4] Sich nur den »Durchschnitt einer Einkommensgruppe anzugucken, das ist nicht besonders aussagekräftig«, kritisiert Sebastian Dulien, Chef des gewerkschaftsnahen Instituts für Makroökonomie und Konjunkturforschung (IMK) der Hans-Böckler-Stiftung. Inzwischen gibt es auch Überlegungen, das Klimageld vielleicht gar nicht an alle zu zahlen, sondern nur an die wirklich Bedürftigen.

Man kann profund darüber diskutieren, warum ausgerechnet bei der ökologischen Transformation des Landes immer die Gerechtigkeitsfrage mitgedacht werden soll. Tatsache aber ist, dass die nötigen Maßnahmen umstritten sind und auf ein Land treffen, in dem es sowieso schon nicht sehr gerecht zugeht. Jedenfalls finden das mehr als drei Viertel der Deutschen.[5] Dabei machen die Befragten die Gerechtigkeit vor allem an der Verteilung fest. Selbst Liberale finden noch zu 63 Prozent die Vermögensunterschiede zu groß. Ihr Eindruck täuscht die Leute nicht: Deutschland gehört zu den ungleichsten Ländern in Europa, der Reichtum ist bei sehr wenigen Menschen konzentriert. Die reichsten ein Prozent der Deutschen besitzen knapp 35 Prozent aller Vermögen, die reichsten fünf Prozent zwischen 59 und 48 Prozent. Es gibt mehr als eine Million Millionärinnen und Millionäre. 40 Prozent der Deutschen dagegen haben praktisch gar kein Vermögen.[6] »Schon in den 2010er-Jahren stieg die Armutsquote spürbar an, und die Entwicklung hat sich fortgesetzt«, hält der Verteilungsbericht des Wirtschafts- und Sozialwissenschaftlichen Institutes fest: »Im Jahr 2022 lebten 16,7 Prozent der Menschen in Deutschland in Armut.«[7] In vielerlei Hinsicht sei Deutschland heute im Vergleich zu den 1990er-Jahren ein sehr ungleiches Land. Oder anders formuliert: Die Früchte des Fortschrittes sind zuletzt ziemlich ungleich verteilt worden.

Noch vor ein paar Jahren hätte das nur wenige Leute interessiert. Klar, eine ungerechte Verteilung ist vielleicht nicht schön und je nach politischer Haltung hätte man daran mehr oder weniger ändern wollen. Inzwischen wird immer klarer, dass die ungleiche Verteilung nicht nur die Veränderungsbereitschaft im Land senkt und das Gefühl von Unsicherheit verschärft. Sie ist auch einer der vielen Gründe für die wachsende Zustimmung, die rechte, demokratiefeindliche Populisten genießen. Denn die AfD gewinnt überproportional bei Menschen mit sehr kleinen Einkommen, und dann auch noch bei denen, die sich selbst eher in der Mitte verorten – aber den sozialen Abstieg fürchten und damit davor, ausgeschlossen zu werden.[8]

Die Ampel hat – anders, als ihr Ruf es nahelegt – tatsächlich versucht, die Ungleichheit zu senken. Und sie kann gerade in der Sozialpolitik und bei der Armutsbekämpfung durchaus Ergebnisse vorweisen. Eine Studie der Bertelsmann-Stiftung hat akribisch nachgezählt: Danach hatte die Koalition bereits zur Halbzeit von ihren insgesamt 453 Koalitionsversprechen 174 voll oder teilweise erfüllt (38 Prozent). Darüber hinaus befanden sich zu jenem Zeitpunkt weitere 55 Vorhaben (12 Prozent) im Prozess ihrer Erfüllung. Weitere 62 (14 Prozent) wurden substanziell angegangen. Die mit weitem Abstand meisten umgesetzten Vorhaben kommen aus dem Bereich Arbeit und Soziales, für das Arbeitsminister Hubertus Heil (SPD) zuständig ist. Er ist also mehr als alle anderen Sozialdemokraten der Mann für die Gerechtigkeit. Er setzte den Mindestlohn von 12 Euro durch und damit eine Kernforderung aus dem Wahlkampf von Scholz. Er sorgte dafür, dass die Ost-Renten denen im Westen angeglichen und beide angehoben wurden. Die Zuverdienstmöglichkeiten für Empfänger von Bürgergeld wurden ausgeweitet, das Bürgergeld selbst stieg, ebenso das Kindergeld. Ein neues Weiterbildungsgesetz fördert die Fortbildung von Menschen durch staatliche Zuschüsse und Erstattungen. Sozialpolitisch hat sich also in Deutschland in jüngerer Vergangenheit durchaus etwas getan. Und alles ohne große Debatten.

Werden da also langsam die Gründe für die Unzufriedenheit mit der Politik entschärft – selbst wenn es noch niemand merkt? Tatsächlich scheint ein Fakt das zu belegen: Menschen mit geringen Einkommen werden in Deutschland nicht mehr ärmer. Oder, um es in den Worten der Experten des Deutschen Institutes für Wirtschaftsforschung zu sagen: Es gibt einen »deutlichen Rückgang der Lohnungleichheit«. Bruttostundenlöhne und Haushaltsnettoeinkommen seien real deutlich gestiegen. Das liege am Mindestlohn und daran, dass die Gewerkschaften zunehmend auf Mindestzahlungen für untere Lohngruppen setzten. Und dann gibt es noch einen Grund – den Geburtenrückgang.[9] Jedes Jahr fehlen auf dem Arbeitsmarkt rund 400 000 Leute. Also müssen die Unternehmen denen, die einen Job suchen, schlicht mehr zahlen. Also arbeiten immer weniger Menschen im Niedriglohnsektor. Deswegen verdienen diejenigen mit den kleinen Löhnen heute besser als vor ein paar Jahren.

Warum also ist dann der Eindruck der Öffentlichkeit trotzdem so düster, und das bereits zur Halbzeit? Nur zwölf Prozent der Menschen in Deutschland meinen, von den vereinbarten Koalitionsversprechen seien »alle, fast alle oder ein großer Teil« umgesetzt worden. Hingegen glauben 43 Prozent der Befragten, es seien nur »ein kleiner Teil oder kaum welche« der Versprechen realisiert worden.[10] Der Eindruck, den die Menschen von der Regierungsarbeit haben, ist also miserabel. Spricht man vertraulich mit Leuten aus der Ampel, klingen deren Erklärungen erstaunlich ähnlich: Man rede eben einfach zu wenig über die Erfolge und deswegen merkten die Leute eben nicht wie gut die Regierung sei, trotz aller Streitereien. Also alles nur eine Frage der Kommunikation? Ach, wäre die Wirklichkeit doch nur so einfach. Tatsächlich ist diese Analyse der Lage hochgradig naiv. Gute Politik ist mehr als das Abarbeiten von Wahlversprechen und einer Liste von 453 Punkten, an die dann Häkchen gesetzt werden. Mehr als ein wenig Umverteilung im System und innerhalb der gerade lebenden Generationen. Kann eine Regierung keine gemeinsame Erzählung davon entwickeln, wie sie Gerechtigkeit auch morgen noch sichern will, dann ist das nicht nur schlechte Kommunikation, dann ist das auch schlechte Politik. Weil es Menschen verunsichert. Weil es sie ratlos zurücklässt. Und das ist Gift in Zeiten, in denen die Regierung ja offiziell auch noch eine Transformation hin zur Klimaneutralität will, und damit einen Wandel, wie es ihn seit der ersten industriellen Revolution nicht mehr gegeben hat.

Das Anheben des Mindestlohns kann also bestenfalls ein kleiner Teil der großen Geschichte sein. So eine Art kleines Zwischenhoch. Zumal es den finanziellen Spielraum der Menschen mit kleinem Einkommen oft nur scheinbar hebt. Ein gestiegener Lohn nützt nur wenig, wenn explodierende Mieten und hohe Inflation ihn gleich wieder auffressen und die Leute trotz Arbeit zum Amt müssen, um Bürgergeld zu beantragen. Und er nützt schon gar nichts, wenn dann – wie gerade im Osten üblich – die Arbeitgeber Tarifflucht begehen, längere Arbeitszeiten durchsetzen, kein Urlaubs- und Weihnachtsgeld und in der Regel zehn bis fünfzehn Prozent weniger Lohn zahlen als die mit Tarifbindung. Wenn der Bus immer seltener fährt, die nächste Arztpraxis für immer schließt und es keinen Kitaplatz gibt. Und wenn der Aufstieg in Deutschland so schwer ist wie eh und je, weil das Bildungssystem stark selektiert und die soziale Herkunft für den eigenen Platz in der Gesellschaft eine immer stärkere Rolle spielt.

Oder, brutaler gesagt: Wer oben geboren wird, bleibt oben. Wer unten geboren wird, bleibt unten. Die Herkunft entscheidet viel zu oft darüber, auf welche Schule man geht, und die wiederum eröffnet Chancen oder zerstört sie schon in der Kindheit.[11] Gerade Jugendliche aus benachteiligten Familien fallen deswegen durch das System. Allein in der Altersgruppe der 25- bis 34-Jährigen gibt es aktuell 2,5 Millionen Menschen – das sind 17 Prozent – ohne Berufsabschluss. Das sind viel zu viele persönliche Schicksale des Nichtgelingens, und das Land insgesamt verzichtet damit auf so viel Potenzial.

»Fortschritt braucht Gerechtigkeit.« Unter diesem Motto feierte die SPD ihren 160. Geburtstag.[12] Doch von Anfang an hat die Koalition die grundsätzlichen Gerechtigkeitsfragen ausgeklammert, und zwar in zweifacher Hinsicht: Sie wagt sich weder an eine Umverteilung von Vermögen, noch an eine Umverteilung von Chancen – von der heutigen Generation an die von Morgen. Es gibt eben keine Steuerreform, die die Vermögenden mehr an den Lasten beteiligt. Die Erbschaftsteuer wird nicht verändert, obwohl die Menschen mit Geld immer mehr vererben, aber 40 Prozent der Bevölkerung gar nichts haben – also auch ihren Kindern nichts hinterlassen können.[13] Stattdessen müssen immer weniger Kinder für immer mehr Rentenbeziehende aufkommen, weil auch für eine Rentenreform die Kraft fehlt. Die großen Hebel der Verteilungspolitik bleiben also ungenutzt. Und so wird heute über den Staat deutlich weniger umverteilt als in den Anfangszeiten der Bundesrepublik unter dem konservativen Kanzler Konrad Adenauer und dem Wirtschaftsminister Ludwig Erhard. In deren Zeit stieg der Spitzensteuersatz von 53 auf 56 Prozent. Heute liegt er bei 42 Prozent. Der Wirtschaftsjournalist Alexander Hagelüken fasst deswegen die Gerechtigkeitsgeschichte der vergangenen Jahre so zusammen: Der neoliberale Schock habe Deutschland um die Jahrtausendwende auseinandergerissen. Und die Folgen dieser Politik, die den Niedriglohnsektor ausbaute und die Steuern für die Wohlhabenden senkte, seien bis heute nicht repariert.[14]

Was wenn künftig eine Politik nötig sein wird, die Freiheit oder die Einkommen bestimmter Gruppen beschneidet? Weil für die Bewältigung von Unwettern immer mehr Geld ausgeben werden muss. Weil die Verteidigungspolitik immer mehr Geld verschlingt. Weil die Weltwirtschaft zusammenbricht? Oder weil eine der vielen anderen Polykrisen zuschlägt. Wie schnell die Proteste böse werden können, haben Corona und danach auch die Bauerndemos gezeigt, und beide könnten nur ein Vorgeschmack von dem sein, was die Demokratie künftig erwartet. Genau davor warnt der Jenaer Politikwissenschaftler Matthias Quent:»Wir rasen sehenden Auges auf klimatische Kipppunkte zu. Durch diese werden die politischen Handlungsmöglichkeiten immer stärker eingeschränkt und die Nachfrage nach rechtsautoritärer Politik und mythischer Wirklichkeitsverklärung wird weiter steigen.«[15]

Quent hat wenig Hoffnung, dass sich die politische Lage bald entspannt. Also je mehr Polykrise, desto mehr Populisten? Recherchen aus den USA legen das zumindest nahe. Dort hatte schon vor Jahren George Marshall, der Gründer der NGO Climate Outreach[16] untersucht, warum sich Menschen selbst durch Fakten nicht von der Dramatik der Klimakrise überzeugen lassen, und lieber den Klimaleugnern zuhören. Er hatte Farmer und kleine Gemeinden besucht, die bereits unter den Folgen des Klimawandels litten. Der Wirbelsturm Sandy hatte sie zerstört oder massiv beschädigt. Trotzdem glaubten die Bewohner nicht daran, dass das etwas mit dem Klima zu tun hat. Lieber erklärten sie ihr Schicksal mit Pech oder dem Willen Gottes. Hätten sie stattdessen akzeptiert, dass die von Menschen zu verantwortende Klimakrise die Ursache für ihr Elend ist, hätte ihnen schlicht die Kraft gefehlt, wieder und wieder Häuser, Zäune und Scheunen aufzubauen. Vielleicht hätten sie dann sogar ihre Heimat verlassen und anderswo hinziehen müssen. Da kostet das Verdrängen schlicht weniger Kraft. Also werden sie zu Klimawandelleugnern.[17] Oder, wie viele Republikaner, zu Klimaignoranten. Nur jeder zehnte Wähler der Republikaner findet heute den Kampf gegen den Klimawandel wichtig.[18] Was längst auch auf die gesamte Gesellschaft zurückstrahlt: Auch die große Mehrheit die US-Amerikaner findet Klimapolitik nicht mehr besonders dringlich.

Immerhin das ist hierzulande noch anders als in den USA, die »Mitte-Studie« der Friedrich-Ebert-Stiftung hat das zuletzt dokumentiert[19]: Hier hält eine deutliche Mehrheit die Klimakrise nach wie vor für menschengemacht. Fast siebzig Prozent und damit eine deutliche Mehrheit der Befragten findet, »dass wir den Ausbau erneuerbarer Energien schneller vorantreiben müssen«. Nur gut jeder Zehnte sieht es nicht so. Die AfD ist also noch weit davon entfernt, bei diesem Thema die Meinungshoheit zu erringen. Eigentlich hätte die Regierung also den Spielraum, Gerechtigkeitsfragen weit über den Mindestlohn und die Vermögenssteuer hinaus zu denken – und sie viel stärker als in der Vergangenheit mit der Umweltpolitik zu verbinden. Schließlich ist der Umweltschutz von heute eine Umverteilung von Chancen aus der Gegenwart in die Zukunft. Die Streuobstwiese, die wir heute nicht mit Häusern zubauen, bietet möglicherweise Pflanzen einen Lebensraum, die unseren Kindern nützen. Oder, weniger kitschig: Wer heute faire Klimapolitik macht, sichert das Überleben der kommenden Generationen, und damit wahrscheinlich auch die Demokratie. Und damit einen Fortschritt, der zumindest potenziell vielen Menschen zugutekommen kann.

Sehr konkret lässt sich schon heute beobachten, welche Folgen es hat, wenn die Politik die Verteilungskonflikte, die zwischen Arm und Reich und Alt und Jung schwelen, weiter weitgehend ignoriert. Und zwar in fast jeder großen Stadt. 77 Prozent der Menschen wollen oder müssen heute in sogenannten Ballungsgebieten leben, nur 15 Prozent leben in Dörfern mit weniger als 5 000 Einwohnern.[20] Deutschland wohnt also in Städten und Vororten. Dort aber ist der bezahlbare Wohnraum beschränkt und Boden eine Ressource, die sich nicht beliebig vermehren lässt. Jedenfalls dann, wenn die Wohngebiete nicht immer und immer weiter ins Umland wachsen sollen, und so der Natur oder der Landwirtschaft immer weitere wertvolle Flächen wegnehmen.

Reiche und Arme konkurrieren also in den Städten um begehrten Platz – und nehmen damit vorweg, was auf dem Planeten im Großen passieren wird. Ein wachsender Kampf um schrumpfende Ressourcen. Diejenigen, die es sich leisten können, ziehen dort in immer größere Wohnungen und Häuser. Sie beanspruchen immer mehr Platz, die anderen können sich nur noch ein paar Quadratmeter leisten. Oder sie finden gar keine Wohnung mehr. Immer häufiger werden so die Menschen mit den kleinen Gehältern aus der Stadt gedrängt, immer weiter ihre Fahrten zu ihren Arbeitsplätzen. Und oft brauchen sie dann auch noch ein Auto, denn besonders billig ist das Wohnen dort, wo es keinen öffentlichen Nahverkehr gibt. Die Städte teilen sich so immer mehr auf in reiche und arme Viertel. Es boomen zugleich die Luxus-Immobilien und die Wohnungsnot. Und Platz wird von unten nach oben umverteilt.

Kaum etwas treibt Gesellschaften jedoch so auseinander wie die Verteilung des Raumes. Schon heute treffen die Kinder der Mittelschicht die der Putzfrauen nur noch sehr selten. Je weniger sich aber Menschen aus verschiedenen Schichten mischen, je häufiger sie in räumlich weit voneinander getrennten Gegenden wohnen und ihre Kinder auf komplett unterschiedliche Schulen schicken, desto mehr mangelt es an Verständnis füreinander. Und umso härter werden dann Konflikte ausgetragen – zwischen denen, die sich drinnen und denen, die sich draußen fühlen, denen oben und denen unten. Wohnen ist heute *die* soziale Frage.

Es gibt gleich mehrere Möglichkeiten, mit dem Problem umzugehen: Die Politik kann es ignorieren, jedenfalls eine lange Zeit. Das »Recht auf Stadt«, das der französische Philosoph Henri Lefebvre in den 68ern postulierte, weckte damals zwar in der Studentenbewegung viel Fantasie. Juristisch gibt es so etwas nicht.

Mehr Verteilungsgerechtigkeit ließe sich hingegen auf verschiedene Arten herstellen, etwa durch eine Verstaatlichung des Bodens oder eine Verteilung von Bauflächen. Das klingt nach real existierendem Sozialismus, wird aber beispielsweise im hyperkapitalistischen Singapur praktiziert. Dort besitzt der Staat den Boden, was dazu führt, dass die darauf gebauten Wohnungen zu erschwinglichen Preisen an die Bevölkerung verkauft werden. Eine weichere Variante gibt es in den Niederlanden. Dort gehört der Boden zwar Privatleuten, aber er kann von den Kommunen, die die Planungshoheit haben, enteignet und dann an Bauleute verkauft und mit einer Baupflicht belegt werden. In China hingegen, wo Boden nach 1998 wieder privatisiert wurde, beschleunigte das die Ungleichheit – und gefährdet heute die gesamte Wirtschaft. Eine andere Möglichkeit, Boden und den Gewinn, der damit gemacht wird, gerechter zu verteilen wäre die Bodenwertsteuer. Der verstorbene SPD-Chef Hans-Jochen Vogel hat sich dafür einst starkgemacht und immer wieder gefordert, dass »Grund und Boden keine Ware« sein dürfen.[21] Die Steuer würde den Gewinn abschöpfen, der dadurch entsteht, dass ein Haus oder sein Grundstück plötzlich in einer begehrten Wohnlage liegt – und der heute Immobilienbesitzer oft in wenigen Jahren anstrengungslos reich macht. Spekulation mit Boden würde sich dann auch nicht mehr lohnen. Doch Vogel konnte nicht mal seine eigene Partei überzeugen, der klang das zu links. Bleiben als letztes Mittel strengere Vorschriften, wie gebaut werden darf: Hamburg erlaubte beispielsweise jüngst in einem Neubaugebiet nur Mehrfamilienhäuser, damit der knappe Boden möglichst vielen Menschen zugutekommt. München macht Vorschriften, das eine gewisse Zahl an Sozialwohnungen gebaut werden muss. Und Wien bevorzugt bei Neubau die öffentlichen Wohnungsbaugesellschaften. Praktiziert in großem Stil hat auch das einen (allerdings deutlich geringeren) preisdämpfenden Effekt – und damit eine verteilungspolitische Wirkung.

Bundeskanzler Olaf Scholz setzt auf eine andere Lösung: Er will den neuen Bauboom. Im Wahlkampf hat er 400 000 neue Wohnungen jedes Jahr versprochen, 100 000 mit Sozialbindung. Gern auch »auf der grünen Wiese«, so wie »in den 70er-Jahren«. Das klingt nach Wumms. Nur hat der Kanzler übersehen oder er ignoriert bewusst, dass er so den Flächenfraß weiter anheizen wird. Scholz tut also ganz so, als ob es die rasante Zerstörung von ökologisch wertvollen Flächen schlicht nicht gibt, und damit auch keinen ökologischen Generationen-Gerechtigkeits-Konflikt.[22] Was wiederum zur Folge hat, dass die kommenden Generationen immer weniger Natur vorfinden werden.

Und es gibt noch ein Problem mit dieser Art der Wohnungsbaupolitik: »International hat es nirgendwo geklappt, dass man sich sozusagen aus der Krise herausbauen kann«, schreibt Matthias Bernt vom Leibniz-Institut für Raumbezogene Sozialforschung.[23] Der Forscher erklärt das so: Der Wohnungsmarkt funktioniere nun mal anders als der Spargelmarkt. Würde das Gemüse zu teuer, dann esse man davon einfach weniger. Bei Wohnungen sei das anders. Um in einem Viertel wohnen zu bleiben, würden Menschen auch völlig überteuerte Mieten akzeptieren. Ältere Menschen blieben in eigentlich viel zu großen Wohnungen wohnen, weil sie die Nachbarschaft nicht verlassen wollten. Gerade in alternden Gesellschaften verschärft das die Wohnungsnot noch zusätzlich.[24]

Nun ist es kein Naturgesetz, dass Städte auch in Zukunft so gebaut werden müssen wie heute. Es gäbe also durchaus die Möglichkeit, nicht einfach die Gegenwart fortzuschreiben, sondern Politik (!) zu machen. Städte und Kommunen haben Spielräume und der Bund könnte sie durch neue Gesetze zusätzlich noch weiten. Durch Bauvorschriften könnte verhindert werden, dass immer weiter die gleichen uniformen Häuser und Wohnungen in den immer gleichen Größen gebaut werden – die oft für Familien zu klein, für Singles zu groß und für alte Menschen zu unpraktisch sind. Und an deren Zuschnitt sich hinterher kaum noch etwas ändern lässt. »Viele würden sich wünschen, dass mehrere Generationen leichter zusammenwohnen können – und zwar nicht unbedingt nur Menschen aus einer Familie. Eltern würden Hilfe für die Kinderbetreuung finden und Senioren nicht vereinsamen«, sagt etwa die Innovationsforscherin und Professorin Monika Schnitzer: »Es gibt innovative Konzepte, um durch eine Verdichtung die Natur zu schonen und gleichzeitig die Gemeinschaft zu stärken, mit attraktiven öffentlichen Räumen zur Begegnung wie beispielsweise italienischen Piazzas und öffentlichen Parks – eine wichtige Alternative zum Bau von immer mehr weitläufigen Vorstadtsiedlungen.«[25] Auch in Deutschland gibt es viele gute Beispiele aus der Vergangenheit. Schon Ende des 19. Jahrhunderts wurden in den Großstädten andere, gemeinschaftlichere Bau- und Lebensformen erprobt. Oft entsprang die Innovationskraft der Not, denn es fehlte auch damals bezahlbarer Wohnraum. Also erfand die Arbeiterbewegung den genossenschaftlichen Wohnungsbau.[26] Hier und da hat sich diese Tradition sogar bis in die Gegenwart gerettet. Nur, heute klingt »Genossenschaft« oft eher nach grün-alternativer Mittelschicht. Die SPD hat den Teil ihrer Geschichte weitgehend verdrängt. Die CDU noch mehr, dabei haben auch deren christliche Arbeitervereine einst Genossenschaften gegründet. Die FDP hat noch nie viel von politischen Eingriffen in den Wohnungsmarkt gehalten. Und solange der Markt die Grundstückspreise in den Städten weiter nach oben treiben darf, kann sich dort sowieso nur noch die Mittelschicht das Wohnen leisten. Was dann wieder dazu führt, dass die Menschen mit kleinem Einkommen das Nachsehen haben.

Warum nicht anders planen und bauen? So, dass mehr Menschen auf weniger Platz besser wohnen. Dadurch könnte die Spaltung der Gesellschaft abnehmen, Menschen mit kleinem Gehalt müssten nicht immer weiter pendeln, die Viertel wären gemischt, die älteren Menschen weniger isoliert und die Kinder der Armen würden nicht zwangsläufig auf andere Schulen gehen müssen als die der Reichen: Ja, das klingt wie Sozialromantik. Und es klingt nach Ökosozialromantik, stellt man sich in der Nähe auch noch eine Streuobstwiese vor. Auf der könnten dann die Kinder unbeschwert ihr Eis essen, auf dass ihr Viertel auf dem Popsicle-Index nach oben klettert.

Spätestens jetzt schütteln die Pessimistinnen den Kopf, die Realisten haben Tausend Argumente, warum das alles nie etwas wird. Aber warum so verzagt? Das alles gab es und das gibt es in so manchem Ort auch heute noch, nur eben nicht oft genug. Es könnte aber wieder geschaffen werden, Dänemark beispielsweise baut inzwischen seine armen Wohnsiedlungen entsprechend um.[27] Das Ergebnis ist ein »ökologisch-sozialer-generationengerechter Fortschritt« – was zugegebenermaßen ein ziemliches Wortungetüm ist. Aber kleiner geht es in Zeiten der Polykrisen und des Populismus leider nicht mehr. Das eine Problem lässt sich nicht mehr lösen ohne das andere: Die Gerechtigkeit nicht ohne die Ökologie und umgekehrt. Kompliziert ist er schon manchmal, der Fortschritt. Aber möglich.

12

Warum die Parteien so schlecht zur Wirklichkeit passen

Über alte Grundwerte in Krisenzeiten

In einem Land, in dem immer weniger Menschen an ein besseres Morgen glauben, haben Parteien es schwer. Früher durften sie vielleicht noch darauf hoffen, dass die Leute sie schon deswegen für kompetent halten und auch künftig wählen werden, weil sie Probleme gestern gut gelöst haben. Doch sind diese Zeiten lange vorbei. Viele Menschen haben das Gefühl, dass da gegenwärtig nicht mehr viel gut gelöst wird: »*Die* Politik hat uns längst vergessen, und sie wird das auch künftig tun.« Ob das immer fair ist, sei dahingestellt. Sicher aber tragen die Parteien ein Teil der Schuld am Verdruss, weil ihre Politik offensichtlich nicht mehr überzeugt. Und ihre Geschichten vom Fortschritt auch nicht mehr.

»In der Moderne haben sich die großen Traditionslinien so sehr verworren, dass nichts mehr nur deshalb gilt, weil es gestern schon galt. Deshalb sind Geschichten heute erst recht ein wesentlicher Treibstoff gesellschaftlicher, kultureller und politischer Entwicklung«, schreibt der Hamburger Kultursenator Carsten Brosda in seinem lesenswerten Buch mit dem programmatischen Titel *Mehr Zuversicht wagen.*[1] Der Sozialdemokrat ist davon überzeugt, dass gerade das Leiden an den Übeln der Gegenwart der Treibstoff ist, den die Gesellschaft braucht, um weiter nach einer guten Zukunft zu suchen und darum zu kämpfen. Er selbst findet viele neue Ideen in Büchern, Theater- und Musikstücken. Die richtigen Ideen müssten nur noch an die Oberfläche transportiert werden und sich durchsetzen. Dann werde die Politik automatisch besser.

Denn gute Geschichten des Gelingens motivierten nicht nur zum Nachahmen, sie nähmen auch das Gefühl der Ohnmacht. Ja, Deutschland ist voller guter Ideen. Es gibt viele gute Lösungen auch für große Probleme. Kein Tag vergeht ohne Erfindungen, es entstehen neue Dinge, innovativere Produktionsweisen oder andere, praktischere, freundlichere Regeln für ein friedliches Zusammenleben. Viele Medien berichten inzwischen, gern am Wochenende, über positive Ereignisse. Die Rubrik heißt dann meist: »Die gute Nachricht«. Aber das alles reicht nicht. Damit sich gute Ideen in großem Stil durchsetzen, braucht ein Land Menschen, die dafür eintreten. Selbst der technische Teil des Fortschritts ist nicht immer ein Selbstläufer. Einfach weil die bestehenden Regeln eher die alten Industrien bevorzugen. Ohne Gesetze, die alte Standards modernisieren, schaffen es Innovationen oft nicht in den Markt. Ohne neue Bauvorschriften bleibt ökologisches Bauen schwer, ohne eine andere Verkehrspolitik nützt das tollste E-Rad wenig. Oder, um ein historisches Beispiel zu bemühen: Ohne das Erneuerbare-Energien-Gesetz (EEG), das die Netzbetreiber dazu zwingt, den Ökostrom zu akzeptieren, hätte es die Energiewende nicht gegeben.

Fortschritt, der vielen nutzt, benötigt also eine lebendige Demokratie und politische Mehrheiten. Und für die braucht es wiederum koalitionsfähige Parteien, jedenfalls in unserem System. Deswegen ist für die Innovationsfähigkeit des Landes entscheidend, wie sehr die Parteien sich heute von Neuem inspirieren lassen. Dazu müssen sie bereit sein, ihre Grundwerte und auch deren Priorisierung zwar im Kern zu bewahren, in der Anwendung aber zu modernisieren. Wie schaffen sie es, ihre wichtigsten Ziele den Bedingungen des 21. Jahrhunderts anzupassen? Wie sehr sind sie in der Lage, neu und frisch von diesen Zielen zu erzählen und sie zukunftskompatibel zu machen? Wie modern sind die Ampelparteien, wie modern sind CDU und CSU, die ja möglicherweise den kommenden Kanzler und Teile der Regierung stellen werden?

Schauen wir also auf die Essenz der bisherigen Kapitel und die Versprechen der Parteien dazu – und messen sie daran.

Alle Parteien eint eines: Ihre Wurzeln reichen ins vergangene Jahrhundert, damals entstand ihr jeweiliges Wertesystem, das auch heute noch Überzeugungen und Haltung ihrer Mitglieder prägt. Spätestens in dieser Legislaturperiode aber wurden die Parteien mit dem neuen Normal konfrontiert. Sie regieren und opponieren also unter den Bedingungen der Polykrisen. Und sie müssen auch künftig mit einer irren Beschleunigung klarkommen. Damit, dass alte Gewissheiten bröckeln. Damit, dass eingeübte Reaktionen auf die Weltläufe nicht mehr immer passen. Auf ruhige Zeiten hoffen, aber zugleich das Land, die eigenen Parteimitglieder und die Wählerinnen für die stürmischen vorbereiten: darum geht es heute. Denn auch deren Überzeugungen, Anpassungsfähigkeit und Widerstandskraft werden künftig viel härter auf die Probe gestellt werden als in der Vergangenheit.

Aus all dem folgt, dass Parteien nicht nur ihre Programme den neuen Zeiten anpassen, sondern auch sehr konkrete Fragen beantworten müssen: Was kann sich das Land noch leisten? Was funktioniert morgen nicht mehr, obwohl es gestern noch ging? Was müssen wir ändern, damit bleiben kann, was wir wertschätzen? Die Antworten müssen zwangsläufig anders ausfallen als vor der Klimakrise, vor Corona, vor dem Ukrainekrieg. Und sie fallen dann leichter, wenn Parteien ihre Grundwerte modernisiert haben: Was bedeutet »Gerechtigkeit« unter den Bedingungen der Polykrise für die SPD? Was »Freiheit« für die FDP? Was »Ökologie« für die Grünen? Und wie genau wollen CDU/CSU künftig noch »konservativ« sein – was wollen sie bewahren, wo sich so viel verändert?

Klar, Parteien sind keine Uniseminare. Im Alltag werden sie auch weiter darüber streiten, ob sie einen Mindestlohn wollen, mehr Verteidigungsausgaben oder mehr Geld für Bildung, und wer welchen Posten bekommt – also über ganz konkrete Themen. Doch daraus allein wird eben noch kein gutes Regieren, die Ampel demonstriert das jede Woche neu. Das Abarbeiten eines Koalitionsvertrages plus einer Portion Krisenmanagement überzeugt die Wählenden nicht mehr. Was wiederum im Falle der Ampel auch daran liegt, dass die jeweiligen Werte wie Mantras benutzt werden. Besonders auffällig ist das bei der FDP. Man hört irgendwann nicht mehr zu, wenn Christian Lindner laut Freiheit sagt, und man direkt an Porschefahrer denkt. Was nicht ganz fair ist, aber das Problem zeigt. Erzählungen von Parteien funktionieren nicht mehr, wenn sie erkennbar an die 60er-Jahre des vergangenen Jahrhunderts erinnern und nicht zu den aktuellen Problemen passen. Oder wenn die Melodie zu altmodisch klingt.

Es steht viel auf dem Spiel: Schaffen es die Parteien in Deutschland nicht, überzeugende Zukunftsbilder zu entwerfen, bringen sie nicht nur sich selbst in Gefahr. Sie tragen auch dazu bei, dass immer weniger Menschen für die liberale Demokratie im Wettstreit mit den autoritären Regimen überhaupt noch eine Chance sehen. Zu viele tendieren schon heute zu populistischen und rechtsradikalen Parteien. Die versprechen zwar oft nur ein Vorwärts in eine Vergangenheit, die es früher niemals gab. Aber sie können mit Bildern einer vermeintlich heilen Welt arbeiten, was um so leichter fällt, wenn eine Regierung dem nur technokratische Versprechen von einer wie auch immer gearteten »Transformation« entgegensetzt. Und das Versprechen des Kanzlers, Politik in Merkel'scher Tradition zu machen, also so, dass man davon nichts spürt. Was ganz offensichtlich nicht stimmt.

Beamen wir uns also hinein in die Parteien, um zu schauen, wo genau sie ihre Ideen polykrisenfest machen müssten. Dabei eines als Einschränkung vorweg: Eine Koalition aus CDU/CSU, SPD, Grüne und FDP wird den kommenden Kanzler oder die Kanzlerin stellen – in welcher Kombination auch immer. Diese Parteien werden also Gestaltungsmacht haben werden und nicht nur Verhinderungsmacht, deswegen beschränkt sich die Analyse auf diese fünf Parteien.

13
Konservativ und trotzdem modern sein
Die CDU

K aum etwas geht so schnell viral wie Fehler von Promis. Als Carsten Linnemann als frischgebackener Generalsekretär der CDU im Spätsommer 2023 das neue Erscheinungsbild seiner Partei vorstellt, sagt er:»Aufbruch, Erneuerung, Modernität – dafür steht die CDU.« Dann zeigt er einen kurzen Film, in dem der Reichstag zu sehen sein soll. Doch man erkennt den georgischen Präsidentenpalast. Kein Wunder, dass Linnemann danach fröhlich verspottet wird, es ist ja auch zu ulkig: Ausgerechnet die Partei, die so viel Wert auf Tradition und Beständigkeit legt, übersieht so einen Fehler.

Geschmunzelt wird auch über Linnemanns neue Farbenlehre, beziehungsweise die der CDU, die der Generalsekretär dann vorstellt.»Die CDU wird wieder schwarz«, sagt er, darauf verweisend, dass die drei Buchstaben CDU, die seit 1972 in roter Farbe gemalt wurden, ab sofort wieder schwarz sind. Interessant sind auch die Hintergrundfarben. Das»Rhöndorf-Blau« soll an Rhöndorf erinnern, einen Stadtteil von Bad Honnef. Dort lebte Konrad Adenauer, der erste Kanzler der Bundesrepublik.»Cadenabbia-Türkis« heißt die zweite Farbe, und wieder geht es um die Vergangenheit und um Adenauer. Cadenabbia ist ein kleiner Ort am Comer See. Dort verbrachte der Kanzler seine Urlaube in der »Villa La Collina«.»Er lernt dort Boccia spielen, findet Ruhe und schöpft neue Kraft, trifft aber auch zahlreiche Gäste aus dem In- und Ausland«, erzählt es die Internetseite der Konrad-Adenauer-Stiftung.[1] Soll durch die Farbwahl eine vermeintlich gute alte Zeit, die 50er-Jahre des vergangenen Jahrhunderts wieder aufleben, will die CDU zurück in die Zeit der Nierentische, Petticoats und Käsespießchen?

In Zeiten, in denen die Regierung offensichtlich nicht liefert – was auch immer dieses Liefern im Einzelnen sein mag – schweift der Blick vieler Leute automatisch zur stärksten Oppositionspartei, und damit zu der Frage: Wie sähe die Zukunft mit denen aus, mit CDU und CSU? Die beiden sind zusammen die mit Abstand beliebteste Parteienfamilie Deutschlands. Zwar sind Umfragen immer mit Vorsicht zu genießen, die hohe Zustimmung mitten in einer Legislaturperiode kann auch viel mit der hohen Ablehnung der Regierung zu tun haben, sie bedeutet nicht automatisch den Sieg bei der nächsten Wahl. Und dennoch: Die Wahrscheinlichkeit, dass die Konservativen die nächste Kanzlerpartei werden, ist hoch. Wie also steht es um ihre Zukunftskompetenz, was soll vor dem Cadenabbia-Türkis passieren?

In der Vergangenheit war die Antwort einfach. »Konservativ« bedeutet ja schon per Definition »bewahrend«. Konservative Parteien haben noch nie damit geworben, die Gegenwart in etwas Unbekanntes, in vages, utopisch Neues verändern zu wollen. Sie haben die Zukunft eher kommen lassen. »Progressive entwickeln Ideen von der Zukunft, während Konservative überlegen, wie der Beipackzettel mit Risiken und Nebenwirkungen aussehen müsste«, schreibt der CDU-Politiker Ruprecht Polenz.[2] Der Zeitgeist des Wandels sei dem Konservativen grundsätzlich eher suspekt. Und das Hineinregieren in das Leben der Menschen auch. Das aber müsse nicht schlimm sein, es lasse im Gegenteil viel Raum für die Kreativität der Menschen. Und auf die komme es schließlich an.

»Der Staat gibt durch seine Gesetze den Rahmen vor und stellt den Menschen durch seine Leistungen, beispielsweise durch ein gutes Bildungswesen oder eine intakte Infrastruktur, die Leinwand, Pinsel und Farbe zur Verfügung. Er malt aber nicht das Bild«, sagt Polenz am Telefon. Der Münsteraner war einst Bundestagsabgeordneter und um die Jahrtausendwende auch Generalsekretär der CDU. Heute ist er als Blogger auf X bekannt, hat knapp 100 000 Follower und gehört zu den progressivsten Politikern, die die CDU zu bieten hat. Er ist überzeugt, dass ein Land beides braucht,»Konservatismus und Fortschritt«. Beide seien dialektisch aufeinander bezogen.»Es ist wie beim Fahrradfahren«, sagt Polenz:»Man muss in die Pedale treten, um nicht umzufallen. Man braucht auch gute Bremsen, um sicher vorwärtszukommen.«

Der Erfolg hat den Konservativen oft recht gegeben, jedenfalls wenn man ihn in Wahlsiegen misst.»Staatspartei der Bundesrepublik« wurden sie in der Vergangenheit genannt,»Kanzlermaschine« oder»Kanzlerwahlverein«.[3] Keine andere Partei hat die Bundesrepublik so lange regiert wie die Union. Fünf von acht Bundeskanzlern kamen aus der CDU. Niemand hat das Kanzleramt länger innegehabt als Angela Merkel. Die Erklärungen dafür füllen Bücher, drei aber tauchen immer wieder auf: Erstens habe Merkel den Menschen die Politik und die Krisen weitgehend vom Hals gehalten. Zweitens habe sie wenig von ihnen gefordert. Und drittens habe sie niemanden mit Utopien belästigt, vielleicht weil sie selbst in der untergegangenen DDR davon zu viele hat ertragen müssen. Die Zukunft, so suggerierte sie den Wählenden erfolgreich, ist wie eine Verlängerung der Gegenwart. Nur mit einem neueren Smartphone in der Tasche.

»Parteien, die ausdrücklich oder erkennbar eher auf Bewahren als auf Verändern setzen, haben in Deutschland einen Wettbewerbsvorteil«, sagt der ehemalige Bundestagspräsident Norbert Lammert. Er empfängt in der Konrad-Adenauer-Stiftung, deren Chef er seit einer Weile schon ist. Lammert kennt die Deutschen gut, 27 Jahre hat er sie im Bundestag vertreten, und oft in Bürgerrunden die Berliner Politik erklärt. Drei Legislaturperioden lang war er zudem Bundestagspräsident und damit protokollarisch der zweithöchste Repräsentant des Landes. Für seinen sorgfältigen Umgang mit der Sprache hat er zahlreiche Rhetorik-Preise gewonnen. Dieser Tage treibt ihn besonders um, wie man Menschen in einer durch soziale Medien aufgepeitschten Öffentlichkeit noch zum wirklichen Reden miteinander bringt. Und zum Nachdenken.

»Ich denke, man übertreibt nicht oder nur maßvoll, wenn man den Deutschen eine sehr begrenzte Veränderungsbereitschaft attestiert. Die Freude an Stabilität ist in Deutschland erkennbar ausgeprägter als die Freude an Innovation«, sagt Lammert. Deswegen hätten »die Grünen auch erst reüssiert, nachdem sie ihre Fortschrittsrhetorik zugunsten einer Bewahrungsrhetorik modifiziert haben«, so der Politiker: »Solange die Grünen auf die Mehrheit der Wählerschaft fortschrittsbesoffen gewirkt haben, waren sie für sie auch erkennbar nicht regierungsfähig.« Konservative würden solche Fehler eher nicht machen, was man aber nicht damit verwechseln dürfe, dass sie nichts verändern wollten. Unter Kanzlerin Merkel beispielsweise wurde die Wehrpflicht gestrichen, es kam die Ehe für Alle, die Frauenquote in Aufsichtsräten und der Mindestlohn wurde eingeführt. Viele Veränderungen passierten allerdings erst, als es dafür bereits solide Mehrheiten in der Bevölkerung gab.

Man kann also tatsächlich nicht behaupten, Konservative seien gegen den Wandel. Einen nicht besonders stark ausgeprägten proaktiven Gestaltungswillen belegt es schon. »Wenn allgemeine Einsichten mit konkreten Interessen kollidieren, haben die Einsichten schlechte Karten. Das kann man am Klimathema sehr gut exemplifizieren. Die allgemeine Einsicht ist inzwischen sehr groß und sehr stabil. Aber sobald sie sich in Heizungsanlagen oder Autokäufe oder welcher Art von Dachgestaltungen und was auch immer umsetzt und dann konkrete Interessen involviert sind, wird es ganz schwierig«, sagt Lammert. Konservative glauben also nicht daran, Wahlen dadurch zu gewinnen, dass sie heute radikale Lösungen für Probleme von Morgen vorschlagen. Sondern eher, indem sie vornehmlich das umsetzen, was gesellschaftlich bereits eine Mehrheit hat.

Politik für die »Mitte« nannte Bundeskanzlerin Angela Merkel diese Art des Regierens und sie setzte lange und erfolgreich Mehrheit, Union und Mitte gleich.[4] Das ging bis hin zur Frage, wo ihre Partei im Plenum des Bundestages sitzt, natürlich in der Mitte. Es ist daher kein Zufall, dass heute nach jeder Bundestagswahl alle Fraktionen darum kämpfen, möglichst in der Mitte des Plenarsaals platziert zu werden. Erst gegen Ende der langen Merkel-Ära wurde der Überdruss der Wählerschaft an »dem wegmoderierenden Pragmatismus, dem unterargumentierenden Regieren und der stets situativen postheroischen Empörungsverweigerung dann doch zu groß«, analysiert der Politikwissenschaftler Karl-Rudolf Korte.[5] Wobei Merkels Stil selbst nach ihrem Ausscheiden weiter Millionen Fans hat. Ihr Nachfolger Olaf Scholz gewann die letzten Bundestagswahlen auch wegen seines impliziten Versprechens: Wenn Ihr mich wählt, ändert sich wenig. Die Mittewerdung der Sozialdemokratie war damit vollendet.

Noch streitet die Geschichtswissenschaft über das endgültige Urteil über die Merkel'sche Politik. Sicher aber ist, dass sie zu einer gewissen Zukunftsabgewandtheit des Landes geführt hat. Die kaputte Infrastruktur, die marode Bundeswehr und das permanente Versagen in der Klimapolitik sprechen jedenfalls nicht dafür, dass sie die Krisen der Zukunft besonders ernst genommen hat. Oder hatte Merkel einfach nicht die Macht, sie ernst zu nehmen? Offensichtlich ist jedenfalls: Ihr stilles Wegmanagen von Problemen und ihr offensichtliches Desinteresse an inhaltlichen Diskussionen über die richtige Politik haben zu einer intellektuellen Leere der CDU geführt, die ihr Nachfolger Friedrich Merz seither zu füllen versucht: Wie viel Konservatismus darf es sein? Wie viel Modernität muss sein? Und wie passt beides in der Welt der Polykrisen zusammen?

Nachdem dann Merz im Januar 2022 die Führung der CDU übernommen hatte und die Partei in einem ziemlich desolaten Zustand vorfand, inhaltlich leer zerstritten, waren die Antworten zunächst unklar. Merz sandte zunächst Signale, die eher auf einen Rechtsruck hindeuteten, darauf, dass der Fortschritt eher aus vielen Rückschritten bestehen würde. Er war deutlich pointierter als seine Vorgängerin, aber meist in eine Richtung, ins Rechtskonservative. Er beteiligte sich mit Wucht am Kulturkampf gegen das Gendern. Polemisierte über »kleine Paschas«, wohl wissend, dass diese Themen- und Wortwahl auch die populistische Rechte stärkt. Er schimpfte auf die Grünen und verärgerte so diejenigen in seiner Partei, die in den Ländern erfolgreiche Koalitionen mit der grünen Partei eingegangen sind. Beispielsweise in Nordrhein-Westfalen. Dann aber gab er sich nach und nach immer staatstragender, beim Parteitag im Frühjahr 2024 war seine fast eineinhalbstündige Rede so mittig, dass sie kaum eine Schlagzeile hergab. Man könnte auch sagen, der Merz machte die Merkel, was der Parteichef natürlich empört von sich weisen würde.

Was also ist am Konservatismus heute zukunftsfähig? Die Sache auf den Punkt bringt Tilman Kuban. Er fasst sie so zusammen: »Heimat und Hightech«.[6] Als der Mann das sagte, war er Vorsitzender der Jungen Union, heute ist er Bundestagsabgeordneter. Mit den beiden scheinbar gegensätzlichen Worten erinnert er an eine lange Tradition. »Laptop und Lederhose« lautete der Vorgänger dieses Slogans, den einst Roman Herzog erfunden hatte. »Im Grunde hätte nur noch die Übernahme eines Laptops und einer Lederhose ins Parteilogo gefehlt«, schriebt die *Süddeutsche Zeitung* (SZ) ein Vierteljahrhundert später, da suchte die CSU verzweifelt nach einer Alternative. Nach so langer Zeit sollte es sogar bei Konservativen mal was Neues geben. Der bayrische Ministerpräsident Markus Söder versuchte es so: Bayern sei »die richtige Mischung von Tradition und Moderne, von Hightech und Heimat, von Leberkäs und Lasern«. Süffisant spann die *Süddeutsche Zeitung* das weiter und fragte: Wie wäre es noch zusätzlich mit: »Rostbratwürste und Rasterelektronenmikroskop« oder »Hashtag und Hax'n«.[7]

Man kann den Slogan profund verulken – aber auch nur, weil das Original so gut ist. Er fasst die Geisteshaltung der konservative Parteifamilie perfekt zusammen: Sie wertschätzt die Tradition ebenso wie den Tüftler, setzt auf technische Innovationen – wenn sie die Gesellschaft nicht zu stark verändern. »Damit alles bleibt, wie es ist, muss sich alles ändern.« Der berühmte Satz aus dem italienischen Roman *Der Leopard*[8] wurde oft als das inoffizielle Motto des gemäßigten Konservatismus bezeichnet, er beschreibt dessen Dilemma perfekt. Es gibt nur leider heute ein Problem, von dem der Autor Giuseppe Tomasi di Lampedusa noch nichts ahnte. Allein mithilfe von Hightech wird die Lederhose nicht überdauern – oder es wird denen, die sie tragen, darin ziemlich heiß werden. Jedenfalls solange die Hosen weiter aus Leder sind, und die Sommer immer heißer werden.

Oder, allgemeiner formuliert: Das pure Hoffen auf technologische Innovationen der Wirtschaft hat jedenfalls in den vergangenen 50 Jahren nicht zu einer effektiven Umweltpolitik und damit zu der nötigen Krisenresilienz geführt. Und die Ziele und Rahmenbedingungen, die die CDU der Wirtschaft in der Klimapolitik in den vergangenen Jahrzehnten gesetzt hat, haben diese nicht besonders erfolgreich gemacht.

Bei anderen politischen Strömungen würde man nun zur weiteren Orientierung in das Programm schauen. Doch wo Linke mitunter zum Dogmatismus neigen, neigen die Konservativen eher dazu, Grundsätze sehr luftig zu fassen. Oder positiver formuliert: Sie sind pragmatisch und nicht programmatisch. »Wir setzen auf Alltagsvernunft«, heißt es luftig im neuen Grundsatzprogramm der CDU. Und: »Wir Christdemokraten sehen uns in der Verantwortung, die Schöpfung zu bewahren. Wir verstehen Nachhaltigkeit umfassend. Nachhaltiges Denken und Handeln gehört zur DNA unserer Partei.«[9] Es folgen dann noch viele schöne Sätze. Aber wenig Konkretes. Grundsatzprogramme heißen so, weil sie grundsätzlich nicht gelesen würden, bringt der CDU-Beobachter Moritz Küpper[10] das ziemlich gelassene Verhältnis der Partei zu ideologischen Kämpfen auf den Punkt: Christdemokraten schrieben ihr Grundsatzprogramm, verabschiedeten es, und legten es in die Schublade. Und nur selten würde es dann wieder hervorgeholt.

Wie also würde die CDU, so sie denn die kommende Regierung stellt, das Land auf die Zukunft vorbereiten, wie vor Krisen schützen? Freiheit, Steuern, Bürgergeld – Merz braucht beim Parteitag rund 40 Minuten, bis er über die Umwelt spricht. Sicherheit und Vorsorge ist für ihn vor allem mit Verteidigungspolitik verbunden – und nicht damit, dass sich das Land für die Folgen von Naturkatastrophen wappnen muss. Das Wissen, dass wir etwas tun müssen, sei in der Partei dennoch breit verankert, sagt Andreas Jung. Er ist Bundestagsabgeordneter, stellvertretender Bundesvorsitzender der CDU – und so etwas wie das ökologische

Gewissen der Partei. Er vertritt den Wahlkreis Konstanz, kommt also aus einer Gegend, in der die härteste Konkurrenz die Grünen sind. Jung verweist stolz darauf, dass das Klimagesetz unter einer CDU-Kanzlerin verschärft und unter einem SPD-Kanzler weichgespült worden sei. Allerdings gibt er auch zu, dass seine Partei, seit sie auf der Oppositionsbank gelandet ist, auf diesem Feld auch nicht gerade mit innovativen Forderungen von sich reden macht. Das sei allerdings auch, sagt er, gerade schwierig. Das Heizungsgesetz habe viel Akzeptanz bei diesem Thema gekostet.

Und wie sieht die Praxis dort aus, wo Konservative regieren? Zu unterschiedlich ist ihr Auftreten, in Inhalt und Tonlage, um daraus viel schließen zu können. In NRW regiert der konservative Hendrik Wüst geräuschlos mit den Grünen. In Bayern regiert Markus Söder mit den Freien Wählern und polemisiert heftig gegen die Grünen. In Hessen hat die CDU nach den jüngsten Landtagswahlen die SPD vorgezogen und die Grünen vor die Tür gesetzt. Und der heutige Bürgermeister Kai Wegner schlug sich im Wahlkampf in Berlin klar auf die Seite der Autofahrer aus den Vororten, und das half ihm beim Einzug ins Rote Rathaus. Kurz darauf dachte er laut und öffentlich über autofreie Straßen in der Innenstadt nach.[11] Flexibilität, dein Name ist CDU![12]

Für den Soziologen Thomas Biebricher stecken die Konservativen wegen ihrer Unfähigkeit, eine konstruktive Haltung zu den großen kommenden Veränderungen der Natur zu finden, sowohl in Deutschland als auch international tief in der Krise.[13] Die guten Umfragewerte in Deutschland machten sie derzeit zwar zu einem Scheinriesen. Aber wie lange das halten werde, sei sehr unsicher. Das sehr grundsätzliche Problem der CDU sei, dass sie zwar theoretisch die Schöpfung bewahren wolle. Wenn es jedoch darum gehe, das in konkrete Politik zu verwandeln, werde es für sie schwierig, dann bremsten die Abgeordneten und die Parteibasis. 16 Jahre Kanzlerschaft von Angela Merkel haben das tatsächlich mehr als einmal gezeigt: In ihren Reden und auf internationalem Parkett war die Kanzlerin immer eine engagierte Umweltschützerin. Zeitweise trug sie sogar den inoffiziellen Titel »Klimakanzlerin«[14]. Im bundespolitischen Alltag aber schreckte sie regelmäßig vor harten Maßnahmen zurück, jedenfalls, wenn das bedeutet hätte, für den Schutz der Natur gegen konkrete ökonomische Interessen vorzugehen, beispielsweise gegen die der Autoindustrie oder der Bauern.

Eine konservative Politik, die die Zukunft besser macht, braucht deswegen immer noch keine Utopien im progressiv-linken Sinne. Aber die alte CDU-Strategie – die Gesellschaft so lange über ein Thema streiten zu lassen, bis sich ein politischer Kompromiss abzeichnet – wird künftig immer öfter daran scheitern, dass dafür die Zeit fehlt. Denn anders als in der Vergangenheit zeichnen sich die Krisen der Zukunft dadurch aus, dass ihre Vorboten zwar schon heute näherkommen, beispielsweise in Form von Überschwemmungen oder Dürren. Doch die Bedrohung wird offensichtlich von vielen immer noch nicht als so stark empfunden, dass sie eine kostspielige Vorsorgepolitik akzeptieren. Sorgt ein Land jedoch nicht vor, dann treffen die Folgen die Menschen in ein paar Jahren um so härter. Die Bevölkerung wird also immer und immer wieder neu überzeugt werden müssen, dass eine Wärmepumpe im Keller nicht das Ende der Zivilisation, wie wir sie kennen, bedeutet. Sondern das Gegenteil. Und dass Fliegen und Öl-Tanken zwar teuer werden, dafür aber in der Zukunft ein paar Unannehmlichkeiten vermieden werden könnten.

Das alles geht nicht ohne politische Führung und viel Kommunikation. Konservative brauchen dafür deutlich mehr Willen, den Wandel zu gestalten und anzutreiben, als sie bisher geübt und für nötig befunden haben. Oder, um es mit den Worten von Polenz zu sagen: Die Umrisse, die die CDU malt, und die die Gesellschaft dann ausfüllen kann, müssen deutlich klarer gezeichnet werden.

Die Klimaunion, eine Gruppe innerhalb der CDU, versucht inzwischen, in der Partei das Bewusstsein für diese Problematik zu wecken. Doch selbst wenn dieser Kreis beständig wächst – Karriere macht man in der CDU vor allem anderswo. Beispielsweise in der Mittelstandsvereinigung, wo Umweltpolitik immer noch unter Linksverdacht steht. Ein Grund für dieses unernste Wegducken vor dem entscheidenden Zukunftsthema erklärt ein in der CDU sehr vernetzter und einflussreicher Politiker so: »Mit dem Versprechen von Zumutungen kann man nicht in den Wahlkampf ziehen. Die muss man machen und umsetzen, wenn man gewählt ist.« Er sagt das nur unter der Bedingung, nicht zitiert zu werden, und er lässt damit die entscheidende Frage offen: Kann man sich unter solchen Bedingungen darauf verlassen, dass ein konservativer Bundeskanzler dann schnell genug genau das Richtige tun wird?

Wäre die Klimapolitik ein Themenfeld unter anderen und damit nur eine der vielen Zukunftsaufgaben, dann könnte man argumentieren: So what? Ist eben nicht die Stärke dieser Partei, soll sich doch der künftige Koalitionspartner kümmern. Das Problem ist nur: Die künftigen Wirkungen der Klimakrise verändern heute schon die Wirtschafts- und Finanzpolitik in anderen Ländern. Sowohl in den USA als auch in China werden schuldenfinanzierte Programme aufgelegt, um die Infrastruktur der jeweiligen Länder zu modernisieren und für eine CO_2-freie Zukunft umzubauen. Sowohl die Amerikaner als auch die Chinesen betreiben so Geoökonomie – und versuchen, bei den Technologien der Zukunft die Führung zu übernehmen. In den beiden entscheidenden globalen Ordnungsmächten wird die Wirtschaft also immer stärker auch als ein strategisches Mittel gesehen, das man geopolitisch nutzen kann, was nichts weniger als einen fundamentalen Ideologiewechsel bedeutet. Beide Staaten setzen nur noch begrenzt auf Freihandel und internationale Abkommen. Lieber fördern sie eigene Unternehmen, und dabei vor allem in den Branchen, die in einer CO_2-freien Wirtschaft gebraucht werden: im Automobilmarkt, bei der Schwerindustrie, der Energiebranche. All das sind auch die Sektoren, von denen die traditionell exportstarke deutsche Wirtschaft massiv abhängt.

In Deutschland hingegen gehört zum Markenkern der CDU die schwarze Null und die Schuldenbremse, und das schränkt den fiskalischen und den wirtschaftspolitischen Spielraum jeder kommenden Regierung massiv ein. Die aktuellen Rezepte der CDU hätten so auch vor zwanzig Jahren in Ökonomiebüchern stehen können: Der Markt solle für die Infrastruktur sorgen, auf

Subventionen solle man nicht mit Gegensubventionen reagieren und überhaupt für mehr Freihandelsabkommen sorgen.[15] Das Beharren auf diesen altbekannten Lösungen mag dem Dasein in der Opposition geschuldet sein – eine konservative Regierung könnte künftig durchaus anders handeln. Jedenfalls hat sie das in der Vergangenheit häufiger schon getan. Der CSU-Wirtschaftsminister Karl-Theodor zu Guttenberg hat einst das Autounternehmen Opel mit staatlichem Geld gerettet, Marktwirtschaft hin oder her. In Zukunft könnte ein konservativer Wirtschaftsminister den grünen Umbau der Stahlindustrie genauso staatlich subventionieren, wie das der grüne heute tut. Vielleicht. Oder vielleicht auch nicht.

Und damit ist man beim zentralen Problem im Umgang mit der CDU – ihr Pragmatismus im Konkreten lässt nur eine ziemlich unsichere Prognose über künftige Politik zu. Ist der öffentliche Druck groß genug, dann ist mit ihr viel Politikwechsel und viel Krisenprophylaxe möglich. Ohne Druck wird es schwierig. Und das wiederum macht sie zu einer unsicheren Kandidatin, wenn es um die Zukunftsgestaltung geht.

14

Was bedeutet Gerechtigkeit heute?

Die SPD

Die Parteizentrale der SPD residiert im Willy-Brandt-Haus in Kreuzberg, einem Gebäude mit lichtem Innenhof. Man kennt es aus unzähligen Fernsehnachrichten, die SPD-Granden geben dort häufig ihre Pressekonferenzen. Meist ist die Bühne so aufgebaut, dass die große Skulptur von Willy Brandt neben dem Sprecher steht. Willy sieht dann immer so aus, als ob er mit seiner Hand die Richtung weisen will. An diesem Abend im November 2023 hat die Grundwertekommission der SPD hier zu ihrem 50. Geburtstag geladen. Diese Kommission ist so etwas wie das intellektuelle Rückgrat der Sozialdemokratie. Willy Brandt hatte sie 1973 gegründet, weil er von ein paar Leute beraten werden wollte, die nicht in der Tagespolitik untergingen. Heute lächeln die Parteichefs deren Ideen wegen vermeintlicher Realitätsferne gern mal weg oder ärgern sich darüber. Zugleich aber ist die Kommission der Ort, an dem die SPD noch so sein kann, wie sie am liebsten immer wäre: diskussionsfreudig und voller Ideen.

»Im Inneren als auch von außen werden unsere Werte- und Politikkonzepte unter Stress gesetzt. Was antworten wir in dieser Zeit?«, lautet der Text auf der Einladung. An diesem Abend soll groß gedacht werden. Hier also soll man erfahren, wie die Partei die Zukunft gestalten will. Der Fortschritt hat dabei schon immer eine zentrale Rolle gespielt, immerhin glaubt diese Partei seit über 160 Jahren daran, dass er den Sozialstaat verbessern, Wohlstand und Wohlfahrt der Menschen steigern wird. Fest macht sich das immer wieder an dem Begriff »Gerechtigkeit«. Wie modern ist also die Sozialdemokratie noch, wenn es darum geht, die Gesellschaft fortschrittlicher und gerechter zu machen?

Parteichef Lars Klingbeil, der ursprünglich nur kurz zum Gratulieren kommen wollte, nimmt sich Zeit, obwohl die Ampel mal wieder heftig streitet. »Ich bin in einem Land aufgewachsen, in dem meinen Eltern klar war, dass es mir einmal besser gehen sollte als ihnen«, sagt er in seiner Gratulationsrede und zitiert eine Studie, nach der nur noch 22 Prozent der Menschen in Deutschland an so etwas glaubten. Den »Glauben an eine bessere Zukunft« zurück zu erkämpfen, das sei der wichtigste Auftrag.[1] Das klingt nun nicht gerade nach dem Chef einer Partei, die seit 2013 mitregiert oder regiert, also maßgeblich für Deutschlands vergangene Zukunft mitverantwortlich ist.

Von der Decke des Foyers hängen Schilder. Auf denen steht: »Deutschlandticket eingeführt« und »Zusammenhalt« und »14 MRD für bezahlbares Wohnen«. Sie hängen da schon länger, aber an diesem Abend könnten sie als Sprechzettel von Klingbeil dienen. »Das Versprechen für eine bessere Zukunft geht mit ganz konkreten Antworten auf die alltäglichen Herausforderungen der Bürger einher. 12 Euro Mindestlohn, der Kampf für stabile Renten, bezahlbares Wohnen«, sagt Klingbeil, und er nennt das »Vision und Wirklichkeit in Einklang« bringen. Dafür stehe die Sozialdemokratie, und deswegen sei man eben auch nicht »die schrillste, lauteste, hippste Partei«. Tatsächlich ist man in der SPD seit jeher stolz darauf, die Mühe der Ebene den großen Visionen vorzuziehen. »Opposition ist Mist« hatte ihr ehemaliger Parteivorsitzender Franz Müntefering einmal gesagt, und meinte damit: Es ist besser, in einer Regierung die eigenen Ziele heute wenigstens halbwegs zu erreichen, als auf den Oppositionsbänken von einem wunderbaren Morgen zu träumen. Diese Haltung hat die SPD oft an die Macht gebracht.

Nur bekommt ihnen das immer schlechter. Die Zustimmung zur SPD schrumpft, seit Olaf Scholz Kanzler ist, mehr denn je. Wofür es drei mögliche Erklärungen gibt. Entweder die Leute verstehen nicht, wie gut die Sozialdemokratie für das Land wirklich ist (was manche in der Partei gern glauben). Oder die SPD löst die großen Probleme eben doch nicht gut genug: Die Wohnungspolitik liefert nicht genug Wohnungen. Die Sozial- und Steuerpolitik nicht genug Gerechtigkeit. Die Sicherheitspolitik nicht genug Sicherheit und die Umweltpolitik nicht genug Klimaschutz. Oder – und das ist wohl die gefährlichste der Möglichkeiten – es reicht der Mehrheit einfach nicht mehr, wenn eine Regierung zwar das ein oder andere Problem wegorganisiert (was in heutigen Zeiten tatsächlich nicht wenig ist), es gleichzeitig aber nicht schafft, der Zukunft das Bedrohliche zu nehmen. Wenn sie keine überzeugenden Geschichten des künftigen Gelingens mehr erzählen kann.

»Hinter all der Versachlichung tritt früher oder später die Frage nach der Akzeptanz hervor und damit die alte neue Frage, wie wollen wir leben.« Der Soziologe Ulrich Beck hat diesen Satz geschrieben, bereits 1986, in seinem Buch über die »Risikogesellschaft«.[2] Ihn trieb damals schon die Frage um, wie bei Menschen das Gefühl von Ohnmacht entsteht und wie diesem Gefühl trotz immer komplexerer Zusammenhänge politisch begegnet werden kann. Beck hoffte auf eine sogenannte zweite Moderne, darauf, dass die Verwerfungen, die der Kapitalismus in der Politik anrichtet, durch soziale Bewegungen, Initiativen und die Bürgergesellschaft (die Bürgerinnen wurden damals noch subsumiert) geheilt würden. Und damit auch das Verhältnis des Einzelnen zur Gesellschaft. In der SPD war der Soziologe wegen solcher Ideen sehr beliebt – nicht zuletzt, weil er sich öffentlich auch ein »sozialdemokratisches Jahrhundert« gewünscht hat. Er selbst war allerdings gegen Ende seines Lebens über die real existierende Sozialdemokratie eher frustriert. 2007 fragte er in einem Essay in der *Zeit*: »Wo ist der Willy Brandt von heute, der es vermag, die Gerechtigkeitsfrage – die politische Schlüsselfrage des beginnenden 21. Jahrhunderts – sowohl global als auch national, sowohl ökonomisch als auch ökologisch, neu auszubuchstabieren?«[3]

Die Frage nach einem neuen Willy lässt viele in der SPD sofort in Melancholie verfallen, während die pragmatischen unter ihnen nur lässig antworten: Auch nach Willy hat die SPD immer wieder regiert oder mitregiert, und sie stellt heute den Kanzler. Irgendetwas machen wir also doch im entscheidenden Augenblick richtig – wenn es darum geht, dass die Leute an der Wahlurne ihr Kreuzchen machen. Stimmt bisher. Nur wäre es dennoch fahrlässig, sich auf diesem Erfolg auszuruhen. Dazu sind die aktuellen Umfragen nun doch zu mies.

An jenem Abend in der SPD-Parteizentrale tritt eine Sozialdemokratin auf, die sehr grundsätzlich denkt. Gesine Schwan, die große alte Dame der SPD. Die Politik-Professorin hatte schon immer Mut, zweimal ist sie für die SPD als Kandidatin für das Bundespräsidentenamt angetreten. Schwan verlor jedes Mal, aber sie ließ sich nicht unterkriegen, sie ist eine Kämpferin. »Unsere Grundwerte – das hat sich herumgesprochen – sind Freiheit, Gerechtigkeit, Solidarität«, sagt sie. Und dann spricht sie davon, dass diese Werte »universalistisch« und zugleich bedroht seien, und dass Freiheit und Gerechtigkeit für Sozialdemokraten immer eng verbunden seien. Und dass sich daraus unmittelbar die Frage ableite: Wie kann der Staat besser ausgestattet werden, um beides zu garantieren? Ausgerechnet in den Tagen, in denen sich die Ampel darauf einigen wird, die Staatsausgaben radikal zu kürzen, fordert sie das Gegenteil.

Nicht nur sie. In der SPD wächst die Zahl derer, die vor allem den Staat besser finanziell ausstatten wollen, damit er dann den Menschen wieder besser dienen kann. Sie argumentieren damit, dass weder die deutsche Staatsquote, also die staatlichen Ausgaben im Vergleich zum BIP, noch die Sozialausgaben im internationalen Vergleich hoch sind.[4] Sie wollen wieder mehr Gerechtigkeit dadurch erreichen, dass sie dem Staat zurückgeben, was er in den neoliberalen Zeiten verloren hat: Geld – und damit Handlungskompetenz, Planungskapazitäten und schlicht und einfach kluge Leute. Damit die Behörden endlich den Job bei der Renovierung des Landes besser machen können: schneller Genehmigungen erteilen, die Schulen modernisieren und die Bahn. Sie wollen mehr Geld für Bildung und für die Forschung ausgeben – und für die Transformation der Wirtschaft und der Gesellschaft. Also für all das, was ein Land braucht, das die Zeit seiner Menschen nicht für das Warten auf den nächsten Zug verschwenden, sondern stattdessen auch morgen noch in der ersten Liga mitspielen will.

Die nötigen Mittel sollen durch die Reform der Schuldenbremse hereinkommen, die dem Staat zeitweise eine höhere Verschuldung erlaubt. Die Partei fordert das, doch Olaf Scholz hält sich bedeckt. Es soll auch mehr Geld bei den Vermögenden eingetrieben werde, beispielsweise über eine Vermögenssteuer. Die gab es einst über lange Zeit, von 1922 (ja tatsächlich) bis 1996, seither ist sie ausgesetzt. Möglich wäre auch eine höhere Erbschaftssteuer: Immerhin werden jedes Jahr bis zu 400 Milliarden Euro vererbt. »Ähnlich wie die Forderung nach einer Erhöhung der Spitzensteuer zählt der Wunsch nach einer stärkeren Belastung großer Erbschaften und Schenkungen seit Jahrzehnten zur sozialdemokratischen Programmatik. In jedem Wahlprogramm findet sich die Forderung«, kommentiert das der Journalist Andreas Niesmann von Redaktionsnetzwerk Deutschland und fügt leicht süffisant hinzu: »Bislang hat sich die SPD ihre Ideen zur Erbschaftssteuer in Koalitionsverhandlungen stets ohne großen Widerstand abhandeln lassen. Die Wahrscheinlichkeit ist hoch, dass das so bleibt.«[5] Olaf Scholz jedenfalls hat nie große Lust gezeigt, die großen Hebel der Umverteilung zu nutzen. Also auch nicht daran, die Vermögenden stärker an den Kosten der sozial-ökologischen Transformation zu beteiligen.

Wenn ein sozialdemokratischer Kanzler aber nicht umverteilen, keine neuen Schulden aufnehmen und zugleich den Kampf gegen den »menschengemachten Klimawandel« durch eine »Transformation« beschleunigen will, wofür er Milliarden an Euros braucht, dann ist das die Quadratur des Kreises. Zumal auch noch neue Verteidigungsausgaben in bisher beispielloser Höhe dazukommen. Nun kann man dem Kanzler vielleicht zugutehalten, dass er in seinem Wollen und Tun nicht frei ist. Manches fordert er vielleicht deswegen nicht, weil es mit der FDP gerade sowieso nicht zu bekommen ist – und er in dem Augenblick, in dem die FDP aus der Regierung geht, die Kanzlerschaft los wäre. Nur, Scholz lässt ja nicht einmal durchblicken, dass er eine grundsätzlich andere Finanz- und Verteilungspolitik gut fände. Eine, die zu den Wünschen seiner Partei passt.

Was also kann die SPD unter solchen Bedingungen dann bieten, um zukunftsfähiger und damit wieder wählbarer zu werden? Im vergangenen Wahlkampf hat Scholz mit dem Versprechen gepunktet, das jeder Mensch im Lande Respekt verdient habe. Er hatte sich das vom Philosophen Michael Sandel geliehen, doch dasselbe Motto bei der nächsten Wahl wieder zu nutzen, dürfte wohl kaum reichen.[6] Respekt bezahlt nämlich keine Wohnungen. Und er hilft auch nicht gegen Zukunftsangst. Zumal sich auch Scholz' zweites, implizites Versprechen mittlerweile als ziemlich hohl herausgestellt hat. Nämlich die Suggestion, dass die Modernisierung des Landes etwas ist, das der Staat und die Wirtschaft weitgehend allein bewältigen und von dem die meisten Leute nicht mitbekommen müssen. Spätestens seit der Wärmepumpe hat sich das ganz offensichtlich als falsch erwiesen.

Parteichef Klingbeil versucht die Zukunft an diesem Abend mithilfe des neuen Lieblingsworts der SPD weniger bedrohlich wirken zu lassen. Damit »Wohlstand und Sicherheit« künftig »bewahrt« werden könnten, brauche es die »Transformation«. Transformation? Das gewaltige Substantiv, in dem so viel Technik mitschwingt und so wenig Wärme, soll den Leuten die Angst vor der Zukunft nehmen? Wann immer die SPD über die Gestaltung der Zukunft spricht, fällt dieser Begriff. Es gibt sozialdemokratische Transformations-Teams, Aktionswochen, Veranstaltungen, Papiere, Podiumsdiskussionen.[7] Der Bundeskanzler hat eine »Allianz für die Transformation« berufen, die soll den »nachhaltigen Wohlstand für die Zukunft sichern.«[8] Die SPD-Bundestagsfraktion findet: »Der Transformationsprozess muss neuen Fortschritt mit sozialer Sicherheit und Demokratie verbinden.«[9]

Man kann das Wort noch so oft wiederholen, doch es will partout kein Bild von der Zukunft entstehen. Dieser Begriff ist so technisch wie unkonkret, und viele finden ihn bedrohlich: Wer will schon transformiert werden? Zwar ahnen wir, dass wir nicht so weiterleben, heizen und fahren dürfen wie bisher. Und auch, dass die Transformation wohl keine rein technische Angelegenheit sein wird. Aber es fehlen die politischen Antworten, die die Angst nehmen: Welche Jobs werden dabei draufgehen, welche erhalten bleiben? Wie gut werden die sein, die neu entstehen? Wer zahlt für die Kosten des Umbaus? Was wird sich sonst noch verändern: Die Städte? Das Land? Die Art des Zusammenlebens und wie wir konsumieren? Über all diese Gerechtigkeitsfragen wird vom Kanzler kaum und von der SPD wenig geredet. Was auch deswegen ein Problem ist, weil nur etwa 20 Prozent der Gesamtbevölkerung die Transformation bisher als gerecht empfinden. Als ungerecht bewertet wurde vor allem die Verteilung von Nutzen und Kosten zwischen Gut- und Geringverdienern, zwischen Unternehmen und Verbraucherinnen sowie der Stadt- und Landbevölkerung.[10] Niemand in der aktuellen Führungsriege der Sozialdemokratie scheint derzeit in der Lage, die Leute vom Gegenteil zu überzeugen oder gar die Transformation lebensnah als etwas Positives zu beschreiben, sie zu kulturalisieren, in Träume, Geschichten und Bilder zu übersetzen. Geschweige denn in freudige Erwartung. Die Arena der Gefühle wird denen überlassen, die Angst machen, den rechten Populisten.

Dabei ist vieles, was es grundsätzlich über die Transformation zu sagen gibt, schon vor so Langem sehr klar in einem alten Buch aufgeschrieben worden. Die Idee, die Zukunft durch eine Transformation zu retten, stammt aus einem Buch mit dem Titel *The Great Transformation*, es gehörte in den 70er- und 80er-Jahren des vergangenen Jahrhunderts zum festen Kanon jedes Progressiven, als Schlüsseltext für das Verständnis der modernen Gesellschaft. Geschrieben hat es 1944 Karl Polanyi.[11] Der österreichisch-ungarische Soziologe beschreibt darin den Wandel der Gesellschaftsordnung Englands durch die Industrialisierung und die Herausbildung von Marktgesellschaften und Nationalstaaten. Politische Bedeutung hat der Text bis heute, weil er erklärt, wie die tonangebenden Philosophen und Ökonomen des 19. Jahrhunderts viel zu sehr auf die vermeintlichen Selbstheilungskräfte des Marktes und damit den Neoliberalismus vertrauten. Dies habe dann zu einer fast »mystischen Bereitschaft, die sozialen Konsequenzen ökonomischer Verbesserungen gleich welcher Art hinzunehmen« geführt. Als Konsequenz entstand ein zügelloser Kapitalismus mit all seinen bitteren politische Folgen: Dem Scheitern der Demokratien und dem ethnischen Nationalismus. Das »frivole Experiment«, so Polanyi, sorgte für soziale Desintegration und führte zur Aufgabe humaner Werte durch einen individualistischen Materialismus.

Der Soziologe stellte dieser Entwicklung die Idee der »Embeddedness« entgegen, die Einbindung der Wirtschaft in die Gesellschaft. Deren Abtrennung, so Polanyi, sei in der Geschichte der Menschheit ein relativ neues Phänomen und kein gutes. Die nächste »große Transformation« müsse die Wirtschaft wieder zu einem in die Politik und Gesellschaft eingebetteten System machen, um deren Bedürfnisse besser zu erfüllen. Denn darum gehe es beim Wirtschaften schließlich: Um die Wohlfahrt der Menschen. Fast sieben Jahrzehnte später griff der Wissenschaftliche Beirat der Bundesregierung für globale Umweltfragen (WBGU) diese Idee auf und entwickelte sie weiter. 2011 war seine Antwort ein »Gesellschaftsvertrag für eine große Transformation«. Auf »zentralen Transformationsfeldern müssen Produktion, Konsummuster und Lebensstile so verändert werden, dass die globalen Treibhausgasemissionen im Verlauf der kommenden Dekaden auf ein absolutes Minimum sinken und klimaverträgliche Gesellschaften entstehen können«.[12]

Die Veränderung von Produktion, Lebensstilen und Konsummustern? Wenig scheint dem Kanzler unangenehmer, als Lebensstile der Menschen verändern zu wollen. Dabei würde ihn und die SPD genau das doch entlasten: Wenn sie endlich von der Autosuggestion lassen könnten, dass der Staat und sie alles erledigen und uns sonst weitgehend in Ruhe lassen müssen. Wenn sie stattdessen im oder jenseits des Marktes jedermann und jedefrau mehr Freiräume für eine Gestaltung eröffneten – weil es bei einer so großen Aufgabe wie der Transformation gar nicht anders geht. Weil der Wandel nur dann gelingen kann, wenn alle mitmachen: bei der Suche nach anderen Technologien ebenso wie bei der Suche nach anderen Lebensstilen.

Damit ergäbe sich dann auch eine neue Antwort für *die* sozialdemokratische Herausforderung im 21. Jahrhundert: Die Neudefinition von Gerechtigkeit. Wenn die Sozialdemokratie künftig für mehr Gerechtigkeit stehen will, dann muss sie erstens Umwelt- und Sozialpolitik viel mehr als bisher zusammendenken und nicht als Gegensatz. Sie darf die entsprechende Politik nicht wie bisher vor allem auf die lebenden Generationen beschränken – beispielsweise durch eine umlagefinanzierte Rente, die die Kinder zur finanziellen Unterstützung der Eltern verpflichtet. Gerechtigkeit muss zu etwas werden, das umgedreht auch die aktuell lebenden Menschen stärker in die Pflicht für die übernächste Generation nimmt, schon um wieder bei jüngeren Wählenden zu punkten. Begreift man Gerechtigkeit weniger auf die Gegenwart fokussiert, stellen sich automatisch ganz neue Fragen: Wie kann der Wandel in die klimafreundliche Zukunft organisiert werden? Wie muss das Steuersystem umgebaut werden, damit nicht die ärmeren Menschen durch CO_2-Preise zusätzlich belastet werden? Wie kann verhindert werden, dass Klimapolitik die Klassenfrage neu aufbrechen lässt?

Olaf Scholz sind solche Fragen höchst suspekt, für ihn war und ist die Transformation vor allem ein technisches Ding: In seinem programmatischen Buch *Hoffnungsland*, das er noch als Hamburger Erster Bürgermeister veröffentlichte, kommen Umwelt- und Klimafragen nicht vor[13] – obwohl das Buch ein Jahr nach der Pariser Klimakonferenz erscheint. Im Wahlkampf 2021 blieb sein Plädoyer für den Kampf gegen »den menschengemachten Klimawandel« im rein Technokratischen verhaftet: Er sprach von Windrädern und nicht etwa von Teilhabe oder gar von der Veränderung von Lebenswelten. Und auch die Allianz für Transformation, die Kanzler Scholz berät, legt ihren Schwerpunkt auf technische Fragen. Die Wortwolke, mit der sich das Gremium im Internet präsentiert, spielt mit Begriffen wie »Wasserstoff« oder »Energiewende« oder »schnellere Planungs- und Genehmigungsverfahren«.[14]

Der gute alte Willy Brandt war da vor einem halben Jahrhundert schon deutlich weiter. Da Scholz mit dem Motto seiner Regierung an diesen Vorgänger erinnert, darf man selbst an ihn auch noch mal erinnern. Für Brandt bedeutete »mehr Demokratie wagen« für »mehr Freiheit« zu sorgen »und mehr Mitverantwortung« einzufordern. Sache des Staates war für ihn, »Raum zur Entfaltung« von Initiativen zu schaffen »und sie da zu fördern, wo die eigene Kraft beim besten Willen nicht reicht«, so Brandt in seiner Regierungserklärung 1969.[15] Die Chance für die Sozialdemokratie läge genau darin: Den Anschluss an diejenigen zu finden, die bei Gerechtigkeit weiter denken als nur an die Einführung des Mindestlohns. An all diejenigen, die heute Ideen von anderen Arten des Lebens, des Konsumierens und der Solidarität entwickeln, die die nationale und globale Ressourcenverteilung gerechter gestalten wollen und die Mensch-Natur-Krise weit über die Frage des Klimaschutzes hinausdenken, die also die Idee der Gerechtigkeit modernisieren.

Vor einem Jahrhundert war die SPD übrigens genau die Partei, die dieser Art von Fortschritt schon einmal eine Heimat gab und damit Menschen anzog. Durch sozialdemokratische Genossenschaften, die gemeinsames Bauen, billigeres Wohnen und Einkaufen möglich machten. Durch Arbeitersport- und Bildungsvereine, Sparvereine und Kulturinitiativen. Sicher kann man das alles nicht eins zu eins in die Gegenwart kopieren. Ebenso wenig wie die Politik von Willy, die 1972 über 100 000 Menschen zu einem SPD-Beitritt bewog, auch wegen deren sehr aktiver Umweltpolitik. Und das in Zeiten, in denen die außenpolitische Lage auch nicht einfach war. Also, warum nicht ein paar der alten Ideen modernisieren und die Idee der Gerechtigkeit mit Inhalten füllen, die weit jenseits des klassischen Sozialstaates liegen? Um so für mehr Zuversicht zu sorgen.

15

Ökologie als Markenkern

Die Grünen

K aum etwas kann man sich besser vorstellen als die Zukunft in einer grünen Stadt. An den Häusern ranken sich Schlingpflanzen empor, davor wachsen Bäume. Es gibt viele Parks und viele Spielplätze. Energie wird durch Balkon-Kraftwerke oder Solarpanels auf den Dächern erzeugt, geheizt wird mit Wärmepumpen oder ökologisch produzierter Fernwärme. Die Parkplätze sind fast alle entsiegelt, die verbliebenen von großen Blumenkübeln umgeben. Die Autos müssen draußen bleiben oder dürfen auf ganz wenigen Straßen nur im Schritttempo fahren. Menschen sind zu Fuß unterwegs und per Rad, im Zentrum gibt es viele kleine Läden und Restaurants. Es ist leise, so leise, dass man die Vögel hören kann. Bullerbü.

Es heißt immer, politische Ideen bräuchten gute Erzählungen und schöne Bilder, damit sie verfangen und die Leute dazu bringen, sich auf eine neue Politik zu freuen. Das Bild eines künftigen Lebens unter einer grünen Regierung ist so gut vorstellbar wie kaum ein anderes, nur hat es sich für viele Menschen in den vergangenen Monaten vom Sehnsuchtsort in eine Karikatur verwandelt, unter tätiger Beihilfe des Boulevards und konservativer Politiker: Da verkauft die Frittenbude nur Insektenburger, Schnitzel grillen im Park ist verboten, der Metzger hat das Viertel längst verlassen. Dafür fragen die Nachbarn regelmäßig, wann man denn endlich die alte Gasheizung ausbauen werde. Und die Leute aus dem Umland, die notgedrungen das Auto nehmen, weil der

Bus nur zweimal am Tag fährt, müssen stundenlang nach einer Parkmöglichkeit suchen. Die ist dann auch noch mächtig teuer.

Sind die Grünen also ein schlechtes Vorbild für den Umgang mit dem Fortschritt und ihren Visionen davon – oder ein gutes? Wahrscheinlich beides. Gut, weil sie es wagten, viel konkreter von der Zukunft zu träumen als alle anderen, und damit die Schritte dorthin viel konkreter planen können. Sie haben auch am meisten über die Folgen der Klimakrise nachgedacht, und darüber, wie man sie minimieren kann. Sie haben die Polykrisen als beschränkenden Faktor der Politik mehr als alle anderen Parteien mit im Blick. Und sie wissen, dass die fiskalischen Spielräume kleiner werden, wenn Regierungen künftig immer mehr Geld für die Beseitigung von Umweltschäden ausgeben müssen. Schlecht, weil sie ihre Gegner unterschätzt, dafür aber ihre eigene Überzeugungs- und Organisationsfähigkeit überschätzt haben. Weil sie zwar viel an die Umweltpolitik, aber zu wenig über deren soziale Folgen nachgedacht haben. Und weil sie der Geschichte glaubten, dass die Bevölkerung die Mensch-Natur-Krise längst ebenso fürchtet wie sie selbst, und deswegen ebenso schnell handeln will. Koste es, was es wolle.

Gegründet aus der Sorge um die Natur und als Protest gegen die Untätigkeit der Politik, sind die Grünen seit jeher also die Partei, die das Handwerkszeug der Umweltpolitik kennt und weiß, wie die Politik die planetaren Grenzen besser achten könnte. Sie haben über Vor- und Nachteile von Preisen, Verboten, Verzicht und grünem Wachstum lange diskutiert. Was nicht bedeutet, dass sie damit auch alle Nebenwirkungen einer grünen Politik kennen. Man denke da nur ans Heizungsgesetz. Das traurige Theater rund um dieses Gesetz hat etwas an die Oberfläche gebracht, das bis dahin nur schlummerte, und mit dem die Grünen bis heute nicht umgehen können: Wut.

»Noch im Wahlkampf fanden uns manche zwar verrückt, aber ganz liebenswert«, sagt ein grüner Spitzenpolitiker. Das sei heute ganz anders, seine Partei wecke bei vielen Menschen mehr Wut als alle anderen Parteien. Sie werde nicht mehr als die vorausschauenden Mahnenden vor einer Katastrophe gesehen, als diejenigen, die Zukunft besser als andere im Blick hätten. Sie seien jetzt diejenigen, die die persönliche Freiheit durch Verbote einschränken wollten und eine viel zu teure Politik machten. Tatsächlich werden grüne Abgeordnete, Lokalpolitiker und Wahlkämpferinnen auf offener Straße beschimpft und sogar angegriffen. Ihre Plakate werden abgerissen, ihre Büros verschandelt.[1] In manchen Teilen des Landes ist es schwierig, überhaupt noch Menschen zu finden, die angstfrei für die grüne Partei kandidieren. Und die, die es wagen, müssen um ihre Familien fürchten. Die beiden Spitzenfiguren Annalena Baerbock und Robert Habeck sind von Hoffnungstragenden zu Projektionsflächen für Hass und Häme geworden und Menschen verweigern sich heute ausgerechnet dem, was Habeck kann wie niemand sonst: dem Argumentieren. Nichts illustrierte das mehr als der wütende Mob, der den grünen Spitzenpolitiker zu Beginn des Jahres 2023 beim Ausstieg von einer Fähre behinderte. Die Leute lehnten das Gespräch mit ihm rundherum ab, und damit eines der wichtigsten Werkzeuge der Demokratie.

Dieses Ereignis wirft nicht nur ein grelles Schlaglicht auf den Gemütszustand eines offensichtlich aufgerauten Landes. Sondern auch auf die Macht des Boulevards und die Tatsache, wie wenig sich die grüne Erzählung von der Welt bis heute durchgesetzt hat. Nachdem es eine Weile fast so schien, als ob das Denken der Fridays-for-Future-Bewegung längst die Hegemonie übernommen hat und Deutschland kollektiv mehr Klimaschutz will, hat es die Bild in trautem Zusammenspiel mit Parteien, die von FDP über CDU/CSU bis hin zum Bündnis Sahra Wagenknecht reichen, erfolgreich geschafft, dass Umweltpolitik heute wieder bis weit bis hinein in bürgerliche Kreise als »ideologisch« gilt. Was so etwa das Gegenteil von fortschrittlich ist. Der bayrische Ministerpräsident und Bierzelt-Aktivist Markus Söder, der seine kurze Ökophase lange hinter sich hat, wiederholt diese Behauptung in immer neuen Varianten, und er warnt vor »Zwangsveganisierung«[2]. Sahra Wagenknecht nennt die Grünen die »gefährlichste Partei«[3] im Bundestag und der FDP-General Bijan Djir-Sarai spricht von einem »Sicherheitsrisiko für das Land«[4]. Wer so einen Koalitionspartner hat, braucht keine Opposition mehr.

Das alles ist politisch kalkulierte Wut, aber sie wirkt. Die Grünen werden immer öfter für etwas gehasst, was sie in dieser Ampel gar nicht durchsetzen können, selbst wenn sie es denn überhaupt wollten: Nämlich eine radikale Umweltpolitik. In Wirklichkeit hat Klimaminister Robert Habeck dem harten Klimagesetz weiche Relativierungen hinzugefügt, das Heizungsgesetz weichgespült, LNG-Terminals für Fracking-Gas gebaut, und sich für die Verklappung von CO_2 unter der Erde starkgemacht. Und Deutschland reißt seine Klimaziele immer noch und wird es auch weiter tun, wenn sich an der Bundespolitik nichts ändert.[5]

Der Ideologie-Vorwurf der politischen Gegner an die Grünen ist interessant, weil er so perfide wirkt. Würde jemand der FDP vorwerfen, ideologisch zu sein, wenn sie von Freiheit spricht und das Wahlrecht auf 16 Jahre senken will? Oder der SPD, wenn sie mehr Gerechtigkeit fordert und den Mindestlohn durchsetzt? Oder der CDU, weil sie die Ehe und die Familie schützen will? Dabei könnte man das leicht tun. Man kann »ideologisch« – also auf der Basis von Werturteilen – darüber streiten, ob beispielsweise Reiche stärker besteuert oder Arme mehr arbeiten sollten. Ob das Wahlrecht ab 16 oder ab 18 richtig ist. Ob eine tradierte Form des Zusammenlebens vom Staat besonders geschützt und steuerlich gefördert werden sollte, oder ob es ihn gar nichts angeht, wie Menschen leben. Oder auch, ob ein Windrad eine Landschaft verschandelt oder verschönert. Nicht jedoch darüber, dass ein Anstieg der Durchschnittstemperatur droht und die Menschheit darunter leiden wird. Es gibt wenige Menschheitsprobleme, die mehr von Fakten gedeckt sind als die rasante Erhitzung des Klimas. Wer das schnell verändern und damit das Überleben der eigenen Spezies sichern will, mag dafür gute oder schlechte Mittel einsetzen. Ideologisch ist er nicht.

Doch der Vorwurf ist wunderbar praktisch für alle – außer für die Grünen. Denn er entbindet FDP, CDU, CSU und BSW regelmäßig von weiterem Nachdenken und von unangenehmen Nachfragen danach, wie sie es denn – ganz unideologisch – machen würden. Was sie in der Regel nicht können. Wären sie ehrlich, müssten sie zugeben, dass sie die wissenschaftlichen Fakten über den Klimawandel immer noch nicht ernst nehmen oder jedenfalls keine entsprechende Politik machen wollen. Das aber kann heute niemand mehr öffentlich tun, jedenfalls nicht im demokratischen Teil der politischen Parteien. Die Klima-Ignoranz, das Wegschauen und Kleinreden des Problems, funktioniert hingegen immer noch. Und diese mentale Haltung ermöglicht dann den zweiten, den laut ausgesprochenen Vorwurf an die Grünen: Eure Vorschläge sind zu besserwisserisch, zu detailreich, zu ehrgeizig. Ihr wollt zu viel verändern und den Menschen zu viel vorschreiben. Wärmepumpen im Heizungskeller, beispielsweise. Oder Fahrradwege.

So sehr diese Vorwürfe im Konkreten stimmen mögen, weil natürlich auch grüne Ideen sicher verbessert werden können, so fatal ist die Attitüde, mit der sie vorgetragen werden. Weil es den Kritikern ja in der Regel dann nicht um einen konstruktiven Streit um die fortschrittlichsten Ideen geht. Sondern darum, die Grünen generell zu diskreditieren. Dabei wird billigend in Kauf genommen, dass so bei vielen Menschen, die sich eh schon vor der Zukunft sorgen, die Angst vor dem Wandel noch wächst. »Zu schnell, zu viel, alles gleichzeitig. Man soll anders essen, heizen, reden, sich anders fortbewegen, und zwar pronto di pronto. Die Partei, die solche Veränderungen am radikalsten einfordert, sind die Grünen«, schreibt der Soziologe Steffen Mau in der *Zeit* und erinnert daran, dass Veränderungen in Gesellschaften ihre Zeit brauchen.[6] In einer Gesellschaft, die zunehmend altert, wahrscheinlich mehr noch als in anderen. Weswegen dann nicht mehr die Polykrise und damit das eigentliche Problem als Bedrohung wahrgenommen wird, sondern die Politik der Grünen.

Erfolgreich konnten die Attacken der anderen Parteien allerdings auch deswegen werden, weil die Grünen ein Problem bei ihrem Kampf für die Rettung des Planeten übersehen haben. Die ökologische Klassenfrage. Bei der geht es darum, wer am Ende die Rechnung für die Transformation zahlt. Unter der Ampel hat sich das zum ersten Mal manifestiert, denn die Klimapolitik hat erstmals die Keller und die Konten erreicht. Es geht jetzt nicht mehr nur darum, ein paar Kohlekraftwerke abzustellen. Heute spüren Menschen die Folgen von mehr Umweltschutz direkt – egal ob sie die Krise selbst schon fürchten oder nicht. Und damit hat der Kampf um die Verteilung von finanziellen Ressourcen begonnen. Die Diskussion ist von einem abstrakten »Wir müssen den kommenden Generationen etwas von der Welt lassen« zu einer sehr konkreten Frage mutiert: Wer zahlt für die Energiewende, die da unten oder die oben? Für diese mentalen Folgen dieser sehr realen Veränderung aber fehlten den grünen Spitzen ganz offensichtlich die Frühwarnsysteme.

Ökologie und Soziales gehören zusammen: Was passiert, wenn das nicht zusammengedacht wird, war beim Heizungsgesetz gut zu beobachten. Nachdem der Entwurf von Wirtschaftsminister Habeck an die Öffentlichkeit kam, dauerte es Wochen, bis Ideen präsentiert wurden, wie den Menschen finanziell beim Umbau ihrer Heizungskeller geholfen werden kann. Hätte der Minister oder hätten seine Leute das richtige Gespür gehabt, dann hätten sie darauf gedrängt, dass die Regierung parallel die entsprechenden Programme veröffentlicht. Dass das nicht passierte, nährte den Verdacht, dass die Grünen eine Mittelschichtspartei sind und am Ende bei der Energiewende vor allem die Ärmeren draufzahlen lassen. Nicht zuletzt, weil es ihnen schwerer fallen wird als dem grünen Bürgertum, das teure E-Auto zu kaufen und mal eben das Haus oder die Wohnung zu dämmen. Dazu kommt die Angst vor dem Verlust von Arbeitsplätzen – in den großen Energiekonzernen und, noch deutlich wichtiger, der Autoindustrie: Vor allem die Verkehrswende wird von jedem zweiten Arbeiter als Jobkiller gesehen.[7] Das alles zusammen ist ein explosiver Mix.

Man kann wie das grün regierte Wirtschaftsministerium mit Studien dagegenhalten und argumentieren, dass durch die Energiewende neue Jobs entstehen[8] und dass in vielen Regionen heute schon die Fachkräfte fehlen. Überzeugt hat es Menschen mit geringeren Einkommen und Geringqualifizierte bisher nicht, gerade in Transformationsgegenden findet die Partei noch weniger Zustimmung also anderswo. Ihre Wählerschaft ist gutbürgerlich und städtisch, sie verdient besser, ist gebildeter und weiblicher als der Durchschnitt.[9] Und so brach die Zahl der Wählenden bei den Grünen bei der Europawahl im Juni 2024 stark ein, obwohl nur Tage vorher Teile von Bayern überschwemmt wurden, die Folgen der Klimakrise also akut sichtbar waren. Das Ziel, eine Volkspartei zu werden, ist mit dieser Legislaturperiode wieder in weite Ferne gerückt. Ändern wird sich das, wenn Grüne bei ihrer Umweltpolitik nicht nur die Wirtschaft mitdenken, wie Robert Habeck das seit einer Weile tut. Sondern stärker auch die sozialpolitischen Verteilungseffekte. Wer gewinnt etwas und wer verliert? Die zuletzt so offensichtlich gewordene soziale Leerstelle bei dieser Frage ist vielleicht der größte Mangel im grünen Fortschrittskonzept.

Was zu den Zukunftsbildern zurückführt. Können Sie sich ein grünes Land vorstellen? Ein Bild der Zukunft, in dem auch Fabriken stehen und ganz normale Menschen auch morgens um sechs dorthin kommen müssen? In dem die Leute auf dem Land leben und trotzdem mobil sind? Es gibt sie sicher auch, die grünen Ideen für das Land und die ländlichen Vorzeige-Idyllen. Aber dort sieht sich die Mehrheit der ländlichen Bevölkerung offensichtlich ebenso wenig wie die Geringverdienenden in der Öko-Stadt. Wollen die Grünen ihre Werte modernisieren und für mehr Menschen wählbar werden, dann bleibt ihnen wohl nur, den Kampf für die Rettung des Planeten auch stärker zu einem für die Rettung der Menschen machen. Und zwar durch Bilder und Erzählungen, in denen sich auch Leute mit wenig Bildung und kleinen Gehältern wiederfinden, also die, die sich heute abgehängt fühlen.

Das bedeutet dann übrigens nicht, dass es keine »Zumutungen« geben darf und dass die Debatten um Suffizienz, um Verzicht und weniger materiellen Wohlstand beendet werden müssen. Im Gegenteil. Verzicht muss nur in fairer Politik umgesetzt werden: Indem die Menschen mit den kleinen Einkommen grundsätzlich entlastet und die Mittel- und die Oberschicht mehr belastet werden. Klimagerecht wäre das zudem, denn der CO_2-Ausstoß der Mittelschicht ist deutlich höher als der der Unterschicht. Grüner Fortschritt könnte also beispielsweise bedeuten, endlich die faire ökologische Steuerreform zu präsentieren. Doch es gibt innerhalb der Grünen eine einflussreiche Strömung, die sich sorgt, durch zu viel Reden über die Verteilungsfrage zu links zu wirken und damit gutbürgerliche Sympathisierende zu verschrecken. Nur, wo soll dann noch die Kraft für eine ökologische Politik herkommen, wenn die Parteiführung die Forderungen der Partei nach gesellschaftlichen Veränderungen möglichst weitgehend ignoriert? Und damit auch das Träumen von einer anderen Art des Wohnens, Fahrens und Konsumierens? Wenn Robert Habeck wie Peter Altmaier vor allem mehr Wachstum fordert. Oder wenn er in die Scholz'sche Falle tappt und die ökologische Transformation auf eine rein technische Frage reduziert, die sich mit Solarpanels, Heizpumpen, immer mehr Windrädern und – leider, leider – Gasterminals und CO_2-Verklappung unter der Erde organisieren lässt.

Dass Einknicken allein wenig Sympathie bringt, zeigt sich seit der Debatte um den Veggieday wieder und wieder. Zur Erinnerung: Es gab einmal 2013 im grünen Wahlprogramm den Vorschlag, in öffentlichen Kantinen an einem Tag nur fleischlose Gerichte anzubieten.[10] Das führte zu einem Sturm der Entrüstung. Statt cool darauf zu reagieren und die Forderung mit Argumenten zu stützen, was ja angesichts der globalen Umweltbilanz von Fleisch nicht besonders schwer gewesen wäre, ruderten führende Grüne in Interviews zurück. Was ihre politischen Gegner weidlich ausnutzten. Kurz darauf begann der Boom des vegetarischen und veganen Essens, und selbst Fleischesser sind heute in der Lage, hin und wieder auf ihr Schnitzel zu verzichten. Politisch genutzt hat ihr Rückzieher den Grünen damals wenig.

Grüne Fortschrittpolitik? Woran es den Grünen am meisten mangelt, ist die überzeugende Verbindung des umweltgerechten Fortschritts mit der gesellschaftlichen Wohlfahrt. Also die Frage, wie man dafür sorgen kann, dass der Schutz der Umwelt zugleich größtmögliche Freiheit, Sicherheit und Gerechtigkeit der Menschen garantiert. Dann würden sie beim nächsten Heizungsverbot automatisch nicht mehr nur über Klimaschutz sprechen, sondern über die gerechte Verteilung der Lasten und die Frage, wie das Leben der Menschen dadurch sicherer werden kann.

Dann ließe sich auch leichter argumentieren, dass so manches Verbot die Freiheit nicht einschränkt, sondern im Gegenteil schützt. Die Menschheitsgeschichte besteht ja quasi aus Verboten. Aus den zehn Geboten. Dem Verbot, andere Menschen zu essen, zu opfern oder zu foltern. Dem Verbot der Kinderarbeit. Verbote haben die Demokratie in der Vergangenheit entscheidend modernisiert, die Menschen menschlicher und das Leben sicherer gemacht. Die eigentliche Frage lautet also nicht: Darf die Regierung alte Ölheizungen verbieten oder Werbung für Süßigkeiten in Kindersendungen? Sie lautet: Ist diese Politik das effizienteste und gerechteste Mittel, um uns und unsere Freiheit zu schützen und das Leben auch künftig sicher zu machen?

16

Die Freiheit, die sie meinen

Die FDP

C hristian Springfeld will mehr Freiheit. Das allein ist nicht besonders überraschend. Der Mann ist Mitglied in der FDP und Freiheit das zentrale Thema dieser Partei. Mehr Fortschritt bedeutet für Liberale, jedem Menschen den größtmöglichen Freiheitsraum zu garantieren. Es bedeutet das Gegenteil von Diktatur, Autokratie oder zentralistischer Bürokratie. Springfeld würde all das sicher unterschreiben. Was er dann allerdings mit der Freiheit machen würde, passt nicht mehr so ganz zum heutigen Klischeeliberalen. Und deswegen lohnt es sich, vom Streit des Bürgermeisters mit seinen Parteichefs zu erzählen. Der nämlich illustriert, warum die FDP heute oft so aus der Zeit gefallen wirkt und ihre Fortschrittsidee so altmodisch. Und wie sie leicht modernisiert werden könnte.

Springfeld ist Bürgermeister von Springe in Niedersachsen, einer Gemeinde bestehend aus zwölf Dörfern. 30 000 Menschen leben hier, viele von ihnen an einer Bundesstraße. Springfeld würde dort gern Tempo-30-Schilder aufstellen. Er ist der festen Überzeugung, dass ein niedrigeres Tempo das Leben der Menschen besser machen würde. Die alten Leute müssten sich beim Überqueren der Straße nicht mehr vor den schnellen Autos fürchten. Eltern wüssten ihre Kinder auf dem Weg zur Schule sicherer und die Kinder müssten weniger aufpassen. Springfeld will mehr Schutz für die Schwächeren. Freiheit in der Verkehrspolitik bedeutet für ihn mehr Bewegungsfreiheit für diejenigen, die ohne Stoßstange unterwegs sind. Er will deswegen lokal entscheiden können, welches

Tempo wo sinnvoll ist.[1] So wie auch Stadträtinnen und Bürgermeister aus 1000 anderen deutschen Städten und Gemeinden.[2]

Verkehrsminister Volker Wissing, FPD-Mitglied und Liberaler mit mehr Einfluss, sieht die Sache genau umgekehrt. Er will Herrn Springfeld diese Freiheit auf keinen Fall gewähren, obwohl ein Tempolimit die Fahrt durch dessen Dörfer nur um wenige Sekunden verlängern würde. Zwar hatte der Minister 2023 eine vorsichtige Reform des Straßenverkehrsgesetzes schreiben lassen – weil nicht nur Springfeld, sondern mittlerweile auch Politikerinnen und Verkehrsexperten aus 1000 Kommunen mehr Entscheidungsfreiheit forderten. Doch wird Bürgermeister Springfeld durch diese Reform bloß an wenigen Stellen verhindern können, dass auf den Durchgangsstraßen weiter mit fünfzig Stundenkilometern durch die kleinen Gemeinden von Springe gefahren wird. Der ungehindert fließende Autoverkehr hat für Wissing und für die FDP-Führung höchste Priorität.

Freiheit: Wenn der Fortschritt für Liberale nur ein Ziel haben dürfte, dann wäre es dieses. Die ersten liberalen Vordenker haben das bereits im 18. Jahrhundert formuliert, in der Gründungsproklamation der FDP vor einem dreiviertel Jahrhundert wurde es festgeschrieben und wieder und wieder aktualisiert. Auch im letzten Wahlkampf hat die Partei um Stimmen damit geworben, dass der »Einsatz für Freiheit« wichtiger sei denn je. Freiheit sei »das Fundament unserer Gesellschaft« und deswegen müsse man »die Kraft der Eigenverantwortung, der Privatinitiative, der Freiheit des Individuums« stärken.[3] Fortschritt à la FDP ist also der größtmögliche Bewegungsspielraum jedes einzelnen Menschen.

Nur, wie bei anderen Grundwerten, steckt auch bei der Freiheit der Teufel im Konkreten. Schon immer gab es da innere Spannungen: »Wenn die Reichen die Armen ihrer Rechte berauben, so wird das ein Beispiel für die Armen, die Reichen ihres Reichtums zu berauben«, warnte bereits Thomas Paine, einer der Vordenker des amerikanischen Unabhängigkeitskrieges im Jahre 1776 in seiner Schrift *Common Sense*.[4] Wo also beginnt die Freiheit des Einzelnen, wo endet sie? Was sind die gesellschaftlichen und staatlichen Voraussetzungen dafür, dass Menschen ihre Freiheit überhaupt nutzen können? Wo ist das Misstrauen gegenüber einem potenziell übergriffigen Staat, das Liberale traditionell miteinander verbindet, vielleicht nicht mehr zeitgemäß – weil nur der eingreifende Staat zukünftig bestimmte Freiheiten gewährleisten kann? Wo also muss ein moderner Staat die ökonomische Macht von Einzelnen begrenzen, um die Gesellschaft zu befrieden? Oder zusammengefasst: Wie muss der Grundwert der Liberalen modernisiert werden, um ins 21. Jahrhundert zu passen?

FDP-Chef Christian Lindner ist der Mann, der darüber heute mehr Definitionsmacht hat als jeder andere. Was genau versteht der wichtigste deutsche Liberale unter Freiheit? Als er auf dem Parteitag 2023 darüber sehr grundsätzlich spricht, machen es ihm die Zeitläufe noch zusätzlich leicht. Vielen ist damals in wacher Erinnerung, wie der Staat in Coronazeiten Ausgehsperren verhängte und sie zum Teil auf absurde Weise kontrollierte. Lindner kann deswegen leicht damit punkten, dass er die in seinen Augen völlig überzogene Übergriffigkeit anderer Politiker noch einmal aufspießt, und dafür wirbt, die Menschen künftig vor zu viel Staat zu schützen. »Der große Baumumarmer Markus Söder hat es anderen selbst draußen untersagt, Bäume zu umarmen, weil er präventiv in Bürgerrechte eingegriffen hat«, sagt Lindner, und dass die FDP hier ihre Aufgaben sehe. Sie setze sich dafür ein, dass der Staat immer wieder neu und gut »begründen muss, wenn er in die Freiheit der Menschen eingreift«.[5]

Der FDP-Chef weckt mit dieser sehr traditionellen Interpretation von Freiheit sehr viel Zustimmung beim Publikum. Nichts eint die Liberalen offenbar auch heute noch mehr als das Gefühl, mutig für die eigenen Rechte kämpfen zu müssen. Hier ist noch nicht vergessen, wie ihr Vorsitzender einen »Freedom Day« feiern wollte, an dem alle Corona-Masken fallen sollten. Für viele Delegierte knüpft Lindner mit dieser Forderung an eine lange liberale Tradition an, und aktualisiert sie zugleich.

Der FDP hat der Protest gegen die Coronamaßnahmen bei jungen Wählenden, die darunter oft besonders gelitten haben, bei der letzten Bundestagswahl überdurchschnittlich viele Stimmen gebracht.[6] Seither sinkt die Zustimmung stetig. Christopher Gohl denkt sehr grundsätzlich darüber nach, wie sehr das mit einem rückschrittlichen Freiheitsbegriff zu tun haben könnte. Der Liberale war kurze Zeit für die FDP im Bundestag, heute leitet er das Weltethos-Institut an der Universität Tübingen. Er will einen modernen Liberalismus, weiß aber auch, wo die Probleme damit beginnen. Der Schutz der Freiheit des Einzelnen sei leicht zu begründen, so sagt Göhl im Politische Pausen Podcast[7], setzt dann aber fort:»Wir müssen aufpassen, dass wir nicht abrutschen in einen Freiheitsbegriff, der auf Kosten von anderen geht. Der wahrgenommen wird als ein egoistischer, rücksichtsloser Begriff.« Und weiter:»Wir kommen in Gefahr, einem pessimistischen Individualismus den Weg zu bereiten, und der interessiert sich dann mehr für die eigenen Freiheitsrechte als für die Lebenschancen anderer. Das ist ein Problem, das wir ausdiskutieren müssen in unserer Partei.«

Beispielsweise im Umgang mit dem Tempolimit? Diese Frage ist nicht polemisch gemeint. Die Verkehrspolitik und damit die Frage, welches Verbot wessen Freiheit einschränkt oder vergrößert, zeigt die Dilemmata des modernen Liberalismus einfach besonders gut. Oder konkret: Der Fall Springfeld versus Wissing lässt sich nicht mit großen Reden über die Freiheit lösen. Für Wissing und große Teile seiner Partei steht ein Nein zum Tempolimit symbolisch für mehr Freiheit, die FDP hat ein Verbot der Geschwindigkeitsbegrenzung auf Autobahnen sogar in den Koalitionsvertrag der Ampel geschrieben und macht, wann immer nötig, eindeutig klar: Das Recht, auf der Autobahn zu rasen, gehört zum Kernbestand ihrer Programmatik. Mehr als sonst wo wehrt sie sich hier gegen den Staat und will auch sonst die Rechte der Autofahrenden möglichst wenig beschränken. Kurz: Die FDP-Führung fremdelt hier mit allen Versuchen der Veränderung – anders als ihr Bürgermeister aus Springe.

Problematisch ist diese Politik gleich aus mehreren Gründen, und alle haben etwas mit der Freiheit und Fortschritt zu tun. Erstens ist mittlerweile gut belegt, dass der Verzicht auf ein Tempolimit nicht nur weniger Klimaschutz bedeutet. Es kostet auch Menschenleben. Immer wieder haben Studien und Feldversuche gezeigt, dass ein Limit die Zahl der Unfälle reduziert und ihre Schwere zudem.[8] Die gegenwärtige Verkehrsinfrastruktur tötet also Menschen und die FDP will sie trotzdem nicht ändern? Man könnte dem zwar entgegenhalten: Ein bisschen Risiko muss sein. Auch andere Freiheiten der modernen Gesellschaften haben Nebenwirkungen und wir akzeptieren sie. So erlauben wir beispielsweise den Konsum von Alkohol und Zigaretten, wohl wissend, dass Menschen daran sterben. Allerdings gibt es einen entscheidenden Unterschied zwischen einem Schnaps und einem Auto. Der Schnaps tötet ab einer gewissen Menge die Trinkenden selbst. Das Auto tötet bei Zusammenstößen oft andere: Gern mal die ohne Stoßdämpfer, die Radfahrerinnen und Fußgänger, alte Menschen und Kinder. Die Freiheit des Autofahrenden schränkt also unmittelbar die Freiheit der anderen Verkehrsteilnehmenden ein.

Der Philosoph Felix Heidenreich beschreibt das Problem noch etwas grundsätzlicher: Es hätten sich in unserer Gesellschaft über Jahrzehnte hinweg bestimmte technisch-materielle Infrastrukturen gebildet. Die seien keineswegs neutral gegenüber unterschiedlichen Vorstellungen vom guten Leben. Sie bevorzugten die einen und benachteiligten die anderen. Deswegen sei das staatliche Handeln, egal ob es diese Infrastruktur nun weiter verteidigt oder verändert, niemals neutral – immer werde durch Veränderungen in die eine oder die andere die Freiheit des einen oder der anderen eingeschränkt. Damit entpuppe sich »die liberale Vorstellung von einer Neutralität staatlichen Handelns als Fiktion«.[9]

Heidenreich erklärt seinen Blick auf die Infrastruktur und die Frage, für wen sie mehr Freiheit schaffen und wem sie Gewalt antue, anhand von zwei konkreten Beispielen: Minneapolis und Kopenhagen. In Minneapolis sei 1956 die erste Shoppingmall gebaut worden – das legendäre Southdale Center, samt großem Parkplatz und jeder Menge Zufahrtsstraßen. Kopenhagen habe hingegen beschlossen, spätestens 2025 als klimaneutrale Großstadt funktionsfähig zu sein. Und zwar durch »effektiven öffentlichen Nahverkehr, eine weitgehende Stromversorgung durch Windkraft und möglichst geschlossene Stoffkreisläufe«. Beide Städte ermöglichen damit jeweils bestimmte Lebensmodelle, Wirtschaftsweisen und Fortbewegungsarten. Während jedoch die

Planung in Minneapolis (scheinbar) unpolitisch daherkam, war Kopenhagen von Beginn an ein explizit politisches Projekt, das »Beispiel für eine politische Gestaltung nachhaltiger Lebenswelten« schlechthin, so Heidenreich: Kopenhagen sei nur mit einer Abkehr vom klassischen liberalen Verständnis von Demokratie möglich. Wobei das entscheidende Wort hier »klassisch« ist.

Klassischerweise würden viele Liberale argumentieren: Southdale ist eine normale Stadt, Kopenhagen ideologisch. Schließlich ist für sie fast jede Veränderung zulasten der Autofahrenden, also beispielsweise mehr verkehrsberuhigte Straßen, ein Eingriff in deren Freiheit. (Ausnahmen wie Herrn Springfeld aus Springe ausgenommen.) Doch schon diese Grundannahme ist falsch: Die gegebene Infrastruktur als Ausdruck von Freiheit zu begreifen, verkennt nicht nur, dass mehr Straßen für mehr Verkehr sorgen. Und dass Menschen die meisten Wege auch heute zu Fuß zurücklegen.[10] Es ignoriert auch, wie die meisten Städte und Straßen schon immer entstanden sind: Durch politische Planung und massive Eingriffe in die Freiheit des Eigentums. Viele Straßen konnten nur gebaut werden, nachdem den Menschen ihre Grundstücke vom Staat weggenommen worden sind. Schlimmer noch: Neue Autobahnen und Durchgangsstraßen reduzierten regelmäßig den Wert der anliegenden Immobilien. Die Verkehrspolitik der FDP, die den Straßenbau weiter forciert, beeinträchtigt also die Freiheit des Eigentums. Sie beschränkt die Freiheit der Anlieger, gesund leben zu können, denn an Durchgangsstraßen ist es laut und die Luft ist dreckig.

Freiheit im liberalen Sinne darf nicht bedeuten, dass sich die Starken durchsetzen und geschützt werden, so argumentiert Gohl. Das bedeutet, ernst genommen, dass bei der Planung der heutigen Infrastrukturen nicht nur die Wirkung auf die Schwachen, sondern auch die auf die kommenden Generationen berücksichtigt werden müsste. Womit wir bei der Klimakrise und den planetaren Grenzen wären. Denn auch beim Umgang damit stellt sich wieder die Frage, wessen Freiheit soll geschützt, welche geopfert werden? Viele Liberalen werden spätestens jetzt müde abwinken. Schon das Wort »Klimakrise« klingt in ihren Ohren zu grün. »Bis heute ist das Thema für viele Parteimitglieder eines, mit dem sie fremdeln«, sagt Stefan Kolev. Er ist Mitglied der FDP, wissenschaftlicher Leiter der Berliner Dependance der wirtschaftsliberalen Ludwig-Erhard-Stiftung, und er hat es sich zur Aufgabe gemacht, Brücken zu anderen politischen Strömungen zu bauen. Er erklärt das Fremdeln seiner Partei folgendermaßen: »Klima und Umwelt hat viele Mitglieder lange nicht interessiert. Dann begriffen sie es als ein Thema des politischen Gegners. Und als schließlich die Fridays-for-Future-Bewegung wuchs, wurde Klimapolitik für sie zu etwas, das von jugendlichem Leichtsinn getrieben war. Heute schaut man zwar mehr hin, aber bei vielen Mitgliedern überwiegt die Sorge, dass zu viel Klimaschutz der Wettbewerbsfähigkeit des Landes schaden könnte.«

Kolev selbst findet das falsch und er hat gleich nach der Bundestagswahl in der *Frankfurter Allgemeinen Zeitung* (FAZ) mit einem großen Artikel dafür geworben, »begriffliche Blockaden« aufzuheben und gemeinsam mit den anderen Parteien nach Rezepten zu suchen, mit denen sich mehr Nachhaltigkeit durchsetzen lässt. »Ordnungspolitik« lautet seine Antwort im Kampf gegen die Klimakrise und er nimmt das Wort »Krise« durchaus in den Mund. Er will sie mithilfe von CO_2-Preisen bekämpfen. allerdings kombiniert mit einer klugen sozialpolitischen Begleitung der Bepreisung. Ignorieren ist für ihn jedenfalls keine Option: Es hätten sich ja sowieso schon viel zu viele Krisen aufgehäuft, Kolev findet deren Folgen schon heute mehr gefährlich: »Statt Ordnung sehen viele heute immer mehr Chaos.« Und das könne Menschen, Gesellschaft und schließlich auch den Staat destabilisieren.[11]

Es gibt sogar in der FDP-Führung Menschen, die das ähnlich sehen, die mehr Klimapolitik wollen – um die Freiheit zu schützen. FDP-Fraktionsvizechefin Gyde Jensen beispielsweise, die von sich selbst sagt, sie sei in Schleswig-Holstein hinter dem Deich aufgewachsen. Das Ansteigen des Meeresspiegels gehöre zu ihrer Jugend dazu. Da müsse ihr niemand was erzählen. In ihrer Heimat hätten Windräder von Bürgervereinen so manchen Kindergarten finanziert. Gyde Jensen erinnert auch daran, dass die FDP beim Umweltschutz früher dran gewesen sei als alle anderen. »Ich bin nicht der Typ, der draufhaut, nur um gehört zu werden«, sagt sie allerdings auch.[12] Was sicher einer der Gründe dafür ist, dass eher andere den Ton angeben. Volker Wissing eben, der ostentativ sagt: »Das bisherige Klimaschutzgesetz wäre mit massiven Freiheitseinschränkungen für die Bürgerinnen und Bürger verbunden gewesen«, schreibt er in einer Pressemitteilung[13], in der er sich zugleich freut, dass die Ampel die strengen Klimaziele der Vorgängerregierung aufweicht.

Strenger Klimaschutz ist freiheitsbeschränkend? Wie erklärt Wissing das seinen Kindern?

Dabei müsste die FDP für eine fortschrittlichere Freiheitspolitik nur vorwärts in die Vergangenheit. Mit den sogenannten Freiburger Thesen forderten die Liberalen bereits 1971 eine »menschenwürdige Umwelt«. Sie wollten das damals sogar in Artikel 2 des Grundgesetzes verankern und sie waren überzeugt: »Umweltschutz hat Vorrang vor Gewinnstreben und persönlichem Nutzen.«[14] Die FDP war damit die erste deutsche Partei, die dieses Problem ernst nahm. Und die verstanden hatte, dass es für eine zukunftsfähige Gesellschaft nicht nur die Freiheit des einzelnen Menschen braucht, sondern mindestens so sehr einen Staat, der sich auch gegen ökonomische Macht durchsetzt, und der dabei die planetaren Grenzen beachtet (selbst wenn der Begriff damals noch nicht bekannt war). Die Gründer der FDP würden also im Staat nicht wie der heutige Chef Christian Lindner einen »teuren Schwächling«[15] sehen, den man auf ein Minimum an Regelungen zurückschneiden muss. Sondern als etwas, das die Freiheit der heutigen und der kommenden Generation garantiert.

Wer so denkt, begreift Menschen dann auch nicht mehr als Wesen, die Freiheit nur als private Nutzenmaximierung verstehen, sondern billigt ihnen die Fähigkeit zur Selbstbindung zu. Liberale Politik bedeutet dann nicht mehr, vor allem die Freiheit des Porschefahrers schützen zu wollen, sondern auch die seiner Oma und seiner Kinder. Sie hat die Lehren der Vergangenheit und die Zukunft im Blick. Doch von dieser Art Fortschrittspolitik ist die heutige FDP meilenweit entfernt.

17
Chill doch mal!
Wie die Politik auf kreativere Ideen für die Zukunft kommen könnte

In einem modernen gläsernen Gebäude direkt an der Spree, fußläufig zum Berliner Hauptbahnhof, liegt das Futurium. Dieses Museum widmet sich, ganz wie der Name es sagt, der Zukunft. »Im Futurium dreht sich alles um die Frage: Wie wollen wir leben? In der Ausstellung können Besucher*innen viele mögliche Zukünfte entdecken, im Forum gemeinsam diskutieren und im Futurium Lab eigene Ideen ausprobieren«, heißt es auf der Webseite.[1] Was offensichtlich interessant ist. 760 000 Menschen kamen allein 2023 zu Besuch, also fast ein Prozent der Bevölkerung. Für ein Haus, das erst 2019 eröffnet und damit keine lange berühmte Geschichte hat, ist das eine außergewöhnlich gute Bilanz.

»Wir wollen den Leuten nichts vorgeben. Wir wollen sie zum Nachdenken über die Zukunft anregen und ihnen das Gefühl und Wissen vermitteln, daran etwas zu ändern«, erklärt Stefan Brandt, der Direktor des Futuriums, den Erfolg. Ein Mittagessen lang hat er sich Zeit genommen, um über die Zukunft und ihre museale Umsetzung in der Gegenwart zu sprechen. Es geht darum, den Leuten mehr Zukunftskompetenz zu vermitteln – also die Fähigkeit, sich unterschiedliche künftige Szenarien vorzustellen. Das sei in Deutschland noch ein recht neues Betätigungsfeld.

Zukunftskompetenz? Schon in der Eingangshalle verführt das Museum zum spielerischen Nachdenken über das, was künftig sein könnte. In einer »Wunschmaschine« kann man seinen eigenen Wunsch hinterlassen und die von anderen lesen. Da wurden »Süßigkeiten, die nicht dick machen« gewünscht. »Das bedingungslose Grundeinkommen.« »Reichtum, Glück und ewige Jugend.« »Eine bessere Verteilung des Wohlstandes.« Fast eine halbe Million Ideen sind so zusammengekommen, banale und stereotype, lustige und hochpolitische. Wer gewünscht hat oder auch nicht, wird dann im ersten Stock mit Fragen konfrontiert: Wird mein Roboter mit mir alt? Wie ist es, alles über mich zu wissen? Sollte mein Müll ein zweites Leben bekommen? Gefragt wird Persönliches und Politisches, zum Umgang mit Technik und Umwelt. Und dann wird die eine, allumfassende Frage gestellt: In welcher Zukunft will ich leben?

»Wir wollen, dass die Leute die Zukunft als etwas begreifen, das sie verändern können«, sagt Brandt, und dass das wichtig sei für die Demokratie. Deswegen organisiert das Museum zusätzlich Veranstaltungen. Beispielsweise zur Frage, wie die Demokratie weiterentwickelt werden sollte. Oder was das heute noch bedeutet. In verschiedenen Räumen kann man die Umsetzung von Künstlern, Technikerinnen und Sozialwissenschaftlern sehen: Plastiken, Touchscreens und interaktive Ausstellungsgegenstände geben ganz unterschiedliche Antworten auf die Fragen. Wem das nicht reicht, der kann sich von einem freundlichen Roboter ein Armband mit einem Chip geben lassen. Den kann man beim Rundgang an einen Punkt halten, der sich neben dem jeweiligen Ausstellungsgegenstand befindet. Der Chip speichert das Interesse am Thema. Ganz am Ende des Besuchs wertet die »Zukunftsmaschine« die Infos aus. Danach bekommt man eine Postkarte mit einem aufgedruckten Code. Gibt man diesen dann zu Hause in die Futurium-Website ein, erhält man auf den eigenen Rundgang zugeschnittene weiterführende Infos und Quellen.

Das Futurium lädt zum Spielen und Chillen ein, aber aus einem ernsten Grund: Die Menschen sollen entspannen, in Wohlfühlräumen und auf Schaukeln. Das nämlich regt die Kreativität an. Neurologen wissen das ziemlich genau. Auf neue Ideen kommt man nicht, wenn man sich ständig krampfhaft zwingt. Die Gedanken müssen zwischendurch schweifen dürfen. Womit wir mitten in der Politik gelandet sind. Ausgerechnet die, die große Verantwortung tragen, erlauben sich das viel zu selten. Es fehlt der Regierung und dem Parlament zwar nicht an klugen Beratern. Jede Expertin, jeder Wissenschaftler geht sofort ans Telefon, wenn das Kanzleramt anruft. Regelmäßig lädt der Kanzler kleine, verschwiegene Runden zum Abendessen. Das Kabinett bittet schlaue Menschen zu den Klausuren nach Meeseberg. Es gibt KI-Gipfel, Transformationsgipfel, und auch die einzelnen Minister treffen sich regelmäßig offiziell und inoffiziell mit Expertinnen und Beratern. Nie war so viel Wissen und Expertise für eine Regierung verfügbar, nie war sie so offen dafür. Nie aber hatte sie zugleich so wenig Zeit, darüber grundsätzlich nachzudenken und dann auch entsprechend zu handeln.

Ein Beispiel: Umweltministerin Steffi Lemke kennt die Dramatik der Biodiversitätskrise besser als die meisten anderen Menschen in Deutschland. Zugleich hat sie im Kabinett offen zugegeben, dass sie gar nicht genug Leute hat, um das Wissen schnell genug in entsprechende Gesetze übersetzen zu können, geschweige denn die ganzen neuen Richtlinien der EU. Wer aber schon im Alltagsgeschäft untergeht, wird kaum noch über die ganz großen Fragen nachdenken. Und noch weniger darüber, wie und ob nicht eigentlich das Regieren an sich, also der Alltag in den Ministerien, deren Zusammenspiel und die Organisation der gesamten Regierung, radikal verändert werden müsste. Was dazu führt, dass die Ministerien so arbeiten, wie Ministerien schon immer gearbeitet haben. Nur unter Beschleunigungsdruck.

Die kreativeren Köpfe lässt das mitunter verzweifeln. »Vernetztes Denken, gemeinsames Reagieren auf Polykrisen – ist nicht. Wir verdummen hier auf Dauer«, antwortet der Abteilungsleiter eines Ministeriums auf die Frage, wann er mal Zeit zum Nachdenken und Auftanken habe. »Nachts«, sagt ein anderer. Und ein Staatssekretär seufzt:»Ich bin gut in meinen Themen, aber von neuen Ideen und Trends aus anderen Feldern erzählen mir meine Kinder.« Wenn aber die Momente des Innehaltens fehlen, dann reduziert sich Politik am Ende auf das Abarbeiten von Paragrafen eines Koalitionsvertrages plus der nötigen Feuerwehreinsätze. Wen wundert es da noch, dass alles so fantasielos wirkt? Fast nie denkt Politik in Deutschland disruptiv, fast immer reformiert sie nur Bestehendes. Sie verlängert also nur die Gegenwart in die Zukunft.

Jetzt bitte nicht lachen: Liegt das möglicherweise auch daran, dass ausgerechnet den Top-Kräften der Politik die faulen Momente fehlen? Müsste die Regierung mal kollektiv ins Futurium geschickt werden, also in eine Umgebung, in der sie fantasieren dürfen? Direktor Stefan Brandt lächelt über den Gedanken, lächelt nochmal und sagt: »Wir bieten tatsächlich Workshops an, in denen wir Zukunftskompetenz vermitteln. Die werden von Schulklassen gebucht, aber auch für Unternehmen schaffen wir künftig ein Angebot. Die nehmen so etwas gern als Teil eines Führungskräftetrainings wahr.« Warum also nicht die Bundesregierung? »Ich würde das schon organisieren«, sagt Brandt mit einiger Zurückhaltung: »Einen Zukunftsworkshop für das Kabinett, warum nicht?« Dann fällt ihm schnell ein, warum daraus wahrscheinlich nichts wird. Damit etwas Sinnvolles rauskomme, müssten sich Kanzler und Co. schon an der Vorbereitung beteiligen. Sie sollen ja nicht wild fantasieren, sondern neue, unkonventionelle Lösungen für konkrete Probleme finden. So etwas müsse man vorbereiten, sagt Brandt, und dass die Spitzenpolitiker schon dafür wahrscheinlich keine Zeit hätten. Sie würden die Vorbereitung an ihre Mitarbeiter delegieren, die würden die Sache minutiös durchplanen, damit nichts schiefgeht. Und damit sei ein unerwartetes und spannendes Ergebnis eher unwahrscheinlich. Man müsse schon vermeintlich Verrücktes zulassen, damit überraschend Neues entstehe. Nach einer Pause sagt Brandt leicht betrübt: »So ein Experiment ist in diesen Zeiten über die sozialen Medien so leicht torpedierbar.«

»Kabinett chillt im Zukunftsmuseum.« »Fantasialand statt Regierungsbank!« Solche oder so ähnliche Schlagzeilen würde in der Ampel niemand gern lesen. Nur, die Regierung ist doch sowieso schon so bei so vielen Menschen unten durch. Warum nicht mal was Neues probieren? Die heutige Entwicklungsministerin Svenja Schulze hat das, als sie noch Umweltministerin war, sogar mit ihrem ganzen Haus getan. Vor ihrer Zeit in Berlin hat sie das Moderieren sogenannter Zukunftswerkstätten gelernt und dann Workshops geleitet. »Es ging beispielsweise in den Kommunen darum, dass die Leute auf neue Ideen kommen«, sagt Schulze. Sehr häufig endete deren Fantasie schon mit dem ersten Satz, und der lautet: »Es ist kein Geld da.« Die Ministerin erinnert sich noch an alle möglichen lustigen, kleinen Dinge, die zum Beispiel von Designern aus dem Umfeld des Wuppertal Institutes erfunden wurden, um für mehr Nachhaltigkeit zu sorgen.

Beispielsweise an das Schlüsselbord, an dem der Autoschlüssel auf die eine Seite und der Fahrradschlüssel auf die andere Seite gehängt werden. Immer wenn man nach dem Autoschlüssel greift, fällt der Fahrradschlüssel runter und man muss sich bücken. »Das hat nachweislich zu einem anderen Verhalten geführt«, sagt Schulze und kann sich noch heute über den kleinen Trick freuen. Sie hat die Idee mit den Workshops dann in ihr Ministerium getragen. Unter dem Titel »Wir schaffen Wunder« haben in Coronazeiten ihre Beamten mit Bürgerinnen, Vertretern der Wirtschaft und der Wissenschaft nach neuen Antworten gesucht. Etwa auf die Frage: Wie könnte die Mobilität der Zukunft aussehen, und wie könnte man sie durchsetzen?

Und was, Frau Schulze, wenn sie so etwas mit dem ganzen Kabinett organisierten? Da lächelt die Ministerin leise.

Wenn es in der Regierung nicht geht, geht es vielleicht im Parlament? »Es ist wichtig, sich an utopischem Denken zu orientieren«, sagt Jamila Schäfer. Die junge Politikerin hat es bei der letzten Bundestagswahl geschafft, als erste Grüne in München ein Direktmandat zu erringen. Im Bundestag durfte sie dafür gleich in den prestigeträchtigen Haushaltsausschuss und musste Anfang 2023 den Sparhaushalt mitverhandeln. Schäfer hat schnell gelernt, welche harte Arbeit im Maschinenraum der Politik nötig ist, um die eigenen Ideen vor dem Rotstift zu retten. Zugleich ist sie neu genug in Berlin, um noch hin und wieder mit dem Apparat zu fremdeln und damit, wie wenige der eigenen Träume und Veränderungswünsche sich am Ende umsetzen lassen. Selbst wenn man zur Regierungsfraktion gehört.

An einem Sonntagmorgen ist sie in die Evangelische Akademie Tutzing gekommen, um über Ideen für ein besseres Morgen zu sprechen. Und über die Frage, wie und wo man die noch bekommen kann. Schäfer erzählt, dass sie sich immer wieder bewusst in solche Veranstaltungen setze, damit sie das Träumen nicht verlerne. Denn genau das sei die große Herausforderung im Regierungsalltag: »Zu akzeptieren, dass viele Prozesse langsam gehen«, und trotzdem für die langen Tage und zähen Verhandlungen »die richtige Dosis an Fortschrittlichem mitzubringen.« Schäfer hält daher den Widerspruch – auf der einen Seite die wohlmeinenden konsequenten Utopisten und auf der anderen die hart gesottenen, kompromisslerischen Realpolitikerinnen – für konstruiert: »Es ist kein ›Entweder-oder‹, also entweder Realpolitik oder Utopie.« Man könne im Gegenteil auch realpolitische Schritte leichter in die richtige Richtung gehen und in bestimmten Situationen dann plötzlich etwas bewirken, wenn man durch die Utopie eine Orientierung habe. Das sei die wirkliche »Herausforderung für progressive Politik im parlamentarischen Setting«. Dann stoppt sie kurz und sagt: »Man braucht natürlich eine extreme Frustrationstoleranz.«

Der Druck, sich von den großen zukunftsverändernden Reformideen zu verabschieden oder sie im Alltag zu verdrängen, ist kein persönliches Schicksal von Schäfer: Viele Neulinge haben ähnliche Erfahrungen gemacht. Auch Parlamente sind so organisiert, dass im mühsamen Tagesgeschäft kaum Zeit bleibt, grundsätzlich über diese Zukunft zu reden. Doch so sehr das schnelle Handeln der Regierungen und damit das Durchjagen von Gesetzen als Krisenreaktion nötig sein kann – so sehr wird es immer mehr zum Problem: Will Politik vor allem auf Krisen reagieren oder sich auch mal die Zeit nehmen, um eine vorausschauende Krisenvorsorge zu konzipieren, damit es gar nicht erst schlimm wird?

Im Mai 2023 wurde das Tempo selbst Bundestagspräsidentin Bärbel Bas zu bunt. Die Sozialdemokratin forderte die Ampelkoalition öffentlich dazu auf, »disziplinierter« zu arbeiten.[2] Zwar seien in Krisenzeiten zuweilen schnelle Entscheidungen erforderlich. Doch verkürzte Verfahren sowie »Last-Minute-Entwürfe« bei den Gesetzgebungsverfahren dürften nicht zum Normalfall werden, so die Sozialdemokratin. Die Regierung müsse dem Bundestag mehr Zeit für eine gründliche Debatte und grundsätzlicheres Nachdenken einräumen. »Akzelerationszirkel« nennt der Soziologe Hartmut Rosa das Phänomen. In der »Spätmoderne«, so konstatiert er, stünden demokratischen Entscheidungsprozesse zunehmend unter dem Druck der Beschleunigung.[3] Die Ampel ist mitnichten die einzige Regierung und der Bundestag nicht das einzige Parlament, das unter erhöhtem Handlungsdruck leidet. Viele Parlamente müssen immer schneller reagieren, und damit gerät nicht nur das längerfristige Denken aus dem Blick. Es geht auch die Fähigkeit verloren, durch grundsätzliche politische Reformen auf soziale Veränderungen und Dynamiken zu reagieren. Und große Ziele überhaupt erst in den Blick zu nehmen, geschweige denn zu erreichen. Die Folgen sind offensichtlich: Wie die Regierungen reagieren auch die Parlamente mit ihren Gesetzen oft nur auf Phänomene, und fallen dann gern auf scheinbar offensichtliche Lösungen herein, ohne die Probleme an der Wurzel zu bekämpfen.

»Je weniger Zeit man in der Politik zu haben glaubt, desto mehr müsste man sich nehmen. Für Klausuren, und um über Probleme grundsätzlicher nachzudenken.« Dominic Schwickert, der Mann, der das sagt, leitet einen der erfolgreichsten Thinktanks Berlins. Er ist also sicher kein politikferner Traumtänzer. Sein Progressives Zentrum[4] wurde 2007 gegründet, um neben den parteipolitischen Stiftungen einen Ort der vertraulichen Gespräche zu schaffen. Verortet ist er selbst eher im rot-grünen Milieu, aber die Crew des Zentrums versucht immer wieder auch in konservative und liberale Kreise hineinzureichen. Ganz bewusst will man überparteilich sein – und dem Fortschritt verpflichtet.

Das Büro liegt im Parterre eines Altbaus in Moabit. Ein wenig weg vom Bundestag und dem Kanzleramt, also den Epizentren der Bundespolitik, aber trotzdem per Fahrrad in zehn Minuten zu erreichen. Hier finden regelmäßig vertrauliche Runden zu Themen aller Art statt. Die Grundidee ist, durch wissenschaftliche Erkenntnisse neue Impulse in die Politik zu tragen, Brücken zu bauen. Die, die kommen und mitreden, gehen regelmäßig klüger als zuvor nach Hause. Und dann? Schwickert schweigt kurz, und sagt: »Dann überwiegen oft doch die manifesten kurzfristigen Interessen.«

Dabei gibt es viele kluge Leute im Parlament, hervorragende Beraterinnen und Experten, interessante Anhörungen und sogar Runden, die sich mit grundsätzlichen Problemen beschäftigen. Den politischen Alltag konnte das bisher nicht verändern. Auch nicht der parlamentarische Beirat für nachhaltige Entwicklung. Der behauptet zwar, durch ihn habe »die Zukunft einen festen Platz im Deutschen Bundestag« und nimmt immer wieder Stellung zu den großen Problemen des Landes. Wirkung hat das jedoch wenig, auch weil man dort vielleicht mit Ausnahme des ehemaligen CDU-Fraktionsvorsitzenden Ralph Brinkhaus kaum politische Schwergewichte findet. Und weil der Ausschuss am Ende nichts zu entscheiden hat.

Denn das ist am Ende fast so wichtig wie das Chillen: Macht! Es braucht eine andere Machtverteilung, um die langfristigen Interessen gegenüber den kurzfristigen besser vertreten zu können und damit die der nächsten Generationen gegenüber der jetzigen. Der Sachverständigenrat für Umweltfragen hatte dazu 2019 folgende Idee. Er schlug einen Art Veto für die Erde vor. Ein Rat für Generationengerechtigkeit solle »mit Möglichkeiten zur Stellungnahme« an Gesetzgebungsverfahren beteiligt sein – immer, wenn künftige Generationen und damit die Zukunft betroffen sind. Durch ein »suspensives Vetorecht« soll es Gesetzentwürfe »im Falle schwerwiegender Bedenken« aufhalten dürfen.[5] So könnte eine Art institutionalisierte Atempause für die Politik entstehen. Dieser neue Rat soll zwar Gesetze nicht stoppen können. Er könnte aber dafür sorgen, dass die Politik sie noch einmal anschauen und prüfen muss, wie sehr sie damit auf Kosten der nächsten Generation entscheidet. Und im Idealfall würde auch die Öffentlichkeit aus diesem Blickwinkel darüber diskutieren. Das wäre sicher keine Revolution, aber ein erster Schritt, um der Zukunft ein bisschen mehr Gewicht zu verleihen, auf Kosten der Gegenwart. Damit das aber passiert, müssten nicht nur die Regierung und die Abgeordneten des Bundestages im Blick haben, wie ihre gegenwärtigen Handlungen in ein paar Jahren wirken. Sondern wir alle.

18
»Den Utopien-Muskel trainieren«
Wie wir die Zukunft ändern können

Die Akademie Tutzing liegt direkt am Starnberger See. Aus den Fenstern des kleinen Schlösschens blickt man weit über das Wasser auf die Voralpen. Das ist ein Ort, an dem die Seele baumeln kann. Oder einer, um weiser wieder nach Hause zu fahren. Denn das ist das Ziel der Akademie, hier finden seit über sechs Jahrzehnten Tagungen aller Art statt. Bei vielen geht es darum, das Land, die Demokratie, das Leben besser zu machen. »Politische und ökonomische Imagination« steht an diesem Wochenende auf dem Plan. An diesem Nachmittag sollen die Gäste »den Utopien-Muskel trainieren«. So jedenfalls lautet der Workshop, dessen Ziel es ist, einen neuen Umgang mit der Zukunft zu üben. Das klingt im ersten Moment abgedreht. Aber tatsächlich sind die meisten Menschen eher ungeübt in dieser Disziplin. Sie denken selten konkret darüber nach, wie ihr Leben und wie die Gesellschaft wohl in zwei Jahrzehnten aussehen wird. Und noch ungeübter sind viele darin, sich selbst als jemanden zu begreifen, der die Zukunft beeinflussen kann. Und zwar nicht nur die eigene, sondern auch die des Landes.

Eine Grundlage des Workshops ist das Konzept der »Futures Literacy«, die unter anderem von der UNESCO weiterentwickelt wird.[1] Diese UN-Organisation für Bildung, Wissenschaft und Kultur erklärt das Konzept auf ihrer Webseite so: »Darunter versteht man die Befähigung von Menschen zum aktiven Zukunftsdenken und darum, sie zu trainieren. Es geht also beispielsweise darum, dass Menschen die Auswirkungen des eigenen Handelns frühzeitig verstehen, sich im systemischen und vorausschauenden Denken üben und sich eine Offenheit für Neues und Nichtwissen aneignen.«

Im Workshop am Starnberger See wird das sehr schnell sehr lebensnah. Was viel mit Lukas Bäuerle und Marcel Beyer zu tun hat. Die beiden sind Sozioökonomen und Sozialwissenschaftler, sie fragen also, was die Gesellschaft zusammenhält und was sie verändert. An diesem Tag wollen sie die Teilnehmenden dazu bringen, sich nicht nur eine eigene Zukunft vorzustellen, sondern auch die des Landes. Im nächsten Schritt geht es darum, wie die kommenden Jahre beeinflusst werden könnten. Die beiden jungen Männer bitten alle Teilnehmenden, zunächst die Augen zu schließen und sich die Zukunft in 20 Jahren vorzustellen, die eigene und die der Gesellschaft.

Wie weit ist das weg? Wie alt bin ich in 20 Jahren, wie alt die Menschen, die mir wichtig sind? Wie wird die Gesellschaft in 20 Jahren sein? Was treibt mich da um? Was würde ich gern wissen? Wie fühlt sich das an? Wie sieht das aus? Mit solchen Fragen leiten die beiden das Nachdenken an. Nach ein paar Minuten sollen alle ihre Augen wieder öffnen und wer mag, die Gedanken teilen.

Ein junger Mann sagt: »Es kann Brüche geben. Wir werden das Wachstum der AfD und die digitalisierte Technowelt nicht so hinnehmen.«

Eine ältere Frau: »Die Zukunft in 20 Jahren fühlt sich nicht weit weg an, weil ich das überblicke. Zwei Jahrzehnte habe ich schon ein paar Mal vorübergehen sehen. Ich glaube, künftig werden Wirtschaft und Gesellschaft noch mehr verflochten sein, Arbeit und Privates auch. Wir haben das im Homeoffice während der Coronapandemie schon erlebt.«

Eine jüngere Frau mit Migrationshintergrund: »Ich sehe nur Gewitterwolken. Ich weiß nicht, ob ich hier in diesem Land noch eine Zukunft habe. Ob die Gesellschaft es geschafft haben wird, den Scheideweg richtig zu nutzen.«

Ein älterer Mann: »Ich werde, wenn es gut läuft, im Jahr 2044 schon 84 Jahre alt sein. Aber für mich ist die Zeit kein Vektor, der kontinuierlich nach oben oder unten zeigt. Ich gehe seit Corona viel zu Fuß, das hätte ich mir vor fünf Jahren nicht vorstellen können. Aber es tut mir so gut. Ich glaube, die Natur wird wieder viel stärker als heute in unser Bewusstsein eindringen, und die Wirtschaftsgläubigkeit wird abnehmen.«

Ein junger Mann:»Ich springe sofort in Science-Fiction-Filme, es fällt mir schwer, mir etwas halbwegs Realistisches vorzustellen.« Andere im Raum melden sich, mal mit konkreten Vorstellungen von der Zukunft, mal mit Wünschen, mal mit Beschwörungen, was nicht passieren soll, aber könnte. Nun beginnt das aktive Zukunftsdenken, darum, zwischen »möglicher«, »wahrscheinlicher« und »gewünschter« Zukunft zu unterscheiden. Und dann darüber nachzudenken, wie man den Weg von heute in die gewünschte Zukunft organisieren und sie wahrscheinlich machen kann. Die beiden Referenten zeigen ein Bild mit zwei Trichtern – die mit ihrer engen Stelle aneinanderstoßen. »Der ganz enge Punkt ist die Gegenwart«, sagt Lukas Bäuerle. Die sei bestimmt durch Ereignisse der Vergangenheit – die alle in den aktuellen Moment münden. An diesem engen Punkt, dieser Gegenwart, setzt nun der zweite Trichter an, der sich ins Morgen öffnet. »Es gibt nicht eine Zukunft, sondern viele mögliche Zukünfte«, sagt Bäuerle: »Je nachdem, was passiert und was wir daraus machen.«

Wie aber kann aus den vielen Möglichkeiten die gewünschte Zukunft werden? Die Gruppe spielt das am Beispiel der Wohnungspolitik durch. Die selbst gestellte Arbeitsaufgabe lautet: Wie kann in zwanzig Jahren genug Wohnraum für alle organisiert werden? Eine Aufgabe, die zugleich realistisch möglich und angesichts der aktuellen Politik ziemlich utopisch erscheint. Da werden objektive und mentale Hindernisse analysiert, politische, technische und ökonomische. Dann geht es um Strategien für eine Veränderung: Das Organisieren anderer politischer Mehrheiten, neue Arten des Zusammenwohnens, Volksbegehren. Und um neue Narrative, um für die Ideen auch Mehrheiten zu gewinnen. Nach einer knappen Stunde kommt den meisten Leuten im Raum das Ziel längst nicht mehr so irreal vor, wie noch zu Beginn. Ein junger Mann, der noch zuvor in Dystopien gedacht hat, murmelt:»Da geht doch mehr, als man erst einmal glaubt.«

Einen neuen Umgang mit der Zukunft finden: In Tutzing übt die kleine Gruppe das an diesem Wochenende im Schnelldurchgang. In Koblenz kann man es studieren. Dort, am Ende der Fußgängerzone liegt das Dreikönigenhaus. Es wurde 1701 gebaut, gehört heute zum UNESCO-Weltkulturerbe. Vor der Tür steht auf einem Plakat:»Dem Sinn ein Leben geben.« Man bilde hier Menschen aus, die sich»für eine nachhaltige Welt, eine lebendige und vielfältige Natur, eine solidarische und demokratische Gesellschaft sowie eine gerechte und lebensdienliche Wirtschaft einsetzen«.[2] Auch Beyer und Bäuerle waren hier, haben mitgeholfen, Gesellschaftsgestalter:innen auszubilden.

Nur, wie geht das? Die Chefin der Hochschule, die Ökonomin Silja Graupe erklärt ihre Arbeit so:»Viele junge Menschen laufen heute mit ungeheuer viel Angst durch die Welt. Und das zu Recht. Die kennen die Klimaprognosen die Ungerechtigkeit auf der Welt, die Naturzerstörung. Viele wollen sich deswegen am liebsten zurückziehen, mit einer kleinen Gruppe Gleichgesinnter. Aber das verändert die Welt nicht.« Deswegen brauche es Bildungsstätten, in denen gemeinsam und von verschiedenen Standpunkten aus darum gerungen wird, wie Gesellschaft neu gedacht und gestaltet werden kann. Wie sich eine gute und lebenswerte Zukunft überhaupt imaginieren lässt. Wie man auf Krisen reagieren soll. Was Krisen überhaupt sind. Silja Graupe wird einen Moment still, dann sagt sie sehr bestimmt:»Die Studierenden wollen Antworten auf reale Probleme. Mehr noch wollen sie vor allem eins: überhaupt einmal ihre Fragen an die Welt stellen dürfen und in ihren Sorgen und Ängsten ernst genommen werden. Sie wollen lernen, selbst Antworten zu finden. Und nicht, wie beispielsweise in einem klassischen Ökonomiestudium, erst einmal zwei Semester vor allem Mathe und Kurven vorgesetzt bekommen. Sie sind es unendlich leid, mit fertigem Wissen vollgestopft zu werden.«

In ihrer Hochschule spreche man stattdessen über Marktmacht, über Netzwerke, über Konsum.»Das alles kann man anhand eines Handys erklären«, sagt Graupe.»In jedem Gebrauchsgegenstand steckt bereits das gesamte Wissen darüber, wie wir wirtschaften.« Ein Teil der Studierenden, die so etwas interessiert, kommt direkt von der Schule, andere haben bereits ein anderes Fach studiert oder auch schon gearbeitet. Sogar ein Chefarzt hat hier studiert, weil er die Ökonomisierung der Medizin nicht mehr ertrug und wissen wollte, was er dagegen tun kann. Wie die anderen auch hat er gelernt, dass die neoklassische Ökonomie in Kategorien von Angebot und Nachfrage, Markt und Preis denke. Das sei, so sagt Graupe, zwar eine Möglichkeit, um die Welt und die Wirtschaft zu erklären – aber eben nur eine von vielen:»Es gab in anderen Zeiten und gibt in anderen Ländern ganz andere Möglichkeiten, die Welt zu sortieren.« Studierende sollten selbst entscheiden, welche davon für ihre Probleme taugten und welche nicht.

Die Hochschul-Chefin selbst hat erforscht, wie die japanische Philosophie auf die Welt der Ökonomie blickt. Der andere Blick sei kein Selbstzweck, sagt Graupe, er eröffne neue Möglichkeiten, auf die Gegenwart und damit die Zukunft zu schauen. Um sie dann zu verändern. Hat ihr Unterricht die Welt oder die Gesellschaft schon verändert, Frau Graupe? Die Professorin antwortet darauf lächelnd:»Diejenigen, die hier studiert haben, verbreiten die Ideen.« Und sie hätten den Mut und das Können, anzupacken und die Gesellschaft zu gestalten. Sie würden beispielsweise Lehrer weiterbilden, die wiederum ihre Schüler in der Kunst des Zukunftsimaginierens unterrichteten. Die würden dann ihre Schule hoffentlich mit dem Gefühl verlassen, doch ernst genommen zu werden und etwas am Lauf der Welt zum Besseren verändern zu können.[3]

Das Wochenende in Tutzing verlassen die meisten Teilnehmenden beschwingt. Eines allerdings fällt schon auf: Es ist die Mittelschicht, die hier geträumt hat. Und das ist typisch.»Die Fähigkeit zur Aspiration ist ungerecht verteilt. Wenn du arm bist, kannst du diese Fähigkeit schlechter üben«, sagt der Anthropologe Arjun Appadurai.[4] Er hat sich damit beschäftigt, was Menschen dazu befähigt, überhaupt realistisch von der Zukunft zu träumen und von der Möglichkeit, sie im eigenen Sinne zu verändern. Bildung sei dabei ein ganz wichtiger Faktor. Immer schon waren die Träume der Gebildeten und Reichen wirkmächtiger als die der Armen. Das ist nicht nur für die Betroffenen selbst ein Problem – immerhin steht ihnen die Zukunft deutlich weniger offen, wenn sie viele Möglichkeiten gar nicht zu denken wagen und damit viele Chancen gar nicht wahrnehmen können, und sich dann womöglich außen vor fühlen. Was wiederum klar negative Auswirkungen auf die gesamte Gesellschaft hat. Und auf die Demokratie.

Noch vor zwei, drei Jahren wäre so eine Behauptung wahrscheinlich belächelt worden. Gefahr für die Demokratie? Die gibt es doch nur in fremden Ländern. In den USA vielleicht, in Russland oder der Türkei sicher. Doch inzwischen wachsen auch hier die Sorgen. Denn die Rechtspopulisten dringen auch hierzulande immer tiefer in die Gesellschaft. Was die Situation für die Demokratie hierzulande brenzlig macht, ist folgendes Problem: »Die Abkehr unterer sozialer Schichten von der Politik«, nennt es Lea Elsässer: »Unterprivilegierte soziale Gruppen hören auf, ihre Stimme im politischen Prozess verlauten zu lassen«.[5] Die Mainzer Sozioökonomin hatte sich 2018 – also noch vor dem rasanten Aufschwung der AfD – in einer großen Studie angeschaut, wie ärmere und benachteiligte Menschen die Politik in Deutschland wahrnehmen, wie gut sie sich von ihr vertreten fühlen und wie gut ihre Wünsche tatsächlich vertreten werden. Sie kam zu dem erschreckenden Fazit, dass sich »das Gefühl weniger privilegierter sozialer Gruppen, kein Gehör bei den Verantwortlichen in der Politik zu finden« klar empirisch belegen.

Nicht nur träumen die Menschen am unteren Rand der Gesellschaft weniger konkret von der Zukunft. Wenn sie Wünsche haben, dann werden die auch noch schlechter umgesetzt. Und das wiederum senkt dann die Zustimmung zur Demokratie: »Es besteht innerhalb von Gesellschaften ein Zusammenhang zwischen der ökonomischen Position und dem Politikvertrauen«, beschreiben auch Jan Brille und Dorothee Spannagel das Problem.[6] Die beiden Forschenden arbeiten am Wirtschafts- und sozialwissenschaftlichen Institut der Böckler-Stiftung und haben sich intensiv damit beschäftigt, welchen Zusammenhang es zwischen Ungleichheit und Demokratie gibt: Arme Menschen erlebten häufiger Geringschätzung, reiche Menschen mehr Bestätigung. Diese Erfahrung übersetzte sich in Misstrauen oder Vertrauen in die politischen Institutionen. Wer mit seinem Einkommen auskommt, glaubt eher an das politische System. Wer sehr arm ist sehr viel weniger. Und er oder sie schafft es dann auch kaum noch in die Politik.[7]

Damit die nächste Generation von Politikerinnen und Politikern anders ist – und es anders machen kann – hat sich der Verein Love Politics[8] gegründet. Der Gründer Winfried Kneip, der lange als Geschäftsführer der Mercator Stiftung gearbeitet hat, begründet die Idee so: »Verändern wird sich die Politik erst dann grundsätzlich, wenn ihre Repräsentantinnen und Repräsentanten sich weniger als bisher ähneln und wenn sie über anderes Wissen verfügen. Deswegen wollen wir dafür sorgen, dass Menschen aus bisher weniger gut vertretenen Gruppen – also Menschen aus Arbeiterhaushalten oder mit Migrationshintergrund – besser vertreten sind. Denen wollen wir auch noch einen anderen, weiteren Blick auf die Welt, die kommenden Krisen, Chancen und ihre eigenen Gestaltungsmöglichkeiten ermöglichen. Und damit auf die Probleme, die Politik künftig lösen muss.« Also hat der Verein ein überparteiliches und berufsbegleitendes Ausbildungsprogramm entworfen.

Bewerben können sich junge Leute aus Deutschland, Österreich und der Schweiz, die schon ersten Schritte im Beruf gemacht haben. Dabei waren im ersten Jahrgang 2023/24 junge Menschen beispielsweise aus Gewerkschaften, Behörden und Nichtregierungsorganisationen. Alle eint, dass sie sich bereits für die Gesellschaft eingesetzt und engagiert haben, aber bisher nicht parteipolitisch gebunden sind, und nun ernsthaft in die Politik einsteigen wollen. So wie eine junge Frau, die Anti-AfD-Demos in Halle mitorganisiert. Über ein Jahr trafen sie sich zu Wochenendseminaren, abwechselnd in unterschiedlichen Städten in einem der drei Länder. Dort wurden sie dann von gestandenen Politikerinnen, Beratern und Wissenschaftlerinnen mit den

Zwängen der realen Politik konfrontiert – und mit Ideen, wie es anders gehen könnte. Wie vorausschauende Politik gemacht wird. Wie sie vermeiden könnten, von einem Krisen-Feuerwehreinsatz zum nächsten zu hetzen. Wie sie sich ungewöhnliche Hilfe und Netzwerke organisieren könnten.

An einem sonnigen Samstag im Februar 2024 treffen sie sich in einer alten Villa, hoch über den Hügeln von St. Gallen. Die dortige Uni beherbergt sie diesmal und zu Gast ist der ehemalige Bürgermeister der Stadt Mannheim. Peter Kurz hat seine Stadt viele Jahre lang regiert und er hat sich einen Namen weit über die Grenzen von Mannheim hinaus gemacht. Sehr früh nämlich hat Kurz schon sehr grundsätzlich darüber nachgedacht, wie seine Stadt verändert werden muss, damit sie in Zukunft besser auf die Bedürfnisse und Bitten der Menschen reagieren kann. Wie sie sich besser mit anderen Kommunen zusammentun kann, damit die eigenen Anliegen auch auf anderen Ebenen mehr Gehör finden – schließlich sind sie die Orte, an denen Politik für jeden Menschen spürbar wird. In den Gemeinden wird Politik sehr schnell sehr konkret. Dort zeigt sich unmittelbar, ob die Politik liefert.

Kurz hat deswegen die Verwaltung umgebaut. »Change hoch 2« hatte er seinen Plan genannt, vor über einem Jahrzehnt. Dabei war der Begriff »Change« beim damaligen US-Präsidenten Barack Obama abgeschaut – warum tiefstapeln? Das »hoch 2« sorgte für den Lokalbezug: Mannheim war einst von Kurfürst Friedrich IV. in Quadraten angelegt worden. Bürgermeister Kurz wollte, dass seine Politik an quantifizierbaren Ergebnissen gemessen wird. Er wollte also nichts weniger, als die deutsche Kommunalpolitik auf den Kopf zu stellen. Die misst Wirkung entweder gar nicht – oder an einem Prinzip: je mehr Geld, desto mehr Wirksamkeit. Ein großer Etat bedeutet in dieser Logik, dass viel Wert auf etwas gelegt wird. Oder noch schlimmer, dass viel funktioniert.

Natürlich ist jedem klar, dass die Realität komplizierter ist. Also sind modernere Verwaltungen irgendwann dazu übergegangen, auch ihren »Output« zu messen. Danach griff ein neues, ebenso falsches Prinzip Raum. Am Beispiel der Sauberkeit lässt sich das gut erklären. Nach dem ersten Prinzip, dem des Geldausgebens, wurde die Stadt immer sauberer, je mehr Geld die Stadtreinigung bekam. Nach dem zweiten Prinzip wurde Fortschritt daran gemessen, wie viele Papierkörbe aufgestellt wurden. Was aber, wenn die Leute den Müll trotzdem einfach in die Gegend werfen? Dann kann man noch etwas nachjustieren und die herumliegende Müllmenge messen. Kurz aber ging noch einen Schritt weiter. Er legte beispielsweise das Ziel »mehr Sauberkeit« fest. Von Beginn an ging es ihm dabei um mehr als einen sauberen Bürgersteig. Wie sauber oder dreckig Bürger ihre Stadt finden, hängt nämlich mit vielem zusammen. Illegale Plakatwände stören manch einen mehr als herumliegendes Kaugummipapier. Auch das grundsätzliche Zuhause-Gefühl der Menschen in ihrem Viertel spielt eine Rolle. Menschen, die sich in ihrer Nachbarschaft wohlfühlen, halten sie von sich aus eher sauber. Sie lassen ihre Hunde nicht auf den Bürgersteig scheißen. Sie kümmern sich um die Baumscheiben, pflanzen dort vielleicht sogar ein paar Blumen. Sie melden kaputte Straßenlaternen und überquellende Mülleimer. Ergo ist nicht nur die Stadtreinigung für Sauberkeit zuständig, die ganze Verwaltung ist es. Und die ganz normalen Menschen sind es auch. Vorausschauende Politik geht also auch im Lokalen, und sie kann sehr konkret sein. Und sie ist erfolgreich, wenn sie partizipativ ist.

Kurz erzählt an dem Abend folgende Geschichte: Während der Fußballweltmeisterschaft in Südafrika habe jemand in Mannheim einen Film über das deutsche Nationalteam gedreht und die Frage, wie die Leute es so fanden. Das Team war damals sehr bunt, die Spieler oder ihre Eltern kamen aus ganz verschiedenen Ländern. So wie auch viele Menschen in Mannheim, in der alten Arbeiterstadt kommen die Einwohner schon seit Langem von überallher. Ein kleiner türkischstämmiger Junge wird von dem Reporter gefragt, ob er für die Türkei oder für Deutschland spielen wolle. »Für die Türkei«, antwortet er, und nach einer kurzen Pause sagt er dann noch: »Oder für Mannheim.«

Für Kurz war das ein Beweis dafür, dass die Stadt etwas richtig macht. Dass dieses Gefühl von Zugehörigkeit ein Schatz ist, den man nutzen kann. Und dass gute Politik immer auch gute Geschichten über die Zukunft erzählen muss, nicht nur den kleinen

Jungs. In der Stadtverwaltung wiederum dachten manche: Der Kurz mit seinen Geschichten, der hat sie nicht alle. Man verwalte Aufgaben und Geld, hieß es, nicht Sauberkeit und Verbundenheit. Doch der Bürgermeister hörte nicht auf, von »Vernetzung« zu reden und von »Wirkungsanalyse«: Er fragte die Wirtschaft, wie eine gute Förderpolitik aussehen solle, und baute das Angebot entsprechend um. Er suchte nach den strategischen Stärken und Schwächen seiner Stadt und steckte viel Geld in die Bildungspolitik, finanzierte beispielsweise Nachhilfeunterricht für ärmere Kinder. Eine Schule auf der armen Seite von Mannheim wurde in einen Ganztagsbetrieb umgewandelt. Nebenan eröffnete ein Kindergarten in muslimischer Trägerschaft, damit Kinder aus diesen Familien schon möglichst früh mit der deutschen Sprache in Kontakt kommen. Und immer wieder untersuchten Bildungsforscher, was wirklich wirkt. Im »Wie« liege für alle Kommunen ein großes Potenzial, und dass man das immer wieder neu justieren müsse, sagt Kurz.

Der Mann hat seine Stadt auch durch die Coronazeit navigiert, und er erinnert sich gut an das Gefühl der permanenten Überforderung. Seither denkt er darüber nach, was sich an der Politik grundsätzlich ändern müsste. »Es gibt immer noch keine Anstrengungen, zu lernen, welche Konsequenzen sich durch die Pandemie ergeben haben und welche sich ergeben sollten«, fasst Kurz in einem ziemlich nüchternen Resümee seine Erfahrungen zusammen. Dabei sei das nötiger denn je. Schließlich erlebe das Land die permanente Dauerkrise – wenn da politische Institutionen nicht aus den gerade überwundenen Krisen gemeinsam Lehren zögen und lernten, besser und schneller zu reagieren, könnten sie auch künftig nicht liefern. Und dabei sei das eines der wichtigsten Kriterien für erfolgreiche Politik: die Wirksamkeit.

Da ist es wieder, dieses Motiv der zukünftigen Überforderung. Kurz spricht öffentlich aus, was auch viele andere Lokalpolitiker besorgt: Welche Weichen sie wie stellen müssen, damit es ihrer Stadt oder ihrem Dorf auch künftig gut geht – dafür existiert keine organisierte Hilfe. Was ist Fortschritt in Kommunen? Klar gibt es für solche Fragen Berater und Wissenschaftlerinnen, Kommunalverbände und alte Rezepte: Also die bekannte Mischung aus guter Wirtschaftsförderung, Investitionen in Kitas, eine mehr oder weniger ambitionierte Verkehrspolitik und das Ausweisen von neuen Flächen für neue Wohngebiete. Aber daneben viel Fischen im Trüben. Und es gibt viel zu wenig Geld. »In den meisten Kommunen ist das finanzielle Fundament schwach«, schreibt die Bertelsmann-Stiftung[9] und warnt: »Sie werden ihre wichtige Aufgabe der Transformation zu mehr Nachhaltigkeit voraussichtlich nicht erfüllen können.« Dabei sind gerade die Kommunen die Orte, an denen Menschen der Politik am ehesten nahekommen – und ihr Versagen am ehesten spüren: Wenn die Schulen marode bleiben, die Kitas zu wenig Personal haben und das Rathaus bröckelt. Das passiert längst nicht in jeder Gemeinde, aber in zu vielen.

Über solche Probleme streitet die Ampel nicht einmal. Sie ignoriert sie. Ländersache eben.

Es gebe aber noch ein weiteres »Riesenproblem«, sagt Kurz. Das System sei so gebaut, dass Prävention zu wenig belohnt werde. »Lob bekommt, wer die Kuh vom Eis holt. Nicht derjenige, der dafür sorgt, dass sie gar nicht erst aufs Eis läuft.« Kurz will das jetzt ändern. Er ist bei der letzten Wahl nicht mehr angetreten, der Ex-Bürgermeister will noch einmal etwas Neues beginnen, und künftig sein Wissen und seine Erfahrungen an andere weitergeben – auch durch sein neues Buch *Gute Politik*[10]. An dem Wochenende in St. Gallen ist er dabei, als die Teilnehmenden üben, zugleich über Großes und Kleines, lokale und internationale Fragen nachzudenken. Und zu träumen. Wann in ihrer Karriere, wenn nicht jetzt?

In kleinen Gruppen sollen sie Antworten auf große Fragen finden – und überlegen, was sie zur Lösung beitragen können: Wie kann die »planetare Gesundheit« verbessert werden, was bedeutet das überhaupt, und was für den einzelnen Menschen? Wie steht es um die ökosystemische Gesundheit – was ist überhaupt ein Ökosystem? Wie wäre es, wenn Gesundheit überhaupt das Leitziel der Politik wäre? Wie kann der Ressourcenverbrauch reduziert werden – im Lokalen und im Globalen?

Man kann über diese Fragen schmunzeln, schon so viele andere haben sich darüber die Köpfe zerbrochen. Doch als eine junge Frau aus Wien sagt, dass bei ihr im 9. Bezirk darum gerungen werde, wie das »Ökosystem« Bezirk grüner und damit für die Menschen erträglicher werden könne, klingen das Problem und auch die Lösungen plötzlich lebensnah. Sie haben etwas mit Bäumen und Parks zu tun. Mit besserer Luft und weniger Lärm. Mit mehr Platz für die Menschen und weniger für die Autos. Was die Politikerin in spe da gerade übt, geht im Kern auf das schwedische Bateson Institute zurück. Dort wurde das sogenannte »Warm Data«-Konzept erfunden.[11] »Wie können wir die Komplexität, in der wir leben, besser verstehen – damit wir unsere Interaktion mit der Welt verbessern«, beschreibt die Gründerin Nora Bateson die Mission des Institutes. Das hat Techniken entwickelt, die dabei helfen, »kalte« Fakten neu zu bewerten, indem ihre Wirkung von ganz unterschiedlichen Menschen mit verschiedenen Erfahrungen, sehr unterschiedlichem Wissen in ganz unterschiedlichen Kontexten berücksichtigt wird. Ein Beispiel ist das Wirtschaftswachstum. Das ist im linearen Denken der Ökonomie fast ausschließlich positiv besetzt. Wie aber ist es mit dessen Wirkung auf die Umwelt? Schon wer diese Frage stellt, beginnt unweigerlich darüber nachzudenken, welches Wachstum für eine Gesellschaft gut ist, welches für die Natur. Ob es schlechtes Wachstum geben kann. Sobald also die »kalten« ökonomischen Fakten von Nichtökonomen beurteilt werden, kommen andere Ergebnisse heraus. Und so könnten andere Lösungen produziert werden, die für die Gesellschaft möglicherweise besser sind.

An diesem Nachmittag reden die angehenden Politikerinnen und Politiker irgendwann nicht mehr über die abstrakte Frage: Was ist ein gesundes Biotop? Sondern darüber, wie Wien lebenswerter werden kann. Ob das reicht, nur im 9. Bezirk in Wien mehr Bäume zu pflanzen. Und was der Stadt sonst noch so fehlt, um auch in harten Zeiten ein guter Wohnort zu sein.

In ein paar Jahren wird man die Antwort sehen, riechen und fühlen können. So oder so.

19
Über Krisen und Gummistiefel

Und darüber, wie der Kanzler sein Kabinett überraschte

Im Januar 2024 schwillt im niedersächsischen Verden die Aller an, mehr und mehr Wasser überschwemmt die Uferwiesen. Nach ein paar Tagen gleicht der Fluss einem riesigen Strom. Wochenlang bleibt das so. Häuser, Sportplätze und Äcker stehen unter Wasser. Straßen werden unterspült, Brücken unpassierbar. Mehr als 100 000 Einsatzkräfte von Feuerwehr, Polizei, Bundeswehr, THW und anderen Hilfsorganisationen sind tagelang im Einsatz, dazu kommen noch unzählige freiwillige Helferinnen und Helfer. An vielen Orten in Niedersachsen schaufeln sie Sand in Millionen Säcke und verstärken Deiche.[1] Auch in Bremen, in Nordrhein-Westfalen, in Sachsen-Anhalt treten Flüsse über das Ufer. Die Schäden gehen in die Millionen.[2]

Die Aufräumarbeiten sind noch in vollem Gang, da sind die Bilder der Wasserflächen, die Flüsse zu Seen gemacht haben, in Berlin schon wieder vergessen, verdrängt von anderen kleinen und großen Krisen. Dabei ist schon klar: Ereignisse dieser Art werden immer häufiger. Vor der Überschwemmung in Niedersachsen gab es die an der Ahr, danach die im Saarland, in Baden-Württemberg und Bayern. Überall in Deutschland müssen Deiche verstärkt, Dämme gebaut und Abwassersysteme verstärkt werden. Doch damit ist es längst nicht getan.

Verhinderung, Anpassung, Schadensbeseitigung – aus diesem Dreiklang besteht moderne Krisenpolitik. Wobei auch klar ist: Je mehr heute dafür getan wird, dass sich die Ökokrise nicht drastisch verschlimmert, desto weniger Geld muss in Zukunft ausgegeben werden. Ein paar Milliarden Euro in der Gegenwart und strengerer Umweltschutz könnten viel Geld und einigen Ärger in der Zukunft verhindern: Tote Menschen und Tiere, viel Aufräumarbeiten, das Leerpumpen der Keller, die Renovierung von Straßen und Brücken.

Das politische Problem an der Sache ist das sogenannte Präventionsparadox. Das besagt, dass eine präventive Maßnahme, die allen sehr nutzen würde, denjenigen, die sich in der Politik dafür starkmachen, oft persönlich nur wenig bringt. Weil die Menschen die Kosten der Vorsorge sofort spüren, den Nutzen aber erst viel später.

Präventive Politik muss also viel mehr erklärt werden als jede andere Art der Politik, und das ganz besonders, wenn sie materiellen Verzicht bedeutet. Würde heute verboten, Flussufer zuzubauen, müssten morgen weniger Keller leergepumpt werden. Wären die Autos heute leichter, würden weniger Schadstoffe ausgestoßen und weniger Menschen krank. Sänke die Zahl der Flüge, würde weniger CO_2 frei und der Klimawandel weniger dramatisch. Natürlich sind die Kausalketten komplizierter. Doch es geht hier um das Prinzip: Wer in der Politik fordert, etwas zu unterlassen, um dadurch künftigen Schaden zu verhindern, hat es schwer. In fast allen politischen Parteien steht das Wort »Weniger« auf der Liste der Tabus weit oben und Verbote sind sehr unbeliebt. Und die Grünen, die als einzige Partei unter Verdacht stehen, so etwas hin und wieder zu wollen, werden dafür gnadenlos von den anderen bekämpft. Zu tun hat das mit einem Problem, das die Historikerin Hedwig Richter und der Journalist Bernd Ulrich die »Illusion der Zumutungslosigkeit« nennen.[3] Sie meinen damit, dass man sich in der Politik immer wieder nur darauf einigen kann, dass man den Menschen keinen Verzicht zumuten darf – nicht mal den Besserverdienenden. Immer noch ist die Sorge riesig, dass weniger Konsum die Leute sofort auf die Straße treibt oder, schlimmer noch, den Nazi in den Deutschen weckt. Auch weil die Leute oft unterschätzen, wie teuer der Verzicht auf die Vorsorge in Zukunft werden kann.

Doch sogar wenn die Politik trotz alledem präventive Maßnahmen durchsetzt und eine Krise dadurch weniger schwer ausfällt, nützt ihr das womöglich wenig. Auch dann kann der Nutzen der Vorsorge von vielen Leuten falsch eingeschätzt werden. Frei nach dem Motto: Warum habt ihr denn so übertrieben gewarnt, war doch alles nur halb so schlimm. Seit Jahren mahnen Ökologen daher vergeblich, dass das Ausmaß von Fluten längst nicht so groß sein würde, würde Deutschland eine grundsätzlich andere Landschaftspolitik betreiben. Also beispielsweise so, wie die Niederlande konsequent mehr naturnahe Sickerflächen schützen.[4]

Für den Philosophen Karl Popper ist das Lösen von Problemen die Essenz des Politischen. Nehmen wir also einmal an, nur so als Gedankenexperiment: Wie wäre es, wenn Kanzler und Co. sich durch das Hochwasser in Niedersachsen oder durch das im Saarland oder das in Bayern wirklich hätten berühren lassen? Sie hätten es nicht als eine der vielen unvermeidlichen Krisen behandelt, die alle paar Jahre wiederkommen und bei denen man dann mit Gummistiefeln einen halben Tag lang durch dreckiges Wasser waten muss, um möglichst schnell wieder abzureisen. Nehmen wir an, diese Krise wäre eine Art Aufrüttler – etwa so, wie der Ukrainekrieg für die Sicherheitspolitik. Stellen wir uns also folgende, frei erfundene Unterhaltung vor – bei der die Zahlen und die ökologischen Fakten allerdings stimmen.

»Ich will nicht mehr jedes Jahr mit Gummistiefeln im Wasser waten und mich dann auch noch von den Leuten beschimpfen lassen«, sagt Olaf Scholz in einer Morgenrunde im Juni 2024 zu seinem Kanzleramtsminister Wolfgang Schmidt. Er ist gerade aus Bayern zurück, er hatte dort – wieder einmal – Hochwasserschäden besichtigen müssen, die viele Millionen Euro Schäden verursacht haben. »Ich bin es leid. Ich will es jetzt genau wissen. Gibt es überhaupt eine Chance, so was zu verhindern? Deutschland krisenfest zu machen?«, sagt der Kanzler, schweigt einen Moment und setzt dann hinzu: »So etwas passiert ja nun schon alle paar Monate. Ich habe am Wochenende die Klimaprognosen nochmal gelesen. Wir werden bald schon die 1,5 Grad reißen. Deswegen will ich eine Zeitenwende 2.0 – gegen Naturkrisen.«

Schmidt wendet kurz ein, es gebe doch nun wirklich dringlichere Probleme. Die Weltlage, die Rechtspopulisten, die Inflation. Außerdem interessiere die Leute das Thema sicher bald schon wieder nicht mehr. Und es gebe doch diesen Staatssekretärsausschuss, der produziere schon so viele Papiere über Nachhaltigkeit.[5] Scholz hört zu, grinst nur süffisant und wechselt das Thema. Schmidt kennt das schon, er weiß, der Chef hat sich in das Thema verbissen. Zurück in seinem Büro setzt er seine Leute daran. Schon vor dem Mittagessen schickt ihm ein Mitarbeiter folgende Infos:»Allein im Jahr 2023 haben Sturm, Hagel und Überschwemmungen insgesamt Schäden in Höhe von 4,9 Milliarden Euro verursacht.« In einer Studie des Umweltministeriums werden die Kosten für solche Ereignisse bis Mitte des Jahrhunderts auf 280 Milliarden Euro bis 900 Milliarden Euro beziffert.[6]

Schmidt ist Kummer gewohnt, und auch das Jonglieren mit Milliardensummen. Doch bei der Höhe wird selbst ihm kurz schummrig. Er mailt zurück:»BK will nicht wissen, was die Katastrophen kosten. Sondern, was Prävention und Adaption kosten.« Als der Kanzler nachfragt, sagt er:»Wir wissen, wie teuer Umweltkrisen werden können. Sehr teuer. Aber noch nicht, wie viel eine effektive Vorsorge kosten würde.« Scholz nickt nur. Beim nächsten Telefonat mit seinem Finanzminister Lindner fragt er den beiläufig:»Habt ihr mal berechnet, was Überflutungen und ähnliche Katastrophen mit dem Bundeshaushalt machen könnten?« Lindner hat keine Ahnung, was er aber nicht zugibt. Ihm fällt nur ein, dass Bund und Länder für die Katastrophe an der Ahr einen Topf mit 30 Milliarden Euro organisiert hatten. Und er denkt im Stillen:»Wenn die Ahr noch ein paar Mal passiert, sind wir blank.«

Vor der nächsten Kabinettsitzung fragt Scholz seinen Finanzminister noch einmal kurz:»Na, was kostet uns Klimawandel-Vorsorge denn nun?« Svenja Schulze, die Entwicklungsministerin, hat zufällig zugehört und blickt erstaunt auf. Sie kämpft gerade gegen heftige Kürzungen in ihrem Etat. Spontan sagt sie:»Klima schützt man am besten weltweit!« Auch Gesundheitsminister Karl Lauterbach hat zugehört und fügt schnell hinzu:»Die materiellen Schäden sind fast noch die unwichtigsten – verglichen mit dem, was den Menschen passiert.« Scholz schaut leicht genervt, er will jetzt keine Kabinettsdebatte über dieses Thema. Aber der Gesundheitsminister ist nicht zu stoppen. »Menschen, die selbst Todesangst hatten oder die Angehörige verloren haben, leiden hart darunter. Das weiß man durch Umfragen an der Ahr.«

Der Kanzler signalisiert jetzt deutlich, dass er kein Fakten-Bingo will. Also sagt Lauterbach nur noch, er werde die wichtigsten Studien mal rüberschicken. Am Nachmittag hat Kanzleramtsminister Schmidt dann auch dieses Material auf dem Tisch und er liest: Ein Jahr nach der Flut an der Ahr gaben 42 Prozent der Befragten an, dass das Ereignis sie immer noch sehr stark oder stark belaste. 28 Prozent hatten Anzeichen einer posttraumatischen Belastungsstörung – also fast jeder Dritte.[7] Mit der Mail kommen auch die Kopien einiger Buchseiten. »Die Erde, die Freiheit und auch die Demokratie stehen auf dem Spiel, wenn die Politik nicht hier schneller handelt«, steht da. Der *Spiegel*-Journalist Jonas Schaible[8] hat in seinem Buch *Demokratie im Feuer* die Zustände ausgemalt, die Deutschland in dreißig Jahren drohen könnten: Wassermangel, brennende Wälder, Stromausfälle. Sein Fazit: »Die Bundesregierung ist zu langsam, so wie alle anderen Staaten zu langsam sind.« Normalerweise würde Schmidt das alles nicht lesen. Für Krisen in 30 Jahren hat er keine Zeit. Doch es ist etwas Merkwürdiges mit dem Staatssekretär passiert, etwas, das auch andere schon erlebt haben: Fängt man erst einmal an, sich wirklich auf die Szenarien einzulassen, haben sie einen eigentümlichen Sog. Und man bekommt Angst.

Schmidts Auge bleibt einen Moment an einem Zitat des Arztes und Wissenschaftsjournalisten Eckart von Hirschhausen hängen: »Wir müssen nicht das Klima retten, sondern uns selbst«, steht da. Hirschhausen hat unlängst seine Karriere als Kabarettist und Gastgeber großer Fernsehshows beendet. Er will seine Bekanntheit jetzt anders einsetzen und hat deswegen die Stiftung »gesunde Erde, gesunde Menschen« gegründet.[9] Schmidt ist jemand, der sich nicht scheut, mal eben selbst zum Handy zu greifen. Und so ruft er Hirschhausen an, bittet um Vertraulichkeit, und erklärt ihm sein Problem: Der Kanzler wolle, dass sich alle Kabinettsmitglieder gegen Naturkatastrophen engagieren und das Land für die Zukunft sicherer machten, und zwar gemeinsam. Die Grünen sollten sich nicht sofort eifersüchtig über »ihr« Thema beugen, die Liberalen sich nicht gähnend abwenden. Außerdem wolle Scholz eine Rede halten, die auch die Menschen motiviere, das Thema nicht nur wahlweise beängstigend oder nervig zu finden.

Hirschhausen überlegt kurz und sagt:»Ich komme gern mal vorbei. Gebt uns einen Tag und mein Team bringt alle auf den Stand.« Schmidt stutzt hörbar. Es ist nicht ungewöhnlich, dass Experten zu den Kabinettsklausuren nach Meeseberg kommen. Aber einen ganzen Tag?»So viel Zeit nur für den Klimawandel?«, fragt er hörbar befremdet und Hirschhausen antwortet trocken:»Wir würden auch noch über die Biodiversitätskrise sprechen und über die Gesundheitskrise. Und darüber, wie die Politik schneller und besser reagieren könnte. Denn Wissen ist nicht das Problem. Sondern die Frage, wie die Politik am besten darauf reagiert.« Schweigen. Hirschhausen wartet noch einen Moment und sagt dann:»Ihr könnt auch weiter wie ein Kaninchen auf die Schlange starren. Und dann die Augen schließen.«

Nachdem Schmidt seinem Chef berichtet hat, erstaunt der ihn zum ersten Mal seit Langem. Denn an einem Mittwoch, an dem auch Christian Lindner mal nicht zu spät zur informellen Kabinettssitzung kommt, sagt Scholz:»Jeder hier kennt das Präventionsparadox. Jetzt etwas zu tun, was möglicherweise erst in zehn Jahren eine Katastrophe verhindert, kostet viel Geld und bringt möglicherweise erst unseren Nachfolgern etwas. Ich will trotzdem, dass wir uns alle – und ich meine alle – besser gegen die kommenden Krisen wappnen. Wir müssen besser kooperieren, und viele Milliarden Euro mehr in die Vorsorge investieren. Ich will nicht jedes Jahr nach immer schlimmeren Unwettern immer mehr Menschen trösten müssen.« Seine Aufgabe sei es, so der Kanzler ungewöhnlich pathetisch, für die Sicherheit des deutschen Volkes zu sorgen – auch wenn die Bedrohung möglicherweise erst dann schlimm werde, wenn er nicht mehr im Amt sei.

Alle schweigen verwundert. Entwicklungsministerin Svenja Schulze schaut fragend die Umweltministerin Steffi Lemke an, die neben ihr sitzt. Dann sagt Lindner:»Ich habe die Zahlen prüfen lassen. Jetzt massiv in mehr Klimaschutz zu investieren, spart in Zukunft viel Geld.« Alle staunen und fragen sich, was da gerade passiert ist. Fünf Minuten später schwirren die ersten SMS durch die Hauptstadt:»Scholz will Zeitenwende 2.0.«»BK verlangt Regierungsreform wegen Klimakrise.«»Lindner will neue Prioritäten im Haushalt.« Und die Hauptstadt rätselt: Was hat Scholz so berührt, dass er sich hat berühren lassen? Wie üblich schweigt der Kanzler. Als er von seinem Staatssekretär später im Stillen danach gefragt wird, zitiert er Popper: Die Essenz des Politischen ist das Lösen von Problemen.

Und nun zurück in die Realität: Die Wissbegierde des Kanzlers ist nicht erfunden, aber Scholz wird weder die Regierung anders organisieren noch eine 2.0-Rede gegen Naturkrisen halten. Schon so eine kleine Grundsatzrede vor dem Kabinett wäre viel zu riskant. Wenige Minuten nach der Sitzung würde sie durchgestochen und das Projekt wäre gestorben, bevor es begonnen hat. Denn sofort ginge die Debatte los, welche Partei dadurch gewinne, welche verliert. Es ginge um Macht und nicht um Inhalt. Zu brutal sind die Mechanismen eines dramatisch beschleunigten politmedialen Geschäftes, zu wenig passen die kurzen politischen Zyklen, in denen jede Landtagswahl wie ein Urteil über die Bundespolitik interpretiert wird, zu den Notwendigkeiten einer langsam wirkenden Vorsorge gegen die Umweltkrisen. Und auch das Ressortprinzip spricht dagegen: Seit Bismarck sind Minister und Ministerinnen für ihre Häuser selbst verantwortlich. Die Ideen, dass sich das Kabinett eine Anti-Krisen-Politik vom Kanzler entwerfen lässt – und die einzelnen Minister freiwillig Ressorts umorganisieren oder fusionieren und damit möglicherweise Macht und Geld abgeben, ist leider völlig realitätsfremd. Mal ganz abgesehen davon, dass das Kanzleramt nur ein sehr kleines Team hat und kaum operativ handeln kann. Scholz muss, wenn er etwas will, für die Umsetzung in Programme und Gesetze fast immer eine Ministerin oder einen Minister gewinnen.

»Wir reden zwar ständig alle miteinander. Aber nicht über solche grundsätzlichen Fragen«, sagt eine Spitzenpolitikerin. Sie hat erst geschmunzelt, als sie von diesem Szenario hört. Und dann ernst geantwortet: Die Regierung umorganisieren, entbürokratisieren und effizienter machen? Für solche Ideen habe man am Anfang dieser Legislaturperiode keine Zeit gehabt. Und nun habe man keine Kraft mehr. Außerdem wolle das Kanzleramt keine ergebnisoffenen Diskussionen. Bei Prozessen, deren Ende er noch nicht kennt, würde der Kanzler immer die Gefahr des Kontrollverlustes wittern. Und Durchstecherei. Deswegen habe er beispielsweise die Zeitenwende in der Verteidigungspolitik still und leise mit nur wenigen Eingeweihten konzipiert, und das wahrscheinlich zu Recht. »Wir werden uns weiter durchlavieren und die großen Fragen vertagen.«, sagt auch ein anderes Kabinettsmitglied. »Das ist nun mal das Schicksal von Koalitionsregierungen mit drei Parteien. Willkommen in der Berliner Republik.«

Die Ministerien werden also die Polykrisen weiter getrennt und nur mit ihren jeweils beschränkten Mitteln analysieren und bekämpfen: Die Umweltministerin wird versuchen, das Artensterben ein wenig zu bremsen, der Finanzminister das Geld hüten, der Klimaminister den Bau von Windrädern erleichtern und für das Wirtschaftswachstum kämpfen. Niemand schaut auf das ganze Bild. Es ist, als ob sie alle in einem Museum stehen und viel zu nah an ein Gemälde herantreten. Sie sehen Blau, können aber den Himmel über der Landschaft nicht mehr erkennen. Nur selten tritt dann ein Einzelner für einen Moment ein Stück zurück, und schaut dann, wie der erfundene Kanzler dieses Kapitels, erschreckt auf das ganze Bild.

Was das mit der Wirklichkeit macht, zeigt der Umgang mit der Flutkatastrophe an der Ahr. Ob das Geld aus dem 30 Milliarden schweren Wiederaufbaufonds weiter fließen kann, war schon bei den Haushaltsberatungen für das Jahr 2024 unsicher – weil er seit dem Urteil des Bundesverfassungsgerichtes aus dem laufenden Haushalt bezahlt werden muss. Und schon in dem musste die Regierung ja bekanntlich schon sparen, bis es quietschte.[10] In den kommenden Jahren wird Geld immer schwerer aufzutreiben sein. Weitere Unwetterkatastrophen sollten also besser nicht über das Land hereinbrechen. Zumal auch auf anderen politischen Ebenen viel zu wenig vorausschauende Politik gemacht wird. Zwar bauen manche Bundesländer neue Dämme und Rückhaltebecken gegen die Fluten. Wenn Kommunen außergewöhnlich mutig sind, erlauben sie keine Neubauten in die hochwassergefährdeten Regionen mehr, sondern lassen dort mehr Natur zu – in die das Wasser im Krisenfall fließen darf. Und vorausschauende Städte planen, zu Schwammstädten zu werden. In Hamburg beispielsweise entfernt man Beton und lässt mehr Grün zu. Hitze ist dort leichter zu ertragen, wo Büsche und Bäume stehen und Parkplätze durch Grünflächen ersetzt werden.[11] An vielen Orten aber passiert immer noch das Gegenteil. Politik, Wirtschaft und Öffentlichkeit legen sich gegenseitig lahm, statt vorausschauender auf das Anthropozän zu reagieren. Oder, schlimmer noch, sie laufen gemeinsam Sturm – wenn jemand versucht, es anders zu machen.

An der Ahr jedenfalls werden viele Häuser genau dort wieder aufgebaut, wo andere vorher weggeschwemmt wurden. Auch weil die Versicherungen sonst den Wiederaufbau nicht bezahlen würden.[12]

20
Was nun, Regierung?
Über die ungenutzten
Spielräume der Politik

» **D**on't compare us to the almighty, compare us to the alternative.« Mit einem Stoßseufzer sagt ein Ampel-Politiker diesen Satz: Man solle seinen Kanzler doch bitte nicht immer mit dem lieben Gott vergleichen, sondern mit den echten Alternativen. Scholz sei nur ein Mensch. Stimmt, es läuft in vielen anderen demokratischen Ländern auch nicht gut und die Auswahl an Regierungschefs, die ihre Länder überzeugend auf eine Zukunft voller Krisen vorbereiten, ist eher klein. Zugleich ist der Erwartungsdruck, der heute auf der Politik im Allgemeinen und der Bundesregierung im Speziellen lastet, fast unmenschlich. Regieren im 21. Jahrhundert ist alles andere als einfach, und wird es so bald nicht mehr werden. Nur, wenn die wichtigste Entschuldigung für die schlechte Performance der Hinweis auf die noch schlechtere der anderen ist, dann gute Nacht. Dann ist die Ampel die falsche Wahl, um das Land besser aufzustellen und die Zukunft zu einem erfreulicheren Ort zu machen. Was nicht bedeutet, dass die aktuelle Opposition automatisch besser wäre.

Zugleich ist das, was wir mit der Ampel bisher erlebt haben, möglicherweise nur der Beginn eines neuen Normal. Auch künftig könnten häufiger Regierungen aus drei Parteien gebildet werden, weil zwei nicht mehr die nötige Mehrheit zusammenbekommen. In vielen anderen Demokratien ist das längst gang und gäbe, und oft sind diese Bündnisse so kippelig wie ein Stuhl mit drei Beinen. Auch deswegen lohnt es sich, die Performance der Ampel abschließend noch einmal grundsätzlich anzuschauen: Damit wir und vielleicht auch die nächste Regierung lernen können, wie Fortschrittspolitik eben nicht geht.

Warum also haben es SPD, Grüne und FDP nicht geschafft, eine gemeinsame Idee davon zu entwickeln, wie dieses Land gerechter, ökologischer, freier und sicherer gemacht werden kann? Und dass, obwohl sie mit Habeck den besten Erzähler des Landes haben, mit Scholz einen erfahrenen Macher und mit Lindner, einen Politiker, der mindestens als erfolgreicher Minister in die Geschichte Deutschlands eingehen will. Ein paar Gründe für ihre Schwierigkeiten haben wir bereits beleuchtet: den Unwillen, die eigenen Werte zu modernisieren, um dann auf dieser Basis neue Gemeinsamkeiten mit den anderen zu finden. Der fehlende Wille, gemeinsam nach grundsätzlichen Lösungen für die Polykrise zu suchen und mehr in die Vorsorge zu investieren, statt sich immer wieder von der nächsten Krise ablenken zu lassen. Die Unambitioniertheit, den Regierungsapparat zu reformieren, um neue Ideen durch neue Strukturen schneller umzusetzen. Und eine mediale Öffentlichkeit, die nur auf Fehler wartet und exploratives Regieren äußerst schwierig macht.

War die Ampel von Anfang an ein Projekt der Unmöglichkeit? »Auch noch so viel Biertrinken und Philosophieren hätte diese Koalition nicht gerettet, denn es geht nicht zusammen, was nicht zusammenpasst«, argumentiert jemand aus dem grünen Teil der Regierung. Er ist schon zur Halbzeit hochgradig frustriert: Die ideologischen Unterschiede seien einfach zu groß. Weil die FDP die Schuldenbremse und das Nein zu jeglicher Steuererhöhung zum Mantra gemacht hätte, die Grünen und viele Sozialdemokraten aber hohe Investitionen in den sozial-ökologischen Umbau forderten. Weil die einen den Markt verherrlichten, und die anderen einen aktiven Staat wollten. Weil die Grünen die Klimakrise als die drängendste Aufgabe der Gegenwart definierten, die für die beiden anderen aber nur ein Thema unter vielen sei. Und weil dann noch zwei Kriege – der Russlands gegen die Ukraine und der im Nahen Osten – viel Energie absorbierten und die Parteien noch zusätzlich intern spalteten. Da gebe es einfach keine

Kraft für den großen Wurf. Das Beste, was man von der Ampel noch kriegen könne, seien ein paar gute Gesetze von ein paar aktiven Ministern in einzelnen Bereichen, sagt ein Sozialdemokrat: Karl Lauterbach reformiere die Gesundheitspolitik still, leise und sehr effektiv. Hubertus Heil schaffe ein paar Fortschritte im Sozialen. Robert Habeck baue die Energie-Infrastruktur um. Nur daraus werde eben kein Gesamtkunstwerk.

Auf den ersten Blick scheint das plausibel. Nur, erstens sind Kompromisse nun mal das Alltagsgeschäft der Politik. Und zweitens haben Ampelregierungen auf Landesebene durchaus funktioniert. Man darf also von den Spitzen der Bundesparteien in diesen Krisenzeiten schon ein ehrliches Bemühen erwarten, das Land gemeinsam gut zu regieren – statt wie die FDP immer wieder Streit anzuzetteln. Wohlgemerkt: Der Streit an sich ist nicht das Problem, der gehört zur Demokratie wie die Kette zum Fahrrad. Problematisch wird er, wenn er vorwiegend taktisch geführt wird, und mit einer offensichtlich destruktiven Haltung. Denn natürlich wäre der Ampel vieles leichter gefallen, glaubte FDP-Chef Lindner nicht so unerschütterlich an seine eigene Analyse der deutschen Politik. Daran, dass nur das öffentliche Opponieren gegen die eigene Regierung die FDP retten kann. Was dazu führte, dass seine Fraktion so manchen Gesetzesentwurf aus einem grünen Haus öffentlich härter kritisierte als die bürgerliche Opposition – statt ihn still und leise mit zu verbessern. Wie es sich für Koalitionspartner gehört. Kurz: Eine andere Koalition mit anderen Menschen hätte anders regiert.

Scheitert die Ampel also am menschlichen Faktor, an dem Aufeinandertreffen großer, leider aber inkompatibler Egos? Mit intensiver Liebe zum Detail haben die Hauptstadtbüros vieler Medien auch diese These ausrecherchiert. Sie haben akribisch notiert, wann Scholz, Baerbock, Habeck und Lindner wieder mal nicht zueinanderfanden. Sie haben dokumentiert, wenn sich Regierungsmitglieder öffentlich durch Tweets, Interviews oder Randbemerkungen bei Pressekonferenzen widersprachen. Und doch mussten sie sich wieder und wieder mit den Aussagen abfinden, dass es »rein menschlich« wunderbar laufe. Was nicht in allen

Fällen stimmt, zwischen Annalena Baerbock und Olaf Scholz wird es beispielsweise keine wunderbare Freundschaft mehr geben. Womit wir bei der zentralen Figur der Ampel wären und deren Charaktereigenschaften: Dem Kanzler. Immer wieder sind die Hampeleien der Ampel mit Scholz' Unwillen begründet worden, seine Regierung offensiv zu führen.

Führt der Kanzler zu wenig? Schauen wir für die Antwort kurz auf etwas, das der Ampel gemeinsam erstaunlich gut gelungen ist. Ja, das gibt es, und zwar beim Umgang mit der russischen Invasion in der Ukraine, jedenfalls in der Anfangszeit. Als Bundeskanzler Scholz damals, in seiner berühmten Zeitenwende-Rede im Bundestag, überraschend 100 Milliarden Euro und damit ein historisch einmaliges Finanzpaket für die Ertüchtigung der Bundeswehr forderte, gab es keinen nennenswerten Widerspruch aus den Reihen der Koalition, nicht mal von der SPD-Linken. Die Bundestagsabgeordneten der Ampelparteien standen im Gegenteil auf und applaudierten lange.

Das funktionierte, weil alle drei Parteien die Bedrohung sehr schnell sehr ähnlich analysierten. Zwar stritten sie über das Ausmaß und das Tempo der nötigen Hilfe für die Ukraine, auch wurde der Kanzler damals bald schon aus den eigenen Reihen kritisiert – denen einen war er zu zögerlich, den anderen zum militaristisch. Manche Abgeordnete forderten mehr Waffenlieferungen, andere wollten wie der Kanzler vorsichtiger vorgehen, noch andere weniger Waffen liefern. Trotz alledem waren sich jedoch große Teile der Parteien und die Spitzen der Koalition grundsätzlich einig, wie die Wirklichkeit zu deuten sei: Die Bedrohung durch Putin ist eine ernst zu nehmende Gefahr. Also braucht man die Aufrüstung der Bundeswehr und massive Hilfen für die Ukraine. Unstrittig war auch, wo sich Deutschland verortet: tief im Westen.

Das ist gefühlt sehr lange her, die Koalition streitet sich inzwischen auch in der Außen- und Verteidigungspolitik öffentlich so, dass sie dafür keine Opposition mehr braucht. Dennoch ist das Beispiel interessant, denn es wird immer wieder als Argument dafür eingesetzt, dass der Kanzler nur seine Richtlinienkompetenz häufiger hätte nutzen müssen, und schon wäre alles gut geworden. Das scheint plausibel, ist aber falsch. Hätte Scholz das tatsächlich regelmäßig getan, wäre er nicht nur Gefahr gelaufen, dass die FDP aus der Regierung ausgestiegen wäre – was das Ende seiner Kanzlerschaft bedeutet hätte. Wichtiger noch ist: Bei vielen großen Problemen hätte ein Machtwort gar nicht viel genützt. Ein Kanzler kann die Zeitenwende fordern und auch den Atomausstieg. (Letzteres hat er im Übrigen nur getan, weil ihn Grüne und FDP vorher darum gebeten haben.) Komplexere Fragen aber entziehen sich in einer parlamentarischen Demokratie der Basta-Politik. Und große Krisen sind in der Regel komplex.

Würde Scholz beispielsweise befehlen, dass sich die gesamte Regierung ab sofort mehr im Kampf gegen die Polykrise engagieren solle, und zwar mit Zeitenwenden-Haltung, finge die Detailarbeit damit doch erst an: Das Verteilen von Geld, Kompetenzen, das Umstrukturieren der Bürokratie, das Denken in Netzwerken, die Frage, wie sich neue Ideen schnell umsetzen lassen. Im Zweifel würde er noch den Ärger der Grünen provozieren, wenn er ganz nebenbei »ihr« Thema, die Klimakrise, stärker an sich zöge. Davor hatten die Grünen schon zu Beginn der Legislatur so große Angst, dass sie sowohl gegen einen Klimastaatssekretär im Kanzleramt als auch einen nationalen Sicherheitsrat opponiert haben. Und auch Finanzminister Lindner würde sich mächtig dagegen wehren, wenn plötzlich das Kanzleramt Teile seines Jobs übernehmen, Etatposten umwidmen und Ministerien zu einer anderen Zusammenarbeit zwingen wollte. Ganz zu schweigen vom Haushaltsausschuss des Bundestages, der peinlich darüber wacht, die Etats und Programme der einzelnen Ministerien getrennt zu bewilligen.

Spätestens in diesem Augenblick darf man einmal seufzen, und viele, die die Berliner Politik ständig beobachten, tun das auch und wenden sich dann resigniert ab: Da kann man eben wenig machen. So ist sie nun mal, unsere gute alte Demokratie. Sie ist das Beste, was wir haben, und besser als das, was in vielen anderen Ländern so üblich ist. Aber sie ist eben doch in die Jahre gekommen und durch unzählige Regeln arg gefesselt. Da ist kein

Spielraum für schnellen Wandel und weitreichende Zukunftsvorsorge. Und in heutigen Zeiten, wo die Politik nichts mehr fürchtet als ein um seine Ruhe gebrachtes Wahlvolk, schon gar nicht. Da bekommt jede Regierungspartei ein paar Pfründe, das ein oder andere Ministerium, und die arbeiten die Themen ab. Anders geht es nur in Präsidialsystemen, dort kann ein Präsident mit seiner Macht und seinen Leuten neue Ideen viel schneller umsetzen. In der Realität aber funktioniert das allerdings auch nicht viel besser, da reicht ein Blick nach Frankreich.

Bevor der Kulturpessimismus tonnenschwer wird, schauen wir besser mal in die Ferne. Denn es gibt sie eben doch, die Gegenbeispiele. Die allerdings findet man nicht auf den ersten Blick und nicht als Gesamtkonzept. Aber es gibt in vielen Ländern ganz unterschiedliche Ideen, die sich kopieren ließen. Und andere Haltungen. Neuseeland beispielsweise ist eine parlamentarische Monarchie, und es hat seine Art des Regierens schon vor Jahren dem 21. Jahrhundert angepasst. Dort wurden die Bürokratien mutiger reformiert als anderswo, dort hat die ehemalige Regierungschefin Jacinda Ardern einst ein sogenanntes »Wellbeing Budget« eingeführt. Diese Art der Haushaltsführung basiert auf der Idee, dass die Regierung komplexe Probleme wie Kinderarmut, Ungleichheit und Klimawandel nur lösen kann, wenn sie über das Wirtschaftswachstum hinausblickt und soziale und ökologische Auswirkungen der wirtschaftlichen Aktivitäten berücksichtigt.[1]

Oder: In Norwegen setzt sich die Regierung auch Ziele, die weit über die eigene Regierungszeit hinausgehen – und fördert mithilfe der Initiative »Innovation Norway« massiv den klimafreundlichen Umbau des Landes.[2] (Ja, die Einnahmen durch das Öl helfen dabei und sind die dunkle Seite der Geschichte. Dennoch bleibt der Horizont der Politik, der weit über eine Wahlperiode hinausreicht, interessant.) In Schweden ist auch bei ärmeren Bevölkerungsschichten die Zustimmung zur Klimaschutzpolitik groß, weil sie klug für einen sehr hohen CO_2-Preis entschädigt werden. In Dänemark wurde die Bildungspolitik erfolgreich über mehrere Legislaturperioden hinweg modernisiert, um die für die Transformation so wichtigen Fachkräfte zu bekommen.[3] Und in

Spanien hat Premierminister Pedro Sánchez ein »nationales Büro für Vorausschau und Strategie« eingerichtet – um das »kurzfristige Denken« in der Politik zu besiegen. Um zu wissen, wie die Menschen sich Spanien 2050 vorstellen und was man dafür tun kann und muss. Im Vorwort des ersten Berichtes wird der spanische Philosoph und Schriftsteller Miguel de Unamuno zitiert: »Lasst uns mehr die Väter unserer Zukunft sein als die Söhne unserer Vergangenheit.«[4]

Auch diese Nationen sind keine heilen Welten. Auch dort wetteifern politische Parteien um Posten und Macht. Und doch versuchen sie, auf die ein oder andere Weise, das Präventionsparadox besser zu lösen und eine weitsichtigere Politik zu machen. Das geht, weil sie Regierungschefs und Chefinnen haben oder hatten, die ins Gespräch mit ihren Völkern gingen. Denn das ist die eine wirklich problematische Eigenschaft von Scholz, und damit das große Manko dieser Ampel. Seine offensichtliche Unfähigkeit oder Unwilligkeit, mit uns zu sprechen. Für Scholz, so sagen es diejenigen, die oft mit ihm zusammenarbeiten, seien Diskussionen wie Mathematikaufgaben, deren Ergebnis er lange vor allen anderen schon zu kennen glaubt. Deswegen gebe er auch nur sehr selten Zweifel zu, weder öffentlich noch im Kreis der Koalitionspartner. Und noch seltener signalisiere er: Ich weiß auch nicht alles. Lasst uns also gemeinsam nach neuen Lösungen suchen und etwas ausprobieren. Deswegen habe er eben keinen Stil, der motiviert und Kräfte weckt.

Um hier nicht missverstanden zu werden: Dieser Kanzler ist interessiert und aufgeschlossen, wenn es um neue Fakten und Technologien, um Interpretationen der Gesellschaft oder der Welt geht. Er hat sich über die Möglichkeiten einer Wasserstoffwirtschaft ebenso informiert wie über Innovationen in der Medizin oder die Triggerpunkte der deutschen Öffentlichkeit. Und er hat natürlich über den Fortschritt an sich nachgedacht, wahrscheinlich mehr als viele andere. »Ich lese immer ganze Zeitungen, auch die anderen Teile, die gar nichts mit meinem Beruf zu tun haben, auch weil ich da auf Dinge stoße, die ich nicht weiß, die mich interessieren«, sagte er bei einer öffentlichen Diskussion mit dem Sozialphilosophen Axel Honneth einmal.[5] Und der Philosoph ist längst nicht der einzige Gelehrte, mit dem Scholz redet. Immer wieder trifft er kluge Experten ganz im Stillen, liest aktuelle Sachbücher und diskutiert mit Wissenschaftlerinnen. An Expertise mangelt es also nicht. Doch wenn es um die politischen Schlussfolgerungen geht, darum, wie man auf dieser Basis die Politik verändern müsste, dann ist er durch und durch Machtpolitiker. Dann lässt er sich nicht in die Karten schauen. Dann bleibt kein Raum für Experimente. Dann verwechselt er das Wegmanagen der Probleme mit Politik. Scholz glaube, dass »gute Politik im Kern gute Verwaltungspraxis« sei, schreibt Mark Schieritz in seiner Biografie des Kanzlers. Entscheidend für den Erfolg einer politischen Maßnahme sei nicht »die Vision, sondern ihre Umsetzung«.[6]

Scholz' Regierungsstil, so könnte man auch sagen, beruht auf einem tiefen Missverständnis: Der Missachtung von Kommunikation als essenziellem Bestandteil von Politik. Es war die Philosophin Hannah Arendt, die darauf klarer als viele andere aufmerksam gemacht hat.[7] Darauf, dass es in der Demokratie eben nicht nur auf das Lösen von Problemen ankommt, sondern auch auf den Prozess dorthin und darum, möglichst viele Menschen daran zu beteiligen. Darum, öffentliche Räume zu etablieren, in denen Menschen gewaltfrei politische Angelegenheiten verhandeln. Scholz hat Arendt sicherlich gelesen. Hätte er ihre Hinweise beherzigt, würde er nicht immer wieder signalisieren: Wenn ihr mich alle vier Jahre wählt, dann erledige ich den Rest für euch. Dann werdet ihr nicht viel von der Politik und der Welt spüren. Denn das stimmt ganz offensichtlich nicht und wird in Zukunft noch weniger richtig sein. Also verstärkt so den Frust. Und es lässt die wichtigste Ressource dieses Landes brachliegen: die Kreativität der Menschen.

»Wir sollten häufiger beschreiben, welchen Zustand wir anstreben, und den Fortschritt auf dem Weg dahin messen, statt mit den Ideen von gestern das Morgen zu bewerten«, sagt Maja Göpel. Die Transformationsforscherin hat mehr als viele andere über die Bedingungen von erfolgreichem Wandel nachgedacht. Sie sorgt sich, dass durch den Mangel an positiven Bildern einer künftigen guten Gesellschaft »Menschen immer weniger Vertrauen haben, dass ihnen hochwertige Daseinsvorsorge wie Bildung, Gesundheit, Wohnraum und gesunde Lebensmittel als öffentliches Gut zugänglich sein wird anstatt nur noch über den privaten Kontostand.«[8] Und dass sie dann irgendwann privat auschecken. So oder so.

Einer in der Regierung hat es mal anders versucht, am Anfang jedenfalls. Am Tag nach der Bundestagswahl sagte der frisch gebackene Wirtschaftsminister Robert Habeck in der Bundespressekonferenz gut gelaunt: »Aber hey, es kann was Neues entstehen! Deutschland … hallo … schlaft ihr noch? Es kann was Neues entstehen! Ist doch eigentlich eine coole Situation!«[9] Da allerdings kannte er seinen Kanzler noch nicht sehr gut. Der erstickte solche Allüren schnell, auch weil ihm seine Erfahrung sagte, dass die Leute am Ende doch diejenigen ins Kanzleramt wählen, die ihnen das Gegenteil versprechen: Keine Experimente. Wir lassen euch weitgehend in Ruhe. Man kann das Konzept auch die Strickjackisierung der deutschen Politik nennen, und eine direkte Linie von Kohl über Merkel zu Scholz ziehen: Die Male, in denen die Deutschen redebegabte Charismatiker gewählt haben, die wie Brandt oder auf ganz andere Art auch Schröder, etwas von ihnen forderten, sind eher selten. Deswegen würde der Kanzler über die Idee, er müsse sich oder seinen Politikstil ändern, wahrscheinlich auch nur leise lächeln. »Schlumpfig« nannte Markus Söder das einmal gehässig. Und Scholz konterte wiederum mit der Bemerkung: »Die sind klein und listig und gewinnen immer.«[10]

Und hat er nicht recht? Immerhin ist Scholz entgegen allen Voraussagen ins Kanzleramt eingezogen, weil oder obwohl er so ist, wie er ist. Doch so sehr das bisher stimmt, so wenig ist es eine Garantie dafür, dass es nochmal klappen wird. Und es ist schon gar kein Beleg für gute Politik. Scholz würde allerdings auch diesen Einwurf sicher weglächeln. Mit dem sicheren Gefühl, dass er seine Deutschen besser kennt, und darum weiß, was man ihnen alles nicht zutrauen kann.

Es ist oft geschrieben worden, dass die Kanzler dieser Republik den Deutschen misstrauen. Dass sie fürchten, die Wutbauern in uns zu wecken, sowie sie etwas fordern. Und dass sich das in Umweltfragen besonders krass zeige, dass die Demokratie und die Ökologie im Grunde nicht zusammengehen. Weil die Demokratie nur überlebe, wenn es immer mehr materiellen Wohlstand gibt, und die Ökologie nur, wenn wir verzichten. Eine Regierung, die vom Volk zu viel Krisenprävention will, hätte damit von vornherein verloren. Jede Demo gegen eine politische Maßnahme passt dann als Beweis für diese These. Und der wachsende Rechtspopulismus zudem. Aber so einfach ist die Wirklichkeit dann doch nicht.

Schon die Gründe für den rechten Populismus sind vielschichtiger. Da spielen materielle Sorgen eine Rolle, aber ebenso das Gefühl, nicht dazuzugehören. Fremdenfeindlichkeit und das Fremdeln im eigenen Land. Ein Motiv aber taucht immer wieder besonders stark auf: die Angst vor der Zukunft.[11] Und die verschwindet eben nicht dadurch, dass der Kanzler suggeriert, das Meiste werde mühelos so bleiben, wie es ist. Und den Rest erledige er mithilfe neuer Technik. Stellen wir uns also für einen Moment vor, Scholz hätte nicht das Wegkonzentrieren der großen Probleme perfektioniert, sondern das Darübersprechen? Er würde mit uns, dem Volk, eine Unterhaltung darüber beginnen, dass sich in diesem Land einiges verändern muss, damit das Gute so bleibt, wie es ist. Und dann darüber, wie das gemeinsam bewältigt werden kann. Weil es heute um etwas Fundamentales geht, um etwas, das Scholz selbst »das große Versprechen« genannt hat: »kommenden Generationen ein gutes Leben zu ermöglichen.«[12]

Dafür bräuchte es gar nicht die eine große Kanzlerrede, die die Wendung bringt, sondern eine andere Haltung, ein anderes Sprechen und eine neue Interpretation der Demokratie. »Demokratie hat immer auch eine Zumutungsseite. Es kann eine Exklusion sein, jemanden zu verschonen, in Ruhe zu lassen«, sagt der Philosoph Felix Heidenreich. Und er schreibt: »Unsere demokratische Freiheit wäre vor diesem Hintergrund anders zu deuten, nicht als Recht darauf, in Ruhe gelassen zu werden, sondern als Einbindung in ein Gewebe von Ansprüchen, die wir formulieren, denen wir uns aber auch aussetzen müssen.«[13] Der Philosoph plädiert für einen neuen Republikanismus und er hört sich dabei ein wenig so an wie der amerikanische Präsident John F. Kennedy, der folgenden Satz berühmt machte: »Frag nicht, was dein Land für dich tun kann. Frage, was du für dein Land tun kannst.«

Dieser Patriotismus klingt uns fremd und muss womöglich gar nicht sein. Aber ersetzt man »unser Land« durch Heimat, Nachbarschaft, Familie oder Freundeskreis, klingt es schon viel lebensnaher. Das sind die Gruppen, denen sich viele verbunden fühlen und von denen man will, dass es ihnen auch künftig gut geht. Heidenreich denkt die Pflicht allerdings weit über sie hinaus. Er beschreibt beispielsweise die Armee als Egalisierungsmaschine. Er lobt den Schweizer Milizdienst und die Feuerwehr, in die man in manchen Kantonen eintreten muss – als Pflicht gegenüber der Gemeinschaft. Er erzählt, wie in der Schweiz sogar das Management von Schulen zum Teil ehrenamtlich erledigt wird, eine absonderliche Vorstellung für uns. Die Schweizerinnen und Schweizer sind mit ihrer Demokratie allerdings viel zufriedener als wir, was damit zu tun hat, dass sie sich sehr viel aktiver daran beteiligen können, ja sogar müssen.

Sollten also alle in die Freiwillige Feuerwehr eintreten? Sicher nicht, so viele Leute braucht die auch gar nicht. Entscheidend ist die Idee, dass die Regierung die Krisen der Zukunft nicht allein lösen wird. Sondern dass es dafür viele braucht, und die Politik uns deswegen anders ansprechen muss als bisher. Was, wenn all die Menschen, die zu Jahresbeginn gegen den Rechtspopulismus auf die Straße gehen, sich dauerhaft engagieren würden? Ein »Projekt der Selbstermächtigung«, wünscht sich die Historikerin Hedwig Richter, und das müsste gar nicht komplett neu erfunden werden. Modelle dafür gibt es reichlich. Es könnten beispielsweise die Entwicklungsbeiräte[14] von Gesine Schwan sein, die Kommunen bei schwierigen Entscheidungen helfen und so den Frust über »die Politik« erfolgreich senken. Mehr Bürgerräte oder Demokratieprojekte wie »Jugend entscheidet« der Hertie-Stiftung.[15] Bei denen lernen Jugendliche in mittlerweile 80 Kommunen, wie Politik funktioniert, und dürfen in kleinen Bereichen mitentscheiden. Elisabeth Niejahr, die als Geschäftsführerin der Hertie-Stiftung solche Projekte in Gang bringt, würde gern noch viel mehr davon sehen: »Vor Jahren sagte der damalige Verteidigungsminister Peter Struck, die Freiheit werde auch am Hindukusch verteidigt. Im Moment muss sie gerade in Bautzen und Freital verteidigt werden, wo es viel zu wenige Bewerbungen für politische Ämter gibt.« Und dann sagt sie noch: »Die Leute verwenden so viel Energie darauf, ihre Blumenkästen zu verschönern. Wie wäre es, man bekäme sie dazu, diese Energie ins Gemeinwohl zu investieren?«

Geschichten des Gelingens, der Selbstermächtigung und der Beteiligung von Menschen, die ein anderes Sein im Hier und Jetzt und in der Zukunft ermöglichen wollen: Oft haben sie einen Hauch von Vergeblichkeit und irgendwie etwas leicht Abgewetztes – so wie Repair Cafés oder Secondhandläden. Der verstorbene amerikanische Soziologe Erik Olin Wright hat dennoch, immer wenn er neuen Mut brauchte, weltweit genau solche realen Utopien gesammelt, sogenannte »Grundsteine einer möglichen anderen Welt«. Dazu gehörte für ihn Wikipedia, als ein Beispiel dafür, wie Wissen jenseits des Marktes kollektiv zusammengetragen und verwaltet werden kann.[16] Kommunale Bürger-Haushalte, durch die Menschen über die Verwendung von öffentlichen Mitteln direkt mitbestimmen können, und die ihnen ein Gefühl von Wirksamkeit in der lokalen Politik zurückgeben könnten. Und auch große, mächtige Unternehmen, die anders ticken, weil sie nicht bloß Profit erwirtschaften, sondern auch das gesellschaftliche Wohlergehen steigern wollen. So wie die spanische Mondragón-Kooperative, die einst als Selbsthilfeorganisation von einem Priester gegründet wurde. Sie ist heute das siebtgrößte Unternehmen Spaniens.

Und dann gibt es ja noch die eine große Innovation, die im Moment vor allem wegen ihrer demokratiegefährdenden Wirkung von sich reden macht: die Digitalisierung. Der Österreicher Stefan Thurner ist fest überzeugt, das sie uns künftig bei vielen Probleme in bisher ungeahnter Weise helfen kann. Die Rettung der Welt liege in den Daten, die wir unaufhörlich sammeln, sagt Thurner sogar: Wir müssten sie nur richtig einsetzen. Der Wissenschaftler ist einer der Chefs des Wiener Complexity Science Hub (CSH), des Forschungsinstituts, das sich auf die Analyse von komplexen Daten spezialisiert hat. Er ist optimistisch, dass mithilfe von Datenanalysen sogar die schlimmsten Folgen der Klimakrise noch rechtzeitig abgewendet werden können.[17] Die Daten zeigten den Menschen, welche Veränderungen möglich seien – und könnten dann auch bei den nötigen Reformen helfen.

Das klingt arg technikoptimistisch, doch Thurner argumentiert nicht technisch, sondern setzt durchaus auf den menschlichen Faktor: Viele Leute hätten heute das Gefühl, ohnmächtig zu sein, sagt er. Denn selbst wenn sie ihr privates Verhalten änderten, würde ja das wenig grundsätzlich ändern. Zugleich aber gebe es aus der Vergangenheit immer wieder Beispiele dafür, wie Systeme sehr schnell kippten – weil viele Menschen gleichzeitig ihr Verhalten verändert hätten. Die Daten machten so etwas in Zukunft viel leichter möglich – weil sie Menschen vernetzten und so kollektives Handeln erleichterten. Je mehr Menschen beispielsweise an die Notwendigkeit der Klimaneutralität glaubten und ihre Nachfrage und ihr Verhalten entsprechend änderten, desto mehr müssten Unternehmen dieser Überzeugung auch Rechnung tragen und ihr Angebot verändern. Die Digitalisierung könnte aber nicht den Menschen dabei helfen, ihre kollektive Macht zu nutzen. Sie helfe der Politik dabei, den Wandel zu beschleunigen. Mit ihrer Hilfe könnten Regierungen sehr viel genauer in ihre Volkswirtschaften hineinblicken und analysieren, durch welche Regeln und Gesetze sich der Wandel sinnvoll beschleunigen lasse. Sie könnten ganz anders mit der Wirtschaft und den Menschen kooperieren. Wenn sie sich nur trauten, die Möglichkeiten der Digitalisierung zu nutzen.

Es gibt noch viele weitere Beispiele. Wie viel mehr als heute wäre noch möglich! Das setzt allerdings eine Regierung voraus, die sich nicht nur traut, neue Arten der Kommunikation und neue Techniken des Regierens auszuprobieren. Sondern auch eine, die uns auf der Suche nach dem Fortschritt um tätige Mithilfe zu bitten, die uns fordert. Oder, um es mit dem Verteidigungsminister Boris Pistorius zu sagen: »Ich spreche Dinge an, die unbequem sind, aber das schätzen viele Menschen, weil man ihnen mehr zumuten kann, als landläufig geglaubt wird.«[18]

Wir

Oder warum die Zukunft
uns alle angeht

Das, was weit weg ist, erscheint uns oft als etwas völlig Entkoppeltes, als etwas, das wir nicht verändern können und das auch keine Wirkung auf uns hat. Doch stimmt dies weder für ferne Gegenden, noch stimmt es für die Zukunft – heute weniger denn je zuvor. Täglich werden wir durch Nachrichten, Warenströme und Wetterveränderungen mehr mit der Ferne verbunden. Und was wir heute tun oder lassen, verbindet uns unweigerlich auch mit dem Morgen. »Tritt das Schlagen eines Schmetterlingsflügels in Brasilien einen Tornado in Texas los?«, fragte der amerikanische Meteorologe Edward N. Lorenz[1] einst, und seine Antwort lautete: Schon möglich.

Übertragen wir das auf uns, unsere Gesellschaft und unser Land, dann ist es zwar rational, die Wirkung der eigenen Handlungen nicht zu überschätzen. Wir werden in den seltensten Fällen in Honolulu etwas verändern, egal wie sehr wir mit den Flügeln schlagen. Und auch unsere Wirkung auf das, sagen wir, 23. Jahrhundert bleibt wohl überschaubar. Nur, unmöglich ist sie nicht. Wenn jemand eine besonders originelle neue Idee hat, dann kann die sich heute rasant verbreiten, das Verhalten von Menschen weltweit verändern, und damit das Leben an anderen Orten und in anderen Zeiten.

So wie eine grandiose Idee den Gang der Welt verändern kann, können es auch die Vorstellungskraft und Wunschträume von vielen, sie machen bestimmte Entwicklungen wahrscheinlicher und verhindern andere. Menschen träumten zunächst von mehr

Rechten, dann kämpften sie dafür und heute sind viele davon in unserem Land normal. Die Entdeckung des Weltalls war lange nur eine verrückte Idee, dann flogen die ersten Menschen zum Mond. Und die Vergangenheit lehrt, dass es nur eine Frage der Zeit ist, bis wir auch andere Welten erreichen. Jedenfalls wenn wir die eigene nicht in den kommenden Jahrzehnten ruinieren. Menschen sind verblüffend neugierig, erfinderisch und faul. Weil sie gern schneller und bequemer von einem Ort zu einem anderen kommen wollten, erfand irgendwann jemand das Rad, dann kamen das Auto, das Flugzeug, die Rakete. Nachdem Menschen viele Jahrhunderte gegen den Hunger gekämpft hatten, erfand endlich jemand den künstlichen Dünger und den Pflanzenschutz. Weil aber zu viel davon nicht gut für die Natur ist, geht die Forschung heute in eine andere, umweltfreundlichere Richtung weiter, oder wenigstens ein Teil davon. Und weil viele Menschen mit dem Überfluss an Nahrung nicht mehr gut klarkommen, gibt es neuerdings die Schlankheitsspritze. Was wir für unsere wichtigsten Probleme halten, bestimmt also mit, nach welchen Lösungen gesucht wird. Wie wir uns Freiheit vorstellen, beeinflusst deren Gestalt. Wie wir vom Fortschritt träumen, bestimmt mit, wie er sein wird.

Dieses Buch hat die Chancen ausgelotet, die sich daraus konkret für dieses Land ergeben. Etliche Beispiele haben immer wieder eines gezeigt: Das Potenzial für positive Veränderungen ist groß, genutzt wird davon noch viel zu wenig. Das beginnt schon damit, dass wir zu klischeehaft über unsere Marktwirtschaft diskutieren, uns viel zu wenig mit deren Instrumenten auskennen und sie noch weniger nutzen. Dabei lohnt ein genauerer Blick auf die zahlreichen Ideen, die große Probleme lösen könnten, würden sie nur in großem Stil verwirklicht. Richtige Schritte gibt es durchaus: Da finanziert die Regierung neuerdings eine Agentur für Sprunginnovationen, und die fördert das höchste Windrad der Welt, klimafreundlichen Beton und antivirale Forschungen. In Wuppertal wird die Kreislaufwirtschaft weiterentwickelt – um nur zwei Beispiele zu nennen. Wie viel wäre möglich, würde die Wirtschaft insgesamt mehr solcher Innovationen umsetzen, gäbe es mehr Regeln und Gesetze und eine Steuerpolitik, die das Neue bevorzugen – jedenfalls immer dann, wenn es dafür sorgt, dass wir unsere Lebensgrundlage nicht weiter zerstören. Die richtigen Preise könnten verhindern, dass die Atmosphäre weiter als Müllkippe für Treibhausgase genutzt wird. Und der Fortschritt wäre damit einer, der seine eigene Grundlage erhält: den Planeten.

Womit wir, noch einmal kurz, bei der Politik wären und deren Umgang mit der Zukunft. Dass sich die Ampel nicht mit Ruhm bekleckert hat, ist evident, und auch, dass sie viel zu kurzfristig denkt und plant. In diesem Buch ging es deswegen auch darum, die tieferen Gründe für dieses Versagen aufzudecken und zu erklären, warum die Koalition sich so wenig auf eine gemeinsame Idee einigen konnte, darauf, wie sie mehr Fortschritt ins Land bringen. Ein nicht unwichtiger Teil der Erklärung fehlt allerdings noch: Wir! Es heißt, Menschen bekämen die Regierung, die sie verdient haben – jedenfalls in Demokratien. Das stimmt individuell sicher nicht. Richtig ist aber schon, dass wir alle zusammen in Berlin spiegelbildlich die Zerrissenheit des Landes vorgeführt bekommen und damit auch die unsrige. Auch wir sind oft nicht entschieden, welchen Wandel wir heute ertragen, damit das Morgen noch erträglich ist. Auch wir verdrängen künftige Probleme immer noch zu oft, selbst wenn deren Lösung heute so viel günstiger wäre, als sie es künftig sein wird. Und wir denken viel zu wenig darüber nach, wie wir aus der Zukunft etwas Positives machen könnten.

Dabei ist die Sache im Grunde doch gar nicht so kompliziert. Fortschritt muss heute immer drei Gesichter haben: ein handwerkliches, ein gesellschaftliches und ein ökologisches. Wir brauchen neue Techniken, Verfahren und Produkte. Und die müssen, jedenfalls in der Mehrzahl, die Lebensqualität steigern, und dürfen die Natur nicht zerstören. Damit das aber passiert, reicht die Technik allein eben nicht, es braucht die gesellschaftliche Debatte über ihren Nutzen. Denn nicht alles, was neu ist, ist auch gut. Das bedeutet beispielsweise: Wir werden die Wohnungsnot nicht allein dadurch lösen, dass wir in immer neuen Gegenden immer noch modernere Häuser bauen. Denn dann werden nur die Menschen mit viel Geld auf immer mehr Quadratmetern wohnen.

Das wird die sowieso schon gefährdete Natur noch mehr vernichten. Und die gesellschaftliche Spaltung wird weiter wachsen. Fortschrittliche Wohnungspolitik ist also eine Mischung aus moderner Technologie und moderner Politik. Die könnte beispielsweise durch neue Bauvorschriften dafür sorgen, dass sich in den Stadtvierteln Menschen mit unterschiedlichen Einkommen mischen und andere Wohnungen andere Formen des Wohnens ermöglichen – was ganz nebenbei in einer alternden Gesellschaft auch gegen die Vereinsamung helfen könnte.

Oder: Wir werden auf der einen Seite den Hunger nicht durch eine immer modernere Produktion von Nahrungsmitteln und damit eine immer industriellere Landwirtschaft aus der Welt schaffen, wenn sich nicht zugleich auf der anderen Seite die Essgewohnheiten ändern und immer mehr Getreide in die Fleischproduktion wandert. Dann bleibt für das Brot der Armen am Ende trotzdem nichts mehr übrig. Wir werden auch die Energiekrise nicht lösen, wenn immer nur über den Zuwachs an Energiequellen nachgedacht wird, und nicht mehr über den effizienten Einsatz. Auf einem bedrohten Planeten, auf dem die Bevölkerung weltweit wächst und gern so leben möchte wie wir, kann Fortschritt nicht nur »immer mehr« an neuen Dingen für wenige bedeuten. Er muss die Lebensqualität vieler Menschen anders verbessern, und seine Früchte müssen gerecht verteilt werden. Schon weil sich sonst ein Teil der Menschen der Veränderung verweigert, so wie wir es heute schon bei Klimaschutzmaßnahmen erleben. Wie das gehen könnte? Bei der Suche nach der Antwort kann das Experiment mit dem Ochsen helfen.

Wer kann wohl das Gewicht eines Ochsen besser schätzen: Der Bauer, der ihn besitzt und kennt? Oder eine zufällige Gruppe unterschiedlicher Menschen? Der Bauer, würde man annehmen. Doch als das Experiment zum ersten Mal 1906 mit einem Jahrmarktpublikum durchgeführt wurde, war das Ergebnis verblüffend. Die vielen Menschen verschätzten sich nur um ein Pfund, und damit weniger als der Bauer und damit der Experte. Es gibt noch weitere Versuche, die alle belegen, zu was für erstaunlichen Erkenntnissen Menschen in der Lage sind, wenn sie ihre Vielfältigkeit und Unterschiedlichkeit klug kombinieren. Und genau darum geht es heute: Warum nutzen wir unser Wissen und unsere Kreativität nicht besser? Was sich in der Politik verändern müsste, damit das möglich wird, hat das vorige Kapitel erzählt. Hier geht es jetzt um unseren Teil der Verantwortung.

Viele neue Lösungen für alle möglichen Probleme setzen sich auch deswegen so schlecht durch, weil wir zu bequem sind. Warum etwas anders machen? Wird diese Frage zu oft gestellt, dann ist das ein deutlicher Hinweise auf eine alternde Gesellschaft. Wir sind eine, und deswegen müssen wir doppelt darauf achten, gemeinsam aktiv zu bleiben. Und nicht nach und nach dem lähmenden Gefühl nachgeben, dass doch sowieso nicht mehr viel kommt. Schon heute suchen viel zu viele Menschen nur noch nach dem besten individuellen Ausstieg: Die Reicheren, indem sie auswandern oder ihr Unternehmen nach Amerika verlagern. Andere, indem sie in Frührente oder auf Weltreise gehen oder sich nur noch um ihren Vorgarten und ihr Privatleben kümmern. Und immer mehr Leute, indem sie sich jedem konstruktiven Streit verweigern, und stattdessen laut auf »den« Staat und »die« Politik schimpfen, in den sozialen Medien herumpöbeln und zu den Populisten gehen. Womit wir bei uns und der Demokratie wären.

Demokratie ist ein Laden, in dem man eine Portion gute Zukunft kaufen kann? Diese Vorstellung hat sich in den letzten Jahren bei manchen etabliert, auch getrieben durch die marktliberalen Ideen des vergangenen Jahrhunderts. Doch sie ist grundfalsch. Ein Laden ist ein Laden. Und die Marktwirtschaft soll dafür sorgen, dass dort die richtigen Joghurts im Regal stehen. Politik aber funktioniert anders als die Ökonomie, jedenfalls die guten Varianten. Da reicht es nicht, alle vier Jahre in der Wahlkabine die richtigen Kreuze zu machen und zu glauben, jetzt sei die Bestellungen aufgegeben, der Rest erledige sich von allein. Da geht es nicht nur darum, dass die Regierung »liefert«. Natürlich muss der Staat seinen Job machen und die Politik den ihren, und beide machen ihn heute oft schlecht. Doch selbst wenn wir den besten Kanzler aller Zeiten hätten, wäre es damit nicht getan. Damit war es noch nie getan.

Die meisten guten Ideen kommen in diesem Land sowieso nicht aus dem Kanzleramt oder dem Berliner Regierungsviertel – die technischen und die patentierbaren schon mal gar nicht, aber auch die gesellschaftspolitischen eher selten. Das ist im Grunde auch gar nicht schlimm. Denn wenn die Demokratie wach und lebendig ist, dann schaffen sie es bis dorthin. Und wenn es richtig gut läuft, werden sie dort durch Gesetze und Programme unterstützt, und setzen sich dann im ganzen Land durch. Zu Beginn dieser Kette bedarf es jedoch unserer Vielfalt, unseres guten Willens und unserer Fantasie.

Keine Sorge, das mündet jetzt nicht in einen Pep Talk nach dem Motto: Wir müssen uns nur anstrengen und auf ein paar gute Ideen kommen und dann wird die Zukunft doch noch gut. Nein, es geht darum, dass wir uns noch einmal kurz klar werden, in welcher historisch außergewöhnlichen Zeit wir leben. Nie war die Freiheit so groß und zugleich die Gefahr, sie zu verspielen. Nie war das Leben so reichhaltig und wuchsen gleichzeitig die Sorgen so sehr, es zu verlieren. Nie die Gegenwart so gut und doch schon bedrückt durch die Zukunft. Damit wir erhalten, was gut ist, brauchen wir Fortschritt. Der muss aber, anders als früher, immer die Gefährdung unserer Lebensgrundlagen berücksichtigen, denn ohne eine halbwegs intakte Welt ist alles andere müßig. Jedenfalls für all diejenigen, die nicht wie die Silicon-Valley-Milliardäre schon mal für den Fall der Klimakatastrophe eine Farm in Neuseeland kaufen können. Genau deswegen, weil die meisten von uns nicht flüchten können und wollen, sollten wir die Zukunft dieses Landes nicht denen in Berlin überlassen. Wir brauchen also Alltagsdemokratinnen und Gesellschaftsveränderer, viele Menschen, die sich öffentlich einmischen, die das Leben in ihrer Nachbarschaft, die Arbeitsbedingungen, den Park oder auch die große Politik verbessern wollen, und zwar jetzt und heute. Wir brauchen die tätige Mithilfe vieler, wenn wir nicht wollen, dass unsere Demokratie dauerhaft auf Kosten der nächsten Generation lebt. Sonst wird sich etwas Großes wie die ökologische Transformation des Landes nicht bewältigen lassen, und die Polykrisen schon gar nicht. Ohne sozialen Zusammenhalt werden sie uns überrollen.

Wir brauchen Engagement und – Possibilismus. Der Begriff beschreibt eine Geisteshaltung, die irgendwo zwischen dem Pes-

simismus und dem Optimismus angesiedelt ist. Der Neurologe
Volker Busch, der sich damit beschäftigt, wie Menschen mit er-
hobenem Kopf durchs Leben gehen, weiß, dass so etwas den An-
hängern des Possibilismus deutlich leichter fällt.[2] Die sehen zwar
auch, dass die Aussichten nicht besonders gut sind. Sie tun aber
trotzdem alles dafür, dass sie besser werden. All diejenigen, denen der Begriff zu kantig ist, könnten sich stattdessen an Corine
Pelluchon[3] halten. Die französische Philosophin unterscheidet
zwischen Hoffnung und Optimismus: Optimismus sei die trüge-
rische Haltung, die einen glauben lasse, man habe die Lösung aller Probleme bereits gefunden. Hoffnung hingegen lebe mit dem
Wissen von Schwierigkeiten und eigener Fehlbarkeit. Was bedeutet das für unsere Zukunft? Wir ahnen sehr wohl, dass sich das
Leben, die Gesellschaft und die Politik in den kommenden Jahren stark verändern wird und manches davon auch als Zumutung daherkommen wird. Dass wir uns anstrengen müssen, um
die Errungenschaften der Vergangenheit zu bewahren. Dass es
möglicherweise weniger um das Haben und mehr um das Sein
gehen wird. Aber auch, dass wir die Lasten der Veränderungen
fair verteilen können, um so die Gesellschaft zusammenzuhalten
und das Land als ein lebenswertes und liebenswertes zu bewahren. Und dass es sich deswegen lohnt, etwas zu tun.

»Vielleicht gibt es schönere Zeiten, aber diese ist die unsere!«, ist
ein Satz des französischen Schriftstellers Jean-Paul Sartre. Also
erfinden wir jetzt etwas Neues, verwirklichen etwas Sinnvolles, treten in eine demokratische Partei ein, eine Gewerkschaft
oder eine Umweltschutzgruppe. Es ist egal, für welches gemeinwohlorientierte Engagement wir uns entscheiden. Wichtig ist
nur, dass wir das Land und das Gemeinwesen nicht den anderen überlassen, den Feinden der Demokratie. Und wenn Sie jetzt
trotzdem noch ein Argument mehr brauchen: Das Gefühl, selbst
wirksam zu sein, ist beschwingend. Aktivismus und Engagement
helfen gegen Krankheiten, sie halten jung und machen zufriedener. Sie nehmen das Gefühl von Ohnmacht. Und sie machen die
Zukunft damit zu einem Ort der Hoffnung, trotz alledem. Probieren wir es aus.

Dank

Viele Menschen haben zu diesem Buch beigetragen. Ohne die Gespräche, die Diskussion und die Kritik hätte ich es so nicht schreiben können. Sehr geholfen haben der sanfte, aber bestimmte Druck von Waltraud Berz, der auch die grandiose Titelidee zu verdanken ist. Dafür ein ebenso herzliches Dankeschön wie für das sorgfältige und rasante Lektorat von Thorsten Schulte, der mich zum richtigen Zeitpunkt kritisiert, gelobt und korrigiert hat. Dank an das Politikressort der *Zeit*, das mir diese Auszeit ermöglicht und trotzdem bei Fragen über die aktuelle Temperatur der Regierung weitergeholfen hat. Eine größere Gruppe von Gesprächspartnerinnen und Informanten möchte hier nicht genannt werden. Je regierungsnäher sie arbeiten, desto wichtiger ist ihnen die Anonymität. Deswegen stellvertretend für alle aus dem Maschinenraum der Politik ein großes Dankschön an das Progressive Zentrum, das in Berlin immer wieder kluge Menschen zu vertraulichen Gesprächen über den Fortschritt zusammenbringt. Und an das CSH in Wien für den ganz neuen Blick auf die Politik.

Besonders bedanken möchte ich mich für Ideen, Diskussionen und die Unterstützung bei Andrea Arcais, Lukas Bäuerle, Jens Beckert, Marcel Beyer, Norbert Walter Borjans, Stefan Brand, Sebastian Dulien, Timur Ergen, Thomas Fricke, Maja Göpel, Rebekka Göpfert, Silja Graupe, Dietmar Haarhoff, Thomas Heilmann, Katharina Hirschbrunn, Eckhart von Hirschhausen,

Reiner Hoffmann, Gyde Jensen, Sonja Jöchtl, Andreas Jung, Winfried Kneip, Stefan Kolev, Peter Kurz, Norbert Lammert, Ricarda Lang, Kai Niebert, Elisabeth Niejahr, Caroline Paulick-Thiel, Jutta Pinzler, Ruprecht Polenz, Shalini Randeria, Jamila Schäfer, Stefan Schmitt, Monika Schnitzer, Svenja Schulze, Gesine Schwan, Dominic Schwickert, Philippa Sigl-Glöckner, Constanze Stelzenmüller, Lisa Suckert, Stefan Thurner, Klaus Töpfer, Achim Truger, Günther, Jakob und Franziska Wessel – und natürlich den vielen Gästen, die uns in unserem *Zeit*-Podcast »Auch das noch – der Krisenpodcast«[1] immer wieder inspiriert haben.

Ein großer Dank geht nicht zuletzt an das Team des Max-Planck-Institutes für Gesellschaftsforschung, das mir während einer kurzen Fellowship nicht nur einen Schreibtisch gestellt hat, sondern auch für außergewöhnlich freundliche Arbeitsbedingungen gesorgt hat. Dazu gehörte die Möglichkeit, meine Thesen vorzustellen ebenso wie die vielen Gespräche beim Mittagessen in der Kölner Südstadt, der gute Kaffee, und ganz besonders die Hilfe der Bibliothek mit ihrem unglaublich freundlichen Team. Stellvertretend für alle Mitarbeitenden des Institutes daher einen herzlichen Dank an Susanne Hilbring, Christel Schommertz und Anna Zimmermann.

Anmerkungen

Anfang: Über uns

1 https://www.zeit.de/2022/29/krisenzeiten-krieg-ukraine-oel-polykrise
2 https://www.rheingold-marktforschung.de/rheingold-studien/zukunftsstudie-2021-wie-deutsche-in-die-zukunft-blicken/
3 https://www.stiftungfuerzukunftsfragen.de/so-blicken-die-deutschen-auf-das-jahr-2024/
4 https://www.welt.de/wirtschaft/article250594220/Finanzielle-Sorgen-Zwei-Drittel-der-Deutschen-haben-Zukunftsangst.html
5 https://www.barmer.de/gesundheit-verstehen/mensch/gesundheit-2030/nachhaltig keit/klima-angst-1072176
6 https://www.spiegel.de/politik/zeitenwende-eine-zukunft-ohne-fortschritt-ein-debat tenbeitrag-a-2d99303b-9a4e-4e7c-86cb-fc1fb1458e79; https://www.zeit.de/2024/24/wirtschaftlicher-fortschritt-wachstum-ideal-entwicklung/komplettansicht
7 https://www.zeit.de/2023/41/gesellschaft-spaltung-konflikte-studie-steffen-mau/seite-5

1 Über die Politik: Wie die Ampel mehr Fortschritt versprach, und warum das schiefging

1 Christopher Gohl: »FDP in der Ampel«, in: Knut Bergmann (Hg.): Mehr Fortschritt wagen, transcript Verlag, Bielefeld 2023
2 https://www.spiegel.de/politik/deutschland/ampel-gespraech-von-fdp-und-gruenen-ein-bild-sagt-mehr-a-7a68e50f-560c-4960-8249-433d6ef3ee8a
3 https://www.fdp.de/fdp-beschliesst-den-aufbruch
4 https://www.deutschlandfunk.de/gruenen-co-chefin-baerbock-hart-verhandeln-koennen-wir-auch-100.html
5 Rede von Robert Habeck am 17. Oktober 2021 auf dem Grünen-Parteitag
6 https://www.willy-brandt-biografie.de/quellen/bedeutende-reden/regierungserklae rung-vor-dem-bundestag-in-bonn-28-oktober-1969/q63
7 https://www.zeit.de/2024/10/fdp-bundesregierung-ampelkoalition-christian-lindner/komplettansicht

8 https://www.bundesregierung.de/breg-de/suche/regierungserklaerung-von-bundes
   kanzler-olaf-scholz-1992008

9 https://www.zeit.de/2021/28/olaf-scholz-spd-klimaschutz-bundestagswahl

10 https://www.stern.de/politik/deutschland/niedersachsen-wahl--fdp-wird-zum-
    sprengsatz-fuer-die-ampel-in-berlin-32799122.html; https://www.sueddeutsche.de/
    politik/fdp-wahl-niedersachsen-1.5671842; https://www.tagesschau.de/inland/innen
    politik/niedersachsen-wahl-reaktionen-105.html

11 https://www.instagram.com/p/C3CqHREN9Ml/?utm_source=ig_embed&utm_cam
    paign=loading

2 Wie die Zukunft in die Welt kam: Eine kurze Geschichte des Fortschritts

1 Reinhart Koselleck, ›Erfahrungsraum‹ und ›Erwartungshorizont‹ – zwei historische Kategorien [1976], in: Vergangene Zukunft. Zur Semantik geschichtlicher Zeiten, Suhrkamp,
   Frankfurt a.M. 1979, S. 349–375; https://zeithistorische-forschungen.de/1-2010/4488

2 Peter Wagner, Soziologie der Moderne, Campus, Frankfurt/New York 1995

3 Daron Acemoglu und Simon Johnson, Macht und Fortschritt, Campus, Frankfurt
   a.M. 2023

4 Die Zeitsouveränität der Männer ist auch heute noch deutlich größer als die der Frau-
   en. Vgl. Teresa Bücker, Alle Zeit, Ullstein, Berlin 2022

5 Der Mann verherrlichte allerdings nicht nur den Bruch mit dem Alten, sondern auch
   Krieg und Gewalt, wurde Mussolinis Kulturminister und kämpfte später für Hitler
   in Stalingrad, https://www.spiegel.de/geschichte/100-jahre-futuristisches-manifest-a-
   948177.html

6 https://www.mam.paris.fr/fr/oeuvre/la-fee-electricite

7 Lizabeth Cohen, A Consumers' Republic, The Politics of Mass Consumption in Post-
   war America, Knopf, New York 2003

8 Pierre Bourdieu, Die feinen Unterschiede, Suhrkamp, Frankfurt a.M. 1982

9 »Ich glaube, dass auch Marx noch zu sehr dem Begriff des Kontinuums des Fortschritts verhaftet war, dass auch seine Idee des Sozialismus vielleicht noch nicht oder
   nicht mehr jene bestimmte Negation des Kapitalismus darstellt, die sie darstellen
   sollte«, kritisiert der Philosoph und zeitlebens bekennende Sozialist Herbert Marcuse
   1968 in seinem Buch Das Ende der Utopie. http://www.irwish.de/PDF/Marcuse/Mar
   cuse-Das_Ende_der_Utopie.pdf

10 Paul Lafargue, Das Recht auf Faulheit, Reclam 2018, https://www.reclam.de/data/me
    dia/978-3-15-019487-4.pdf

11 https://kritisches-netzwerk.de/sites/default/files/John_Maynard_Keynes_Wirtschaft
    liche_Moeglichkeiten_fuer_unsere_Enkelkinder_1928.pdf, S. 145 f.

12 mgi-the-rise-and-rise-of-the-global-balance-sheet-full-report-vf.pdf

13 https://www.zeit.de/2024/05/olaf-scholz-ampel-afd-kanzlerwechsel

14 https://www.tagesspiegel.de/politik/spitzenmassiger-lebensstandard-lindner-fordert-
    von-burgern-mehr-leistungsbereitschaft-11099554.html

15 https://www.zeit.de/wirtschaft/2023-07/rainer-dulger-generation-z-arbeitsmoral-
    fachkraeftemangel/seite-2

3 Was ist Fortschritt heute?
Über Marsreisen, KI und bezahlbaren Wohnraum

1 https://eol.jsc.nasa.gov/SearchPhotos/photo.pl?mission=AS08&roll=14&frame=2383
2 https://www.jfklibrary.org/learn/about-jfk/historic-speeches/address-to-joint-sessi on-of-congress-may-25-1961; https://www.nasa.gov/history/60-years-ago-president-kennedy-proposes-moon-landing-goal-in-speech-to-congress/
3 https://www.cbsnews.com/news/apollo-11-moon-landing-how-much-did-it-cost/
4 https://digitaljournalist.org/issue0309/lm11.html; https://journals.sagepub.com/doi/abs/10.1111/j.1467-954X.2009.01825.x?journalCode=sora
5 Douglas Adams, Per Anhalter durch die Galaxis, Kein & Aber, Zürich 2017
6 Lawrence M. Krauss, The physics of star trek, HarperCollins; New York 1995
7 Steve Pinker, Aufklärung jetzt: Für Vernunft, Wissenschaft, Humanismus und Fortschritt. Eine Verteidigung. S. Fischer, Frankfurt/M. 2018
8 Der weltweite Index-Wert ist laut UNDP lange Zeit immer weiter gestiegen, bevor er erst 2020 und 2021 ein zweites Mal in Folge zurückging. Dies habe die Errungenschaften der vorangegangenen fünf Jahre zunichte gemacht, erklärte das UN-Entwicklungsprogramm.
9 Richard W. England: »Alternatives to Gross National Product: A Critical Survey«, in: Frank Ackerman u. a. (Hg.): Human well-being and economic goals. Island Press, Washington u. a. 1997, S. 373–402, hier S. 389
10 https://nachhaltig-entwickeln.dgvn.de/agenda-2030/ziele-fuer-nachhaltige-entwick lung/milleniumsentwicklungsziele
11 https://dgvn.de/fileadmin/user_upload/menschl_entwicklung/BILDER/Entwick lungsziele/MDG_Report_2015_German.pdf
12 Ebd.
13 https://unric.org/de/17ziele/; https://dashboards.sdgindex.org/chapters/part-4-lessons-learned-and-next-steps
14 https://de.statista.com/statistik/daten/studie/1103240/umfrage/entwicklung-der-weltweiten-todesfaelle-aufgrund-des-coronavirus/
15 https://de.statista.com/statistik/daten/studie/1255272/umfrage/hungerkrisen-welt weit/, https://www.welthungerhilfe.de/hunger/welthunger-index
16 https://www.zeit.de/wissen/2022-11/naturverlust-biodiversitaet-pandemien-krisen podcast
17 https://www.aerzteblatt.de/nachrichten/129202/300-000-vorzeitige-Todesfaelle-durch-Feinstaubbelastung; https://www.eea.europa.eu/de
18 https://www.tagesschau.de/ausland/amerika/karibik-algen-101.html
19 https://trends.google.com/trends/yis/2023/DE/?hl=de
20 Maja Göpel, Unsere Welt neu denken, Ullstein 2020
21 So haben die fünf reichsten Männer der Welt ihr Vermögen seit 2020 verdoppelt, fast fünf Milliarden Menschen sind ärmer geworden. https://www.oxfam.de/ueber-uns/publikationen/bericht-soziale-ungleichheit-2024 Und auch in Deutschland wächst die Ungleichheit seit 20 Jahren https://www.boeckler.de/pdf/pm_wsi_2023_11_02.pdf

4 Die Grenzen des Möglichen: Welche Zukünfte erlaubt der Planet noch?

1 https://wiki.bildungsserver.de/klimawandel/index.php/Kohlendioxid-Konzentration; https://www.umweltbundesamt.de/daten/klima/beobachtete-kuenftig-zu-erwarten-de-globale#aktueller-stand-der-klimaforschung-
2 https://essd.copernicus.org/articles/15/5301/2023/essd-15-5301-2023.html, https://globalcarbonbudget.org/fossil-CO_2-emissions-at-record-high-in-2023/
3 https://www.ipcc.ch/; https://www.science.org/doi/10.1126/sciadv.adk1189
4 https://ourworldindata.org/how-much-CO_2-can-the-world-emit-while-keeping-warming-below-15c-and-2c
5 https://www.mcc-berlin.net/forschung/CO_2-budget.html
6 https://www.energyinst.org/statistical-review/home
7 The Anthropocene Review
8 https://www.germanwatch.org/de/overshoot
9 https://www.zeit.de/2017/44/insekten-daten-forschung-massnahmen
10 https://www.nabu.de/natur-und-landschaft/landnutzung/landwirtschaft/artenvielfalt/vogelsterben/index.html
11 https://de.statista.com/infografik/23747/geschaetztes-gewicht-menschengemachter-objekte-auf-der-erde/; https://www.pnas.org/doi/10.1073/pnas.2204892120
12 Matthias Glaubrecht, Das Ende der Evolution, Penguin, München 2019
13 https://www.leopoldina.org/uploads/tx_leopublication/2020_Dokumentationsband_Biodiversitaetskrise.pdf
14 https://www.klimawandelanpassung.at/kwa-nl47/kwa-dasgupta
15 https://jembendell.com/about/; https://jembendell.com/2020/07/27/debating-the-pros-and-cons-of-deep-adaptation-start-here-with-a-new-edition-of-original-paper/
16 https://lifeworth.com/deepadaptation.pdf
17 https://www.stockholmresilience.org/research/planetary-boundaries.html

5 Gibt es im Kapitalismus eine Zukunft? Oder muss der weg?

1 https://de.statista.com/statistik/daten/studie/70793/umfrage/meinung-zum-kapitalismus-in-ausgewaehlten-laendern/
2 Francis Fukuyama: Das Ende der Geschichte, Kindler, München 1992
3 https://bti-project.org/en/press
4 »It is easier to imagine the end of the world than the end of capitalism« in Mark Fisher, Capitalist Realism: Is There No Alternative? Zero Books, 2009
5 Elmar Altvater hat den Kapitalismus zeit seines Lebens kritisiert, hier ein kurzer Essay: https://www.blaetter.de/ausgabe/2006/februar/das-ende-des-kapitalismus
6 https://de.statista.com/themen/9697/globale-armut/#topicOverview, https://www.destatis.de/DE/Presse/Pressemitteilungen/2023/05/PD23_190_63.html; https://www.bertelsmann-stiftung.de/fileadmin/files/BSt/Publikationen/GrauePublikationen/291_2020_BST_Facsheet_Kinderarmut_SGB-II_Daten__ID967.pdf
7 Jason M. Moore, Anthropocene or Capitalocene, Nature, History, and the Crisis of Capitalism, PM Press, Oakland 2016
8 Bernie Sanders, Es ist okay, wütend auf den Kapitalismus zu sein. Tropen, Berlin 2023

9 Nancy Fraser, Der Allesfresser, Suhrkamp, Berlin 2023

10 Jens Beckert, Verkaufte Zukunft, Suhrkamp, Berlin 2024, S 183

11 Jens Beckert, Imaginierte Zukunft, Suhrkamp, Berlin 2018

12 https://de.motor1.com/news/376734/vw-golf-i-1974-1983/

13 https://www.carwow.de/volkswagen/golf/technische-daten#gref

14 Tim Jackson, Wohlstand ohne Wachstum – das Update, Oekom, München 2017

15 Petra Pinzler, Immer mehr ist nicht genug, Pantheon, München 2010

16 https://www.dieklimawette.de/news-challenges/detail/weniger-ist-mehr-challenge

17 https://notbuyinganything.blogspot.com/p/price-competition-in-1955-victor-le
bow_27.html

18 https://www.euractiv.com/section/energy-environment/news/eu-nations-are-living-
far-beyond-the-earths-means-wwf-warns/

19 Mathias Binswanger, Der Wachstumszwang, Wiley-VCH, Weinheim 2019

20 https://dip.bundestag.de/vorgang/…/31285

21 https://www.zeit.de/2013/09/Enquete-Alternative-zum-Wachstum-Lebensqualitaet/
komplettansicht

22 https://www.zeit.de/wirtschaft/2021-09/armin-laschet-union-wirtschaft-steuersen
kungen-unternehmen

23 https://www.fdp.de/nie-gab-es-mehr-zu-tun

24 https://www.gruene-bundestag.de/themen/wirtschaft/wohlstand-ist-mehr-als-wirt
schaftswachstum-1 oder auch: Sabrina Koch, »Eine andere Art des Wirtschaftens«, in:
Ulrich Roos (Hg.), Nachhaltigkeit, Postwachstum, Transformation, Springer 2020

25 Lucio Baccaro et al, Diminishing returns, Oxford University Press, Oxford 2020, oder
auch: Michael Lewis-Beck und Mary Stegmaier, »Economic Determinants of Electoral
Outcomes«, https://www.annualreviews.org/doi/abs/10.1146/annurev.polisci.3.1.183

26 https://www.zeit.de/2011/21/Landtagswahl-Schleswig-Holstein

27 https://de.statista.com/statistik/daten/studie/282179/umfrage/regionale-lebenszufrie
denheit-in-deutschland/

28 https://www.zeit.de/2011/21/Landtagswahl-Schleswig-Holstein

29 https://www.gruene-bundestag.de/themen/wirtschaft/wohlstand-ist-mehr-als-wirt
schaftswachstum-1

30 https://www.bmwk.de/Redaktion/DE/Publikationen/Wirtschaft/jahreswirtschaftsbe
richt-2022.html

31 https://taz.de/!vn5853042/

32 https://www.tagesschau.de/wirtschaft/konjunktur/habeck-deutschland-konjunktur-
100.html

33 https://www.n-tv.de/wirtschaft/Die-Ampel-wird-zum-Standortnachteil-article
24752076.html

34 https://www.handelsblatt.com/politik/konjunktur/konjunktur-dramatisch-schlecht-
und-peinlich-deutschland-faellt-beim-wirtschaftswachstum-zurueck/100015206.
html

35 https://www.zeit.de/wirtschaft/2024-02/christian-lindner-stagnierendes-wirtschafts
wachstum-peinlich

36 Ulrike Herrmann, Das Ende des Kapitalismus, Kiepenheuer & Witsch, Köln 2022

37 Ernst Bloch, Das Prinzip Hoffnung, Suhrkamp, Frankfurt a. M. 1959

38 Karl Marx, »Der achtzehnte Brumaire des Louis Bonaparte«, Marx-Engels-Werke, Band 8, Dietz Verlag, Berlin 1972, S. 115

39 Peter A. Hall, David Soskice: Varieties of Capitalism: The Institutional Foundations of Comparative Advantage. Oxford University Press, Oxford 2001

40 Christian Felber, Gemeinwohl-Ökonomie, Piper, München 2018

41 https://germany.ecogood.org/wp-content/uploads/sites/8/2024/01/Forum_Impact-Economy.pdf; https://germany.ecogood.org/

42 https://www.bmwk.de/Redaktion/DE/Dossier/nationale-strategie-fuer-sozialunter nehmen-und-social-startups.html

43 https://sustainable-economy-summit.org/sustainable-economy-barometer-2023/

6 Den Markt nutzen: Über die systemverändernde Macht von Effizienz, Kreisläufen und Preisen

1 Ernst Ulrich von Weizsäcker et al, Faktor Vier. Doppelter Wohlstand – halbierter Naturverbrauch. Der neue Bericht an den Club of Rome. Droemer Knaur, München 1995

2 Dennis L. Meadows, Donella Meadows und Jørgen Randers, Die Grenzen des Wachstums. Bericht an den Club of Rome zur Lage der Menschheit. Digitalisierte Version von *The Limits to Growth* (1972) unter der freien Creative-Commons-Lizenz (BY-NC) in der Dartmouth Library

3 Der Spiegel Nr. 33 vom 11.8.1986

4 https://deneff.org/ampel-weicht-effizienzgesetz-auf/, https://deneff.org/bundestag-will-energieeffizienzgesetz-am-21-9-verabschieden/

5 https://www.spiegel.de/geschichte/ernst-ulrich-von-weizsaecker-ueber-klimaschutz-nicht-die-politiker-die-menschen-verhindern-den-wandel-a-82715d3f-0f7c-4779-8e bc-ea2b662dd97e

6 Andrew McAfee, More from Less, Scribner, New York 2019

7 https://www.zeit.de/2023/35/co2-ausstoss-internetnutzung-umwelt

8 https://www.energiezukunft.eu/klimawandel/kryptowaehrung-haelt-fossile-kraftwer ke-am-leben/

9 https://www.nytimes.com/2022/02/25/climate/bitcoin-china-energy-pollution.html

10 https://ccaf.io/cbnsi/cbeci

11 https://www.scientificamerican.com/article/the-ai-boom-could-use-a-shocking-amount-of-electricity/

12 https://limited.systems/articles/google-search-vs-chatgpt-emissions/#:~:text=As%20 you%20can%20see%2C%20there,being%20the%20most%20likely%20estimate

13 https://foreignpolicy.com/2020/06/18/more-from-less-green-growth-environment-gdp/

14 https://circular-valley.org/

15 https://static.agora-energiewende.de/fileadmin/Projekte/2021/2021_02_EU_CEAP/ A-EW_256_Mobilisierung-Kreislaufwirtschaft_exec-sum_DE_WEB.pdf

16 https://circular.berlin/de/ https://www.circularcolab.org/us-circular-economy-report; https://www.ellenmacarthurfoundation.org/topics/circular-economy-introduction/ overview

17 https://www.consilium.europa.eu/de/policies/green-deal/

18 https://www.oeko.de/fileadmin/oekodoc/Policy-Brief_Circular-Economy_Oeko-Institut.pdf

19 https://www.sciencedirect.com/science/article/pii/S0048969723071565; https://www.eea.europa.eu/en/analysis/indicators/total-greenhouse-gas-emission-trends; https://www.agrarheute.com/politik/naturschutz-umweltminister-beerdigen-wichtiges-eu-gesetz-618253

20 https://www.bund.net/ressourcen-technik/ressourcenschutzgesetz/

21 Reinhard Schneider, Die Ablenkungsfalle, Die versteckten Tricks der Ökologie-Bremser, Oekom-Verlag, München 2023

22 https://www.bund.net/ressourcen-technik/ressourcenschutzgesetz/

23 https://circular-valley.org/

24 https://www.land.nrw/node/21364

25 https://www.sciencedirect.com/science/article/abs/pii/092214259400038U?via%3Dihub

26 https://www.perc.org/2014/08/26/property-rights-and-rhinos/

27 Shalini Randeria und Andreas Eckert, Vom Imperialismus zum Empire, Suhrkamp, Frankfurt a. M. 2009; Petra Pinzler, Der Unfreihandel, Rowohlt Polaris, Hamburg 2015, https://www.tandfonline.com/doi/full/10.1080/03066150.2020.1753705

28 https://www.spiegel.de/ausland/niederlande-und-die-stickstoffkrise-ruiniert-johan-vollenbroek-das-land-oder-rettet-er-es-a-ef87b883-b3fa-4d92-88c9-e90f84df78ea

29 https://www.cleanenergywire.org/factsheets/understanding-european-unions-emissions-trading-system; https://www.bundesregierung.de/breg-de/aktuelles/CO2-preis-kohle-abfallbrennstoffe-2061622. Der deutsche Preis startete Januar 2021 zunächst 25 Euro je Tonne, danach sollte er schrittweise auf 55 Euro im Jahr 2025 ansteigen.

30 https://climateactiontracker.org/; https://expertenrat-klima.de/

31 https://www.sachverstaendigenrat-wirtschaft.de/sondergutachten-2019.html

32 https://fridaysforfuture.de/forderungen/; https://www.bundestag.de/dokumente/textarchiv/2023/kw48-de-CO$_2$-bepreisung-979724; https://www.klimareporter.de/deutschland/wagenknecht-ohne-klimaschutz-boeden-binden-weniger-CO$_2$-kleine-unwetter-mit-grossen-schaeden

7 Was ist moderne Wirtschaftspolitik? Über marode Brücken, Stahlkocher und echte Generationengerechtigkeit

1 Mariana Mazzucato, Das Kapital des Staates. Eine andere Geschichte von Innovation und Wirtschaft, Campus, Frankfurt a. M. 2023

2 https://www.t-online.de/nachrichten/deutschland/innenpolitik/id_100296518/markus-lanz-i-haushaltskrise-lars-feld-stellt-intel-ausgaben-infrage.html

3 https://www.epo.org/de/news-events/news/digitale-technologien-und-saubere-energien-staerken-2023-die-patentnachfrage

4 https://www.handelsblatt.com/politik/international/grossbritannien-die-briten-verlieren-ihren-wohlstand/100002058.html

5 Ha-Joon Chang, 23 Lügen, die sie uns über den Kapitalismus erzählen. C. Bertelsmann 2010

6 https://www.whitehouse.gov/cleanenergy/inflation-reduction-act-guidebook/; https://www.bertelsmann-stiftung.de/de/unsere-projekte/nachhaltig-wirtschaften/projektnachrichten/inflation-reduction-act

7 »Die Ergebnisse zeigen, dass für die Vereinigten Staaten insgesamt von einem positiven Effekt des IRAs auf die US-Wirtschaft ausgegangen wird«, so eine Studie des ifo-Institutes. https://www.ifo.de/DocDL/ifo-studie-ira-experts-bmf-2023.pdf

8 https://www.stahl-online.de/stahl-online-news/ira-studie-warnt-vor-verlagerung-von-investitionen-in-die-usa/

9 https://impact.economist.com/sustainability/net-zero-and-energy/prioritising-innovation-the-case-against-the-carbon-tax-ben-ho; https://newforum.org/the-berlin-summit-declaration-winning-back-the-people/

10 https://www.stahl-holding-saar.de/shs/de/presse/pressemitteilungen/robert-habeck-stellt-2-6-milliarden-euro-foerderung-fuer-die-saarlaendische-stahlindustrie-in-aussicht-110202.shtml

11 Auf dem Tag der progressiven Wirtschaftspolitik sagt Mazzucato, dass Duisburg ein gutes Beispiel für die richtige Wirtschaftspolitik sei. https://www.youtube.com/watch?v=OD3HLYl0HfA

12 https://www.bmwk.de/Redaktion/DE/Meldung/2023/20231221-haushalt-einigung-ktf-2024.html

13 https://www.spiegel.de/wirtschaft/schleswig-holstein-weg-fuer-bau-von-northvolt-batteriefabrik-ist-frei-a-f4e27f4f-2210-4bbf-8ea1-9dfd0e552264

14 https://www.mdr.de/nachrichten/sachsen-anhalt/magdeburg/magdeburg/zuschuesse-intel-gesichert-ampel-102.html

15 https://www.bmwk-energiewende.de/EWD/Redaktion/Newsletter/2020/12/Meldung/direkt-erklaert.html

16 https://www.tagesspiegel.de/politik/der-staat-ist-ein-teurer-schwachling-1807255.html

17 https://www.cdu.de/artikel/regierung-zu-haushaltsdisziplin-verpflichtet

18 https://www.bundesfinanzministerium.de/Content/DE/Interviews/2024/2024-04-05-rheinische-post.html

19 https://www.n-tv.de/politik/Haende-auf-den-Ruecken-gefesselt-ziehen-wir-in-den-Boxkampf-article24553150.html

20 https://newforum.org/the-berlin-summit-declaration-winning-back-the-people/

21 https://www.imf.org/en/News/Articles/2024/05/28/germany-2024-cs

22 https://www.mckinsey.de/news/presse/studie-net-zero-deutschland-klimaneutralitaet-chancen-herausforderungen

23 https://www.iwkoeln.de/presse/pressemitteilungen/hubertus-bardt-michael-huether-schuldenbremse-fuer-noetigen-spielraum-modifizieren.html; https://www.boeckler.de/pdf/p_imk_report_152_2019.pdf; https://www.boeckler.de/pdf/pm_imk_2024_05_14.pdf; https://www.iwkoeln.de/presse/pressemitteilungen/michael-huether-simon-gerards-iglesias-600-milliarden-euro-fuer-eine-zukunftsfaehige-wirtschaft.html. Interessant sind auch die Papiere vom DezernatZukunft: https://www.dezernatzukunft.org/ueberuns/ und vom ifo-Institut: https://www.ifo.de/DocDL/sd-2024-02-fuest-etal-haushaltspolitik-reform-schuldenbremse.pdf

24 https://www.boeckler.de/pdf/pm_imk_2024_05_14.pdf; https://www.iwkoeln.de/presse/pressemitteilungen/michael-huether-simon-gerards-iglesias-600-milliarden-euro-fuer-eine-zukunftsfaehige-wirtschaft.html

25 https://www.bdew.de/online-magazin-zweitausend50/schuldenbremse/jens-suedekum-kritik-an-schuldenbremse/; https://www.zeit.de/wirtschaft/2021-05/jens-suede

kum-klimakrise-klimapolitik-schulden-oekonomie-nachhaltigkeit-transformation-wirtschaft

kum-klimakrise-klimapolitik-schulden-oekonomie-nachhaltigkeit-transformation-
wirtschaft

26 https://ec.europa.eu/eurostat/documents/2995521/18357971/2-22012024-AP-EN.
pdf/8b631960-6df6-b7b6-49a0031dca1479c6

27 https://www.bmwk.de/Redaktion/DE/Dossier/buerokratieabbau.html

28 https://www.bundesregierung.de/breg-de/aktuelles/ausbau-erneuerbare-energien-
2225808

8 Innovationspolitik praktisch: Wie kommt das Neue in die Welt – und nach Deutschland?

1 https://www.zeit.de/wirtschaft/2016-03/amory-lovins-energiewende-bundesver
dienstkreuz-rocky-mountains

2 https://de.statista.com/statistik/daten/studie/158150/umfrage/ausgaben-fuer-for
schung-und-entwicklung-2008/

3 https://www.destatis.de/DE/Presse/Pressemitteilungen/2023/02/PD23_051_413.
html; https://www.zeit.de/2023/49/fleischkonsum-geschichte-tiere-deuschland-daten

4 https://de.statista.com/themen/1315/fleisch/

5 https://www.ndr.de/ratgeber/gesundheit/Wurst-ist-ungesund-Je-weniger-desto-bes
ser,wurst296.html

6 https://www.boell.de/de/2021/11/12/CO$_2$-emissionen-unserer-fleischproduktion;
https://www.boell.de/de/de/fleischatlas-2021-jugend-klima-ernaehrung

7 Elizabeth Kolbert, Wir Klimawandler, Suhrkamp, Berlin 2021. Interessant und nicht
ganz so düster ist das Buch von Bernhard Kegel, in dem er beschreibt, wie sich manche Arten an den Klimawandel anpassen: Bernhard Kegel, Die Natur der Zukunft,
Dumont, Köln 2021

8 In Deutschland kommen zwei Drittel der Forschungsaufwendungen von privaten Firmen: https://www.destatis.de/DE/Themen/Gesellschaft-Umwelt/Bildung-Forschung-
Kultur/Forschung-Entwicklung/Tabellen/forschung-entwicklung-sektoren.html

9 Jason Hickel, Weniger ist mehr, Oekom, München 2023

10 https://www.darpa.mil/about-us/about-Darpa

11 https://www.sprind.org/de/

12 https://www.epo.org/de/news-events/news/digitale-technologien-und-saubere-ener
gien-staerken-2023-die-patentnachfrage

13 https://www.bmbf.de/bmbf/de/forschung/zukunftsstrategie/zukunftsstrategie_node.
html

14 https://www.oecd.org/industry/oecd-berichte-zur-innovationspolitik-deutschland-
2022-9d21d68b-de.htm

15 https://www.bundestag.de/presse/hib/kurzmeldungen-963848

16 https://www.umweltbundesamt.de/sites/default/files/medien/376/publikationen/wie_
transformationen_und_gesellschaftliche_innovationen_gelingen_koennen.pdf

17 https://www.zeit.de/2015/39/energiewende-deutschland-vorbild; https://www.unend
lich-viel-energie.de/presse/pressemitteilungen/20-jahre-eeg; https://www.ise.fraunho
fer.de/en/publications/studies/cost-of-electricity.html; https://en.wikipedia.org/wiki/
Cost_of_electricity_by_source

254   Hat das Zukunft oder kann das weg?

18 https://www.zew.de/publikationen/unmasking-the-porter-hypothesis-environmen tal-innovations-and-firm-profitability; https://www.oecd-ilibrary.org/sites/7ed2f3a3-en/index.html?itemId=/content/component/7ed2f3a3-en; https://media.rff.org/docu ments/RFF-DP-11-01.pdf
19 https://www.capital.de/wirtschaft-politik/sind-verbote-wirklich-innovationstreiber

9 Wie Zukunftspolitik (nicht) funktioniert: Ein Lehrstück

1 https://www.carbonbrief.org/guest-post-how-heat-pumps-became-a-nordic-success-story/
2 https://geg-info.de/geg_news/191023_geg_vom_bundeskabinett_beschlossen.htm
3 https://www.augsburger-allgemeine.de/politik/wirtschaftsflaute-markus-soeder-will-fast-alle-ampel-projekte-rueckgaengig-machen-id69312131.html
4 https://www.zeit.de/2023/34/robert-habeck-ampel-regierung-klimapolitik
5 Hier eine gute Chronologie der Ereignisse: https://www.zeit.de/politik/deutschland/2023-09/gebaeudeenergiegesetz-heizungsgesetz-bundestag-ampel-koalition
6 https://www.zeit.de/politik/deutschland/2023-09/gebaeudeenergiegesetz-heizungsge setz-bundestag-ampel-koalition
7 Susanne Götze, Annika Joeres, Die Klimaschmutzlobby, Piper 2022
8 Christian Stöcker, Männer, die die Welt verbrennen, Ullstein, Berlin 2024. https://www.spiegel.de/wissenschaft/mensch/energiedebatte-wie-gut-kennen-sie-sich-mit-der-energiewirtschaft-aus-kolumne-a-487e40e2-dea7-42fb-920c-12871e5788de?sara_ref=re-so-app-sh
9 Steffen Mau, Thomas Lux, Linus Westheuser, Triggerpunkte, Suhrkamp, Berlin 2023
10 https://www.europarl.europa.eu/RegData/etudes/ATAG/2020/651916/EPRS_ATA (2020)651916_EN.pdf; https://www.bundeskanzler.de/bk-de/aktuelles/interview-bun deskanzler-wams-2223876
11 https://www.spiegel.de/politik/deutschland/olaf-scholz-bundeskanzler-gegen-staat liche-einschraenkungen-bei-autofahren-und-fleischkonsum-a-d9b2edd0-a05d-456e-9478-74bd390b1ecd
12 https://www.deutschlandfunk.de/politik-und-verzicht-weniger-konsum-als-antwort-auf-die-100.html
13 https://www.tagesschau.de/inland/innenpolitik/habeck-union-wachstumschancenge setz-102.html
14 https://www.umweltrat.de/SharedDocs/Downloads/DE/04_Stellungnahmen/2020_2024/2024_03_Suffizienz.html
15 https://www.nachhaltigkeitsrat.de/wp-content/uploads/2024/04/20243021_RNE_ Stellungnahme_Verantwortung_Staat_und_Gesellschaft_fuer_nachhaltige_Lebens welten.pdf

10 Wie Ungleichheit den Fortschritt hemmt: Und die Demokratie bedroht

1 https://worldhappiness.report/ed/2024/

2 Kate Pickett, Richard Wilkinson, Gleichheit ist Glück, Warum gerechte Gesellschaften für alle besser sind, Haffmans & Tolkemitt, Berlin 2010. Abstract: https://library.fes.de/pdf-files/id/ipa/07300.pdf

3 https://www.boeckler.de/de/boeckler-impuls-ungleichheit-kostet-lebensjahre-8234.htm

4 https://www.imf.org/en/Topics/Inequality

5 https://web-archive.oecd.org/2014-12-09/331636-inequality-hurts-economic-growth.htm

6 https://www.imf.org/en/Publications/WP/Issues/2020/10/16/A-Vicious-Cycle-How-Pandemics-Lead-to-Economic-Despair-and-Social-Unrest-49806

7 https://csh.ac.at

8 https://seshatdatabank.info/

9 https://www.nytimes.com/2019/01/14/health/height-weight-americans-cdc.html

10 Peter Turchin, End Times, Elites, Counter-Elites and the Path of Political Disintegration, Allen Lane, London 2023

11 https://www.oxfam.de/ueber-uns/publikationen/bericht-soziale-ungleichheit-2024

12 https://www.pewresearch.org/social-trends/2020/01/09/trends-in-income-and-wealth-inequality/

13 https://www.philanthropy.com/article/philanthropy-buzzwords-2023-a-window-into-uncertain-and-unstable-times

14 https://www.fhi.ox.ac.uk/elon-musk-funds-oxford-and-cambridge-university-research-on-safe-and-beneficial-artificial-intelligence/; https://www.theguardian.com/technology/2024/apr/28/nick-bostrom-controversial-future-of-humanity-institute-closure-longtermism-affective-altruism

15 William MacAskill, What We Owe The Future, Basic Books 2022

16 https://www.zeit.de/2022/11/longtermism-philosophie-zukunft-menschheit/komplettansicht

17 https://www.philomag.de/artikel/longtermism-eine-neue-theorie-fuer-die-zukunft

18 https://a16z.com/the-techno-optimist-manifesto/

19 Mike Davis, Who Will Build the Ark?, in: *New Left Review* 61 (2010), S. 29–46.

11 Und in Deutschland? Was eine Straße über Fortschritt und Fairness in Deutschland erzählt

1 https://www.sozial-klimarat.de/

2 https://table.media/podcast/table-today/wann-kommt-das-klimageld-herr-miersch/; https://www.spiegel.de/wirtschaft/soziales/spd-fraktionsvize-argumentiert-gegen-klimageld-fuer-alle-mit-fragwuerdigen-argumenten-a-e8e30357-9fa2-49b3-9c1c-cc867890f57c

3 https://www.ifo.de/stellungnahme/2024-01-18/ifo-standpunkt-257-das-klimageld-ist-nicht-das-richtige-instrument; https://www.boeckler.de/de/podcasts-22421-warum-das-klimageld-kein-instrument-der-umverteilung-ist-55339.htm; https://www.rwi-essen.de/presse/wissenschaftskommunikation/pressemitteilungen/detail/statt-klimageld-CO2-preis-einnahmen-ueber-senkung-des-strompreises-an-bevoelkerung-zurueckgeben

4 https://www.boeckler.de/de/podcasts-22421-warum-das-klimageld-kein-instrument-der-umverteilung-ist-55339.htm; https://www.boeckler.de/data/Systemrelevant_177_klimageld.pdf

5 https://www.zeit.de/2023/41/gesellschaft-spaltung-konflikte-studie-steffen-mau/komplettansicht

6 https://www.dezernatzukunft.org/drei-lehren-aus-neuen-ezb-vermoegensdaten/; https://www.zeit.de/wirtschaft/2023-08/einkommen-vermoegen-ungleichheit-selbst wahrnehmung-umfrage

7 https://www.boeckler.de/de/auf-einen-blick-17945-20845.htm

8 https://www.zeit.de/politik/deutschland/2024-03/afd-waehler-profil-daten-statistik

9 https://iab.de/presseinfo/nur-mit-einer-jaehrlichen-nettozuwanderung-von-400-000-personen-bleibt-das-arbeitskraefteangebot-langfristig-konstant/

10 https://www.progressives-zentrum.org/wp-content/uploads/2022/06/Pressemitteilung-100_Tage-Ampel-Allensbach-Das-Progressive-Zentrum.pdf

11 https://www.boeckler.de/de/boeckler-impuls-sozialer-aufstieg-wird-seltener-9578.htm

12 https://www.spd.de/service/pressemitteilungen/detail/news/fortschritt-braucht-gerechtigkeit-seit-160-jahren-ideen-fuer-morgen/10/05/2023

13 https://www.diw.de/de/diw_01.c.613835.de/nachrichten/wer_nicht_erbt____hat_s_schwer.html

14 Alexander Hagelüken, Schock-Zeiten, C.H.Beck, München 2023, Seite 182 ff

15 https://www.progressives-zentrum.org/klimapolitik-wider-rechte-maximalopposition/

16 https://climateoutreach.org/about-us/story-values/

17 George Marshall, Don't even think about it. Why our brains are wired to ignore, Bloomsbury, New York 2014. Hier eine Zusammenfassung: https://theclimatecenter.org/wp-content/uploads/2017/03/final_Dont-Even-Think-About-It-Notes.pdf

18 https://www.pewresearch.org/short-reads/2023/08/09/what-the-data-says-about-americans-views-of-climate-change/. 75 Prozent der Befragten und damit eine große Mehrheit hält die ökonomische Genesung für sehr wichtig. Nur ein gutes Drittel sagt das über die Klimapolitik. Damit kommt die gerade mal auf Platz 17 von 21.

19 https://www.fes.de/referat-demokratie-gesellschaft-und-innovation/gegen-rechtsextremismus/mitte-studie-2023

20 https://www.deutschland.de/de/topic/leben/stadt-und-land-fakten-zu-urbanisierung-und-landflucht

21 Hans-Jochen Vogel, Mehr Gerechtigkeit, Herder, Freiburg 2023

22 https://www.zdf.de/nachrichten/wirtschaft/scholz-wohnungsbau-stadtteile-100.html

23 https://taz.de/Experte-ueber-Wohnungspolitik/!5863156/

24 https://www.bmfsfj.de/bmfsfj/aktuelles/alle-meldungen/gesundheit-miteinander-und-bildung-schuetzen-vor-einsamkeit-im-hohen-alter-192790

25 https://thenew.institute/redefining-the-possible/innovation.html

26 Bärbel Wegner et al, Wohnen bei Genossenschaften, Eller und Richter Verlag, Hamburg 2013

27 https://www.bauwelt.de/rubriken/betrifft/Stadt-und-Rassismus-Radikale-Neugestaltung-von-daenischen-Grosswohnsiedlungen-3887768.html

12 Warum die Parteien so schlecht zur Wirklichkeit passen: Über alte Grundwerte in Krisenzeiten

1 Carsten Brosda, Mehr Zuversicht wagen, Hoffmann und Campe, Hamburg 2023

13 Konservativ und trotzdem modern sein: Die CDU

1 https://www.konrad-adenauer.de/seite/cadenabbia/
2 https://www.frankfurter-hefte.de/artikel/die-welt-ist-nicht-schwarz-weiss-3530/
3 Moritz Küpper, »Erneuerungs- und Abnutzungsprozesse«, in: Knut Bergmann, Mehr Fortschritt wagen?, transcript Verlag, Bielefeld 2022, S. 236
4 https://www.deutschlandfunk.de/bundeskanzlerin-der-wandel-der-cdu-unter-ange la-merkel-100.html
5 Karl-Rudolf Korte, »Wählen und Regieren in der Coronakratie«, in: Knut Bergmann: Mehr Fortschritt wagen, transcript Verlag, Bielefeld 2022, S. 18
6 https://www.spiegel.de/politik/deutschland/cdu-konservative-ohne-fuehrungsfigur- ein-neuer-friedrich-merz-gesucht-a-00000000-0002-0001-0000-000175196795
7 https://www.sueddeutsche.de/bayern/bayern-csu-markus-soeder-laptop-lederhose- leberkaes-lasern-1.5485996
8 Giuseppe Tomasi di Lampedusa, Der Leopard, Piper, München 2019
9 https://www.grundsatzprogramm-cdu.de/grundsatzprogramm
10 Moritz Küpper, »Erneuerungs- und Abnutzungsprozesse«, in: Knut Bergmann, Mehr Fortschritt wagen, transcript Verlag, Bielefeld 2022, S. 248 und 236
11 https://www.berlin-live.de/berlin/verkehr/berlin-verkehr-wegner-cdu-friedrichstras se-id19792.html
12 https://www.sueddeutsche.de/bayern/bayern-csu-markus-soeder-laptop-lederhose- leberkaes-lasern-1.5485996; https://www.merkur.de/bayern/zwischen-afd-und-wagen knecht-soeder-sieht-freie-waehler-kurs-rechts-partei-zr-92831395.html
13 Thomas Biebricher, Mitte/Rechts. Die internationale Krise des Konservatismus. Suhr- kamp, Berlin 2023 und Geistig-moralische Wende. Die Erschöpfung des deutschen Konservatismus. Matthes & Seitz, Berlin 2019
14 https://www.zeit.de/2017/45/angela-merkel-erderwaermung-klimawandel-klimaziele
15 https://www.handelsblatt.com/politik/deutschland/welthandel-china-check-statt- protektionismus-so-sieht-die-strategie-von-cdu-und-csu-aus/29501982.html

14 Was bedeutet Gerechtigkeit heute? Die SPD

1 https://grundwertekommission.spd.de/aktuelles/aktuelles/news/50-jahre-grundwerte kommission-beim-spd-parteivorstand/14/11/2023-1
2 Ulrich Beck, Risikogesellschaft. Auf dem Weg in eine andere Moderne, Suhrkamp, Frankfurt am Main 1986, S. 37
3 https://www.zeit.de/2007/25/SPD-Essay
4 https://www.boeckler.de/de/pressemitteilungen-2675-datencheck-entkraeftet-maer- vom-aufgeblaehten-deutschen-staat-57403.htm
5 https://www.rnd.de/wirtschaft/spd-wirtschaftsprogramm-spannend-wird-es-erst- 2025-EFW3NSJXKJF7VMCYKPT267PTSU.html

6 https://www.youtube.com/watch?v=fz297p5Qw18

7 https://www.spd.de/partei/aktionswoche-transformation; https://vorwaerts.de/meinung/160-jahre-warum-es-bei-der-transformation-auf-die-spd-ankommt

8 https://www.bundeskanzler.de/bk-de/aktuelles/allianz-fuer-transformation-2135012

9 https://www.spdfraktion.de/themen/grosse-transformation-dritter-teil

10 https://www.bertelsmann-stiftung.de/fileadmin/files/user_upload/W_Studie_Klima politik_und_soziale_Gerechtigkeit_final.pdf

11 Karl Polanyi, The Great Transformation, Beacon, Boston 2001

12 Der WBGU ist ein wissenschaftliches Beratungsgremium der Bundesregierung. Er beschäftigt sich mit der Überlebensfähigkeit des Landes. https://www.wbgu.de/de/publikationen/publikation/welt-im-wandel-gesellschaftsvertrag-fuer-eine-grosse-transformation

13 Olaf Scholz, Hoffnungsland, Eine neue deutsche Wirklichkeit, Hoffmann und Campe, Hamburg 2017

14 https://www.bundesregierung.de/breg-de/schwerpunkte/klimaschutz/allianz-fuer-transformation

15 https://www.willy-brandt-biografie.de/wp-content/uploads/2017/08/Regierungserklaerung_Willy_Brandt_1969.pdf

15 Ökologie als Markenkern: Die Grünen

1 https://www.zeit.de/news/2024-03/02/politischer-hintergrund-bei-angriff-auf-gruenen-kandidat; https://www.tagesschau.de/inland/innenpolitik/feindbild-gruene-100.html

2 https://www.csu.de/aktuell/meldungen/oktober-2023/soeder-klarer-sieger-ja-zu-bayern-nein-zu-gruener-ideologie/; https://www.zeit.de/politik/deutschland/2023-10/die-gruenen-ampelkoalition-afd-cdu-csu-5vor8

3 https://www.faz.net/aktuell/politik/inland/sahra-wagenknecht-nennt-die-gruenen-gefaehrlichste-partei-18405282.html

4 https://www.deutschlandfunk.de/fdp-generalsekretaer-djir-sarai-nennt-gruenen-koalitionspartner-sicherheitsrisiko-fuer-das-land-100.html

5 https://expertenrat-klima.de/

6 https://www.zeit.de/2023/41/gesellschaft-spaltung-konflikte-studie-steffen-mau/seite-5

7 https://www.bertelsmann-stiftung.de/fileadmin/files/user_upload/W_Studie_Klima politik_und_soziale_Gerechtigkeit_final.pdf

8 https://www.bmwk.de/Redaktion/DE/Pressemitteilungen/2024/01/20240124-energiewende-sichert-wohlstand-in-deutschland.html

9 https://www.bpb.de/themen/parteien/parteien-in-deutschland/gruene/42159/wahlergebnisse-und-waehlerschaft-der-gruenen/

10 https://www.zeit.de/politik/deutschland/2013-08/gruene-fleischkonsum-wahlkampf-kantine-veggie-day

16 Die Freiheit, die sie meinen: Die FDP

1 Die Vorteile von Tempo 30 für Luft und Lärm hat das Umweltbundesamt zusammengestellt: https://www.umweltbundesamt.de/sites/default/files/medien/2546/publikatio

nen/wirkungen_von_tempo_30_an_hauptstrassen.pdf; Tempo 30 in Lyon belegt, wie die Zahl der Unfälle sinkt: https://www.tagesschau.de/ausland/europa/lyon-tempo-30-100.html

2 https://www.lebenswerte-staedte.de/de/

3 https://www.fdp.de/freiheit

4 Thomas Paine, Common Sense, Public Domain. https://www.gutenberg.org/ebooks/147

5 https://www.fdp.de/pressemitteilung/lindner-rede-auf-dem-74-ord-bundesparteitag-der-freien-demokraten

6 https://www.tagesschau.de/inland/btw21/fdp-erstwaehler-101.html

7 https://ppp.podigee.io/59-new-episode

8 https://www.umweltbundesamt.de/presse/pressemitteilungen/tempolimit-auf-autobahnen-mindert-CO_2-emissionen; https://www.zeit.de/mobilitaet/2024-03/frank reich-lyon-tempo-30-bilanz-positiv

9 Felix Heidenreich, Nachhaltigkeit und Demokratie, Suhrkamp, Berlin 2023

10 https://www.fuss-ev.de/mobilitaet/starker-fussverkehr

11 Stefan Kolev, FAZ, 28.9.2021, S. 25

12 https://www.spiegel.de/politik/deutschland/fdp-fraktionsvize-gyde-jensen-ueber-streit-in-der-ampel-die-leute-sagen-macht-lieber-eure-arbeit-a-99731a4b-3267-46d9-990e-9c484ab66a3c

13 Pressemitteilung vom 15.4.2024

14 https://www.freiheit.org/de/focus/50-jahre-freiburger-thesen

15 https://www.tagesspiegel.de/politik/der-staat-ist-ein-teurer-schwachling-1807255.html

17 Chill doch mal! Wie die Politik auf kreativere Ideen für die Zukunft kommen könnte

1 https://futurium.de

2 https://www.faz.net/aktuell/politik/gesetzgebungsverfahren-bas-kritisiert-ampel-koalition-wegen-zu-schneller-gesetze-18876423.html

3 Hartmut Rosa, Beschleunigung und Entfremdung. Entwurf einer kritischen Theorie spätmoderner Zeitlichkeit, Suhrkamp, Berlin 2016, S. 101–104

4 https://www.progressives-zentrum.org/

5 https://www.zeit.de/2019/27/christian-calliess-umweltministerium-veto-klimaschutz; https://www.umweltrat.de/SharedDocs/Downloads/DE/02_Sondergutachten/2016_2 020/2019_06_SG_Legitimation_von_Umweltpolitik.pdf?__blob=publicationFile&v=13

18 »Den Utopien-Muskel trainieren«: Wie wir die Zukunft ändern können

1 https://www.unesco.org/en/futures-literacy?TSPD_101_R0=080713870fab200077843 027d3058d1af9f12124269c31294f0d7888325a4c4cb0942390d5718bd008975f656e 143000a31b054731cd54b291b3d4e8e40e918ff45c89522eac030de4af58d493ea9e1c 00b8db5e981e8ce3e8c07b7f9b89c9d2#:~:text=What%20is%20Futures%20Literacy %20(FL,and%20novelty%20of%20our%20societies

2 https://hfgg.de/

3 Nach dem UNESCO-Prinzip unterrichten auch: https://www.zukunftsbauer.de/ueber-uns/; https://www.continued.fu-berlin.de/de/Extracurricular/Positive-Futures/

4 https://www.youtube.com/watch?v=m7SX8PKOzUU

5 Lea Elsässer, Wessen Stimme zählt? Soziale und politische Ungleichheit in Deutschland, Campus, Frankfurt a. M. 2018

6 https://www.boeckler.de/de/context.htm?page=wsi/pressemitteilungen-15991-studie-armut-ist-risiko-fur-demokratie-53417.htm

7 https://www.bundestag.de/resource/blob/272942/6cf360e6389ed7280699f6667e43c5e5/Kapitel_03_09_Schul-_und_Hochschulbildung-pdf.pdf

8 https://www.lovepolitics.net/wir

9 https://www.bertelsmann-stiftung.de/de/themen/aktuelle-meldungen/2023/september/kommunen-finanziell-schlecht-geruestet-fuer-nachhaltigkeitswende

10 Peter Kurz, Gute Politik. Was wir dafür brauchen. S. Fischer, Frankfurt a. M. 2024

11 https://batesoninstitute.org/warm-data/

19 Über Krisen und Gummistiefel: Und darüber, wie der Kanzler sein Kabinett überraschte

1 https://www.ndr.de/nachrichten/niedersachsen/Hochwasser-in-Niedersachsen-Vergleichsbilder-zeigen-die-Folgen,hochwasser5948.html

2 https://www.zeit.de/wissen/umwelt/2024-01/hochwasserlage-warnkarten-deutscher-wetterdienst-pegelstaende; https://www.ndr.de/nachrichten/niedersachsen/Hochwasser-Bis-zu-15-Millionen-Euro-Strassenschaeden-verursacht,hochwasser5996.html

3 Hedwig Richter und Bernd Ulrich: Demokratie und Revolution, Wege aus der selbst verschuldeten ökologischen Unmündigkeit, Kiepenheuer & Witsch, Köln 2024

4 https://www.rnd.de/wissen/hochwasser-in-den-niederlanden-was-kann-deutschland-beim-hochwasserschutz-lernen-L4GYL3C45VC7DGMCRPDAFNBHSM.html

5 https://www.bundesregierung.de/breg-de/themen/nachhaltigkeitspolitik/staatssekretaersausschuss-426412

6 https://www.bundesregierung.de/breg-de/schwerpunkte/klimaschutz/kosten-klimawandel-2170246

7 In einer Studie, die das genauer erforschen wollte, nahmen 516 Haushalte aus dem von der Flut besonders betroffenen Landkreis Ahrweiler teil. https://www.fr.de/wirtschaft/klimawandel-kosten-schaeden-ahrtal-versicherungen-steuern-umwelt-oekonomie-studie-deutschland-zr-92191904.html; https://www.bpb.de/kurz-knapp/hintergrund-aktuell/522893/nach-der-flut-an-der-ahr-2021/

8 Jonas Schaible, Demokratie im Feuer, DVA, München 2023

9 https://stiftung-gegm.de/

10 Zwar zahlte der Bund für 2023 noch einmal, aber 2024 ist die Finanzierung höchst unsicher. https://www.swr.de/swraktuell/rheinland-pfalz/nachtragshaushalt-bundesregierung-flut-aufbaufonds-gesichert-100.html

11 https://www.hamburgwasser.de/umwelt/vorsorge/schwammstadt

12 https://www.deutschlandfunkkultur.de/ahrtal-hochwasser-wiederaufbau-kritik-wissenschaft-100.html

20 Was nun, Regierung? Über die ungenutzten Spielräume der Politik

1 https://www.treasury.govt.nz/publications/wellbeing-budget/wellbeing-budget-2022-secure-future

2 https://www.oecd.org/innovation/mission-oriented-innovation-policy-in-norway-2e7c30ff-en.htm

3 Nicola Brandt und Daniel Bruns, »Was kann Deutschland für seine Transformation von Vorbildern aus OECD-Staaten lernen«, in Knut Bergmann (Hg): Mehr Fortschritt wagen?, transcript Verlag, Bielefeld 2023

4 https://futuros.gob.es/en

5 https://www.youtube.com/watch?v=P831pDFVn6U&t=1079s

6 Mark Schieritz, Olaf Scholz, S. Fischer, Frankfurt a. M. 2022

7 Hannah Arendt, Was ist Politik?, Piper, München 2003

8 https://www.tagesanzeiger.ch/krisen-2023-im-moment-braeuchten-wir-wohl-alle-mal-eine-pause-199464801432

9 Bundespressekonferenz am 27. September 2021

10 https://www.facebook.com/ZDFheute/videos/scholz-mag-schl%C3%BCmpfe/458636368518426/

11 https://library.fes.de/pdf-files/pbud/20287-20230505.pdf

12 https://www.bundesregierung.de/breg-de/service/bulletin/rede-von-bundeskanzler-olaf-scholz-2063338

13 https://www.deutschlandfunk.de/felix-heidenreich-demokratie-als-zumutung-fuer-eine-andere-buergerlichkeit-dlf-f58f3628-100.html; Felix Heidenreich, Demokratie als Zumutung, Für eine andere Bürgerlichkeit, Klett-Cotta, Stuttgart 2022

14 https://www.governance-platform.org/portfolio/stadtentwicklung/; https://www.deutschlandfunk.de/demokratie-vor-ort-wie-rottenburg-um-buergerbeteiligung-ringt-dlf-77a2b2a2-100.html

15 https://www.ghst.de/demokratie-staerken/verstehen/jugend-entscheidet

16 https://www.aacademica.org/erik.olin.wright/46.pdf, S. 4

17 Stefan Thurner, Die Zerbrechlichkeit der Welt, edition a, Wien 2020

18 https://www.zdf.de/politik/was-nun/was-nun-herr-pistorius-106.html

Wir: Oder warum die Zukunft uns alle angeht

1 https://www.aps.org/archives/publications/apsnews/200301/history.cfm

2 https://www.zeit.de/wissen/2024-04/neurowissenschaft-volker-busch-stress-krisen-podcast; Volker Busch, Kopf hoch, Droemer 2024

3 Corine Pelluchon, Die Überquerung des Unmöglichen. Hoffnung in Zeiten der Klimakatastrophe, C.H.Beck, München 2024

Dank

1 https://www.zeit.de/serie/auch-das-noch-krisenpodcast